# Anne de Green Gables

Lucy Maud Montgomery

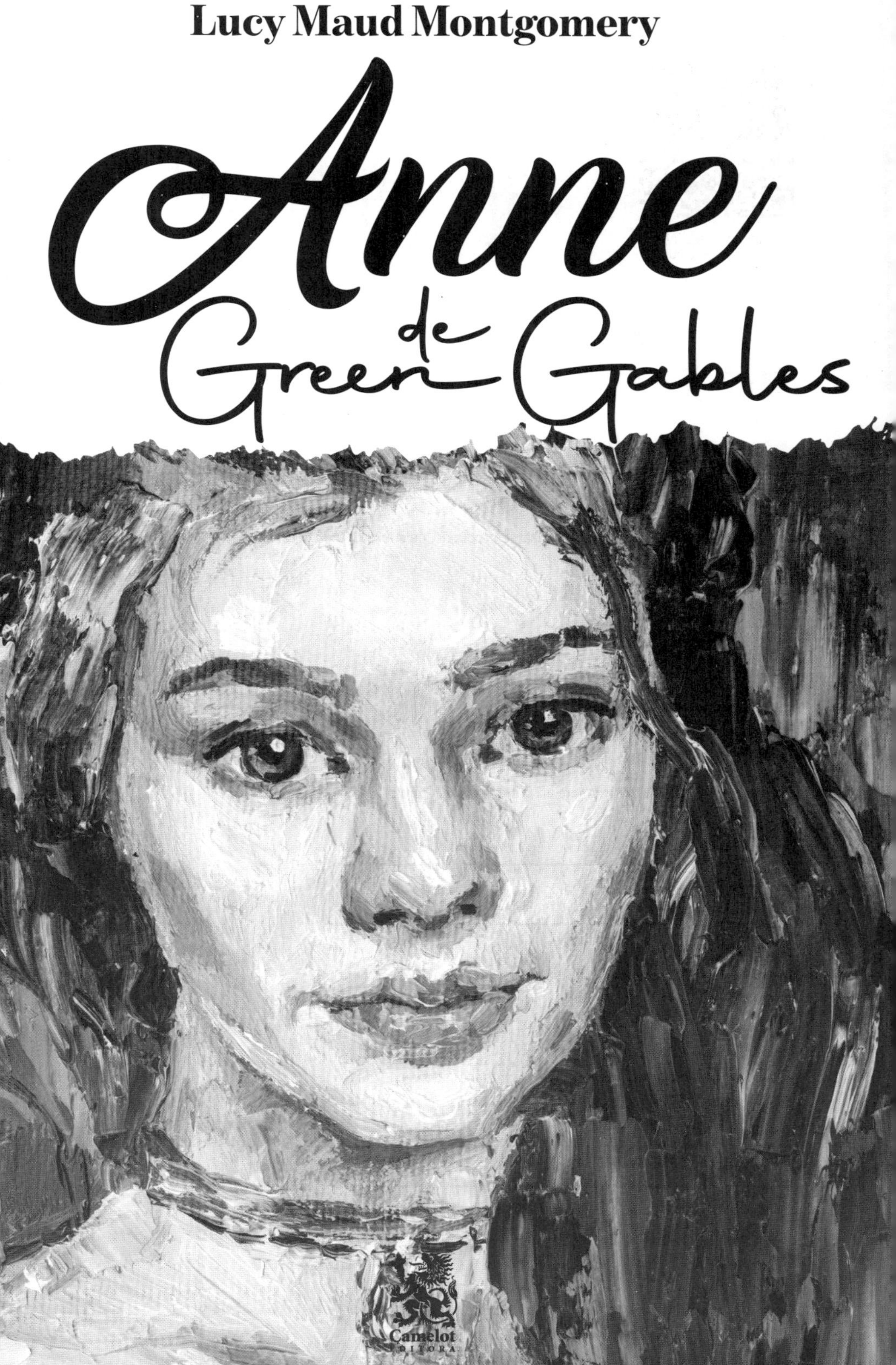
Anne
de
Green Gables
Camelot
EDITORA

CONHEÇA NOSSO LIVROS
ACESSANDO AQUI!



Título original: Anne of Green Gables


1ª Impressão 2023

**Presidente:** Paulo Roberto Houch
MTB 0083982/SP

**Coordenação Editorial:** Priscilla Sipans
**Coordenação de Arte:** Rubens Martim
**Diagramação:** Raissa Ribeiro
**Produção editorial:** Eliana S. Nogueira
**Tradução:** Júlia Rajão
**Revisão:** Jane Rajão
**Apoio de revisão:** Lilian Rozati

**Vendas:** Tel.: (11) 3393-7727 (comercial2@editoraonline.com.br)

Foi feito o depósito legal.

Dados Internacionais de Catalogação na Publicação (CIP)
de acordo com ISBD

M787a Montgomery, Lucy Maud

Anne de Green Gables / Lucy Maud Montgomery. - Barueri
Camelot Editora, 2023.
192 p. ; 15,1cm x 23cm.

ISBN: 978-65-85168-20-5

1. Literatura infantojuvenil. 2. Literatura canadense. I. Título.

2023-860 CDD 028.5
CDU 82-93

Elaborado por Vagner Rodolfo da Silva - CRB-8/9410

**IBC — Instituto Brasileiro de Cultura LTDA**
CNPJ 04.207.648/0001-94
Avenida Juruá, 762 — Alphaville Industrial
CEP. 06455-010 — Barueri/SP
www.editoraonline.com.br

# *Anne*

*1. Anne de Green Gables*

*2. Anne de Avonlea*

*3. Anne da Ilha*

*4. Anne de Windy Poplars*

*L. M. Montgomery*

# SUMÁRIO

I A SRA. RACHEL LYNDE SE SURPREENDE ............9

II MATTHEW CUTHBERT SE SURPREENDE ............13

III MARILLA CUTHBERT SE SURPREENDE. ............22

IV GREEN GABLES ............27

V UMA HISTÓRIA DE VIDA ............31

VI MARILLA SE DECIDE ............34

VII AS ORAÇÕES NOTURNAS ............38

VIII A EDUCAÇÃO DE ANNE COMEÇA ............40

IX A SENHORA LYNDE FICA HORRORIZADA ............46

X O PEDIDO DE DESCULPAS ............50

XI A ESCOLA DOMINICAL. ............55

XII UMA PROMESSA SOLENE. ............58

XIII FELICIDADES ............62

XIV A CONFISSÃO ............65

XV UMA TEMPESTADE EM UM COPO D'ÁGUA ............71

XVI A FESTA DO CHÁ E SUA CONSEQUÊNCIAS ............81

XVII UM NOVO INTERESSE NA VIDA. ............88

XVIII ANNE COMO UM ANJO SALVADOR ............92

XIX ENTRE OUTRAS COISAS, UM CONCERTO, UM ACIDENTE E UM RECONHECIMENTO. ............98

XX OS CAMINHOS DA IMAGINAÇÃO ............106

XXI UM NOVO TEMPERO ............110

XXII ANNE RECEBE UM CONVITE PARA O CHÁ ..... 116

XXIII ANNE É DERROTADA EM UM ASSUNTO DE HONRA ..... 118

XXIV A SENHORITA STACY ORGANIZA UM CONCERTO ..... 122

XXV MATTHEW E AS MANGAS BUFANTES ..... 125

XXVI O CLUBE DE CONTOS SE FORMA. ..... 131

XXVII O CASTIGO DA VAIDADE ..... 135

XXVIII UMA AVENTURA ROMÂNTICA ..... 140

XXIX TIA JOSEPHINE COMO BENFEITORA ..... 145

XXX OS CANDIDATOS À QUEEN'S ..... 150

XXXI VIDA CALMA ..... 157

XXXII LISTA DE NOMES ..... 161

XXXIII O CONCERTO NO HOTEL ..... 166

XXXIV UMA ALUNA DA QUEEN'S. ..... 171

XXXV LONGO INVERNO NA QUEEN'S ..... 176

XXXVI A GLÓRIA E O SONHO ..... 179

XXXVII A FOICE CHAMADA MORTE ..... 182

XXXVIII A CURVA DA ESTRADA ..... 186

# I
# A SRA. RACHEL LYNDE SE SURPREENDE

A casa em que a Sra. Rachel Lynde morava era bem onde a estrada de Avonlea descia para uma pequena depressão ladeada de amieiros e samambaias. O riacho corria pela depressão, cujas nascentes ficavam no fundo da floresta atrás da velha casa dos Cuthbert. Dizia-se ser um riacho muito sinuoso e rápido, com lagoas escuras e misteriosas e cachoeiras cintilantes entre as pedreiras. Mas quando atingia a depressão de Lynde, a água era pouca e calma, pois nem mesmo um riacho poderia passar pela porta da Sra. Rachel Lynde sem que ela prestasse a atenção necessária à decência e ao decoro. Provavelmente ele sabia que a Sra. Rachel estaria sentada em sua janela e observando, com olhos vigilantes, tudo o que se passava, mesmo riachos e crianças, e se ela notasse algo estranho ou errado, nunca teriam paz até que ela descobrisse os porquês daquilo tudo.

Há muitas pessoas, tanto em Avonlea, e, também, em outros lugares, que são capazes de interferir nos assuntos de seus vizinhos, negligenciando os seus próprios. Mas a Sra. Rachel Lynde era uma daquelas raras pessoas talentosas que podem fazer seu próprio trabalho e, ao mesmo tempo, mostrar a maior preocupação pelos assuntos dos vizinhos.

Ela era uma dona de casa habilidosa, cujo lar funcionava como um relógio; sempre estava disponível, auxiliava com entusiasmo o Círculo de Costura, a escola dominical e era o esteio da Sociedade da Caridade e da Missão Estrangeira.

Ainda assim, a Sra. Rachel, ficava sentada à janela da cozinha por horas tecendo colchas de algodão; já havia feito dezesseis peças, as mães da família de Avonlea comentavam isso com uma voz de espanto; sem nunca tirar os olhos atentos da estrada. Como Avonlea estava localizada em uma pequena península triangular que se estendia pelo Golfo de St. Lawrence, com água dos dois lados, todos que entravam ou saíam tinham que passar pela estrada da colina e, sem saber, pelos olhos que tudo veem da Sra. Rachel.

Ela sentou-se ali numa tarde no início de junho. O sol brilhava quente e forte na janela; o pomar na encosta abaixo da casa era como um vestido de noiva lindo com flores rosa e brancas, onde milhares de abelhas zuniam. Thomas Lynde, um homenzinho tímido que os residentes de Avonlea costumavam chamar de "marido de Rachel Lynde", plantava sementes de nabo em um campo sob uma colina atrás de um celeiro, e Matthew Cuthbert deveria estar fazendo o mesmo em seu grande campo, perto do riacho de Green Gables. A Sra. Rachel sabia que isso deveria estar acontecendo, pois ouvira Matthew dizer a Peter Morrison, no armazém de William Blair, na noite anterior, que ele semearia sementes de nabo na tarde seguinte. Peter tinha, é claro, perguntado isso a ele, porque Matthew Cuthbert não era homem de dizer nada por iniciativa própria.

E, apesar de ter ouvido isso, vê Matthew Cuthbert, às três e meia da tarde, no meio da semana, dirigindo-se vagarosamente pelo vale e subindo a colina. E mais: vestia um colarinho branco e sua melhor roupa, o que era uma prova clara de que a viagem era bastante longa. Mas para onde, diabos, Matthew Cuthbert estava indo? E por que estava indo para lá?

Se tivesse sido qualquer outro homem de Avonlea, a Sra. Rachel, com sua rara habilidade de raciocinar e calcular, poderia muito bem ter encontrado uma resposta para ambas as perguntas. Mas Matthew raramente saía de casa, o que dava a entender que o motivo que o levava a isso tinha que ser importante e incomum. Ele era muito tímido e detestava sair com estranhos ou ir a um lugar onde fosse forçado a conversar.

Matthew, em um belo colarinho branco, conduzindo uma carroça, era algo que raramente acontecia. Não importava o quanto a Sra. Rachel matutasse isso na sua cabeça, a mente não solucionava a questão e sua paz já tinha se esvaído.

— Depois do chá vou até Green Gables perguntar à Marilla onde Matthew foi e com que propósito — ela finalmente decidiu. Ele nunca vai à cidade nesta época do ano e *nunca* faz visitas a alguém. Se suas sementes de nabo tivessem acabado e fosse comprar mais, ele nunca se vestiria assim e pegaria uma carroça. Mas ele também não estava dirigindo rápido o suficiente para ter ido procurar um médico. No entanto, algo especial deve ter acontecido desde a tarde passada. Eu não entendo isso nem um pouco, e não vou me acalmar até que eu saiba por que Matthew Cuthbert saiu de Avonlea hoje.

Depois do chá, a Sra. Rachel saiu. Ela não tinha que ir longe; aquela casa bastante grande e irregular, cercada por árvores frutíferas, onde a família Cuthbert vivia, ficava a apenas alguns passos de distância do Vale de Lynde pela estrada. Além disso, é claro, havia um atalho longo e estreito. O pai de Matthew Cuthbert era tão tímido e reservado quanto seu filho e, ao construir sua casa, colocou-a o mais longe possível das outras pessoas, quase para escondê-la completamente dentro da floresta. A Sra. Rachel Lynde achava que não se podia falar em *residir* em tal lugar.

Não é à toa que tanto o Matthew quanto a Marilla sejam meio estranhos, morando sozinhos e afastados. As árvores não são boas companhias. Eu prefiro observar as pessoas. Eles parecem satisfeitos e alegres, é claro, mas provavelmente é por causa do hábito. O corpo se acostuma com tudo, até com o enforcamento!, como dizem os irlandeses.

Sra. Rachel saiu do atalho e foi ao quintal de Green Gables. Aquele quintal era muito verde, limpo e bem conservado pelos patriarcais salgueiros dispostos lado a lado. Nem um único pedaço de pau ou pedra estava fora do lugar, porque se algo assim estivesse, a Sra. Rachel o teria visto. Em sua opinião, Marilla Cuthbert varria seu quintal tão frequentemente quanto seu próprio quarto. Podia-se comer uma refeição diretamente do solo, sem o menor medo de encontrar materiais menos agradáveis.

A Sra. Rachel bateu sem demora na porta da cozinha e entrou quando convidada. A cozinha de Green Gables era um cômodo aconchegante, pelo menos seria se não fosse tão embaraçosamente limpa e arrumada, o que dava a impressão de ser completamente sem uso. As janelas davam para o Leste e para Oeste; da janela Oeste, que ficava ao lado do pátio, o sol suave de junho brilhava, mas a do Leste podia-se ver um vislumbre das flores de cerejeira brancas no jardim e, abaixo, as bétulas esguias balançando na encosta do riacho.

Ali Marilla Cuthbert costumava se sentar, nas poucas vezes que o fazia, sempre um pouco desconfiada da luz do sol, que ela considerava caprichosa e insensata neste mundo sério e responsável, e sobre a qual ela estava, agora, sentada. A mesa atrás dela estava posta para o jantar.

A Sra. Rachel mal havia fechado a porta, já tinha visualizado e decorado tudo o que estava na mesa. Estava posta para três pessoas, então Marilla estava esperando alguém que Matthew traria para jantar. Mas os pratos eram de qualidade bastante simples e havia apenas geleia de maçã selvagem e um tipo de sanduíche na mesa, de modo que nenhum convidado importante era esperado.

Mas o que pensar do colarinho branco e da égua alazã de Matthew? Eram muitos enigmas não resolvidos em conexão com a quieta e pacífica Green Gables.

— Boa noite, Rachel — disse Marilla alegremente. — Você também não acha que é uma tarde maravilhosa? Sente-se, por favor! Como você está?

Algo que, na ausência de outra palavra, poderia ser chamado de amizade, sempre existiu entre Marilla Cuthbert e a Sra. Rachel, apesar ou talvez precisamente em virtude, de suas diferenças.

Marilla era uma mulher alta e magra, angular e direta. Algumas mechas grisalhas podiam ser distinguidas em seu cabelo escuro e ele sempre estava torcido em um pequeno coque, preso por dois grampos caprichosamente inseridos. Ela parecia uma mulher com uma visão estreita da vida e uma consciência rígida, e era assim que ela era. Mas havia uma característica perto de sua boca que, se fosse ainda mais desenvolvida, poderia expressar senso de humor.

— Estamos todos bem — disse a Sra. Rachel. — Mas eu tive a sensação de que talvez nem tudo estivesse certo por aqui quando vi Matthew sair hoje. Achei que ele poderia ter ido ao médico.

Os gestos da boca de Marilla vibraram significativamente. Ela já estava esperando a Sra. Rachel, e sabia muito bem que ela tinha visto Matthew, que, sem motivo aparente, se dirigiu para fora de Avonlea, e que isto seria demais para a curiosidade da vizinha.

— De forma alguma, eu me sinto realmente bem, mesmo tendo tido uma forte dor de cabeça ontem — disse. — Matthew foi para a estação esperar um garotinho do orfanato da Nova Escócia; ele vem esta noite de trem.

Se Marilla tivesse dito que Matthew fora à estação buscar um canguru australiano, a Sra. Rachel não estaria tão confusa. Era inapropriado presumir que Marilla estivesse zombando dela, mas foi forçada a pensar assim.

— Está falando a verdade, Marilla? — perguntou, recuperando sua habilidade de falar.

— Claro que sim! — disse Marilla, como se a aquisição de meninos de um orfanato na Nova Escócia fosse parte das refeições primaveris usuais de todas as casas decentes de Avonlea, e não uma inovação inédita nessa área.

A Sra. Rachel sentiu-se como se tivesse perdido seu equilíbrio mental. Pensava com pontos de exclamação. Um menino! Marilla e Matthew Cuthbert prestes a adotar um menino! Do orfanato! Era definitivamente o fim do mundo! Nada mais a surpreenderia! Nunca mais!

— Como essa ideia surgiu na sua cabeça? — perguntou com uma voz de desaprovação.

Isso havia acontecido sem consulta a ela e, portanto, tinha que ser desaprovado.

— Oh, já estamos pensando nisso há algum tempo, ou melhor, durante todo o inverno — respondeu Marilla. — A Sra. Alexander Spencer esteve aqui um dia antes do Natal e ela disse que pegaria uma garotinha do orfanato de Hopeton na primavera. Sua prima mora lá e a Sra. Spencer visitou-nos aqui e falou sobre isso. Então Matthew e eu conversamos sobre este assunto desde então. Pensamos em adotar um menino. Matthew está envelhecendo, você sabe, ele tem sessenta anos, e não é tão ágil como antes. Seu coração o perturba muito. E você sabe como é difícil contratar ajuda. Nunca há ninguém para se contratar, a não ser aqueles garotinhos franceses estúpidos e meio crescidos; e assim que se consegue um, tem que ensinar a mudar seus hábitos e treiná-los para fazer alguma coisa, e quando estão prontos vão para as fábricas de conservas de lagosta ou para os Estados Unidos. A princípio, Matthew sugeriu conseguir um da Inglaterra. Mas eu disse não a isso. Eles podem até ser bons meninos, não estou dizendo que não, mas nada de árabe das ruas de Londres para minha casa, disse eu ao Matthew. Dê-me pelo menos um órfão nativo. Sempre haverá um risco, não importa quem peguemos. Mas vou me sentir mais tranquila e dormir à noite se tivermos um menino canadense. Então, no final, decidimos pedir à Sra. Spencer que escolhesse um para nós quando fosse buscar sua filhinha. Soubemos na semana passada que ela estava para ir, então mandamos uma mensagem pela família de Richard Spencer em Carmody para nos trazer um garoto inteligente de cerca de dez ou onze anos. Decidimos que essa seria a melhor idade; velho o suficiente para ser útil nas tarefas domésticas e jovem o suficiente para receber o treinamento adequado. Queremos dar a ele um bom lar e uma boa escola. Recebemos um telegrama da Sra. Alexander Spencer hoje, o carteiro trouxe-o da estação dizendo que eles viriam no trem das cinco e meia desta tarde. Então Matthew foi a Bright River para encontrá-lo. A Sra. Spencer vai deixá-lo lá. Claro que ela mesma vai para a estação White Sands.

A Sra. Rachel se orgulhava de sempre falar o que pensava; ela começou a discorrer, depois de ajustar suas ideias, diante dessa novidade incrível.

— Bem, Marilla, direi apenas que acho que você está fazendo uma coisa muito tola... uma coisa arriscada, só isso. Você não sabe o que está recebendo. Você está trazendo uma criança estranha para sua casa e para o seu lar e não sabe nada sobre ela, nem como é seu temperamento, nem que tipo de pais ela teve, nem como será. Ora, foi na semana passada que li no jornal como um homem e sua esposa no oeste da Ilha tiraram um menino de um orfanato e ele ateou fogo na casa à noite, *de propósito*, Marilla, e quase os queimou em suas camas. E eu conheço outro caso em que um menino adotado costumava chupar os ovos; eles não conseguiram fazê-lo abandonar este vício. Se você tivesse pedido meu conselho sobre o assunto; o que você não fez, Marilla, eu teria dito, pelo amor de Deus, não pense em tal coisa, é isso.

Esses avisos levemente atrasados não pareceram ofender ou mesmo assustar Marilla. Ela continuou a tecer calmamente.

— Não posso negar que há muita verdade no que você me está dizendo, Rachel. Eu mesmo tive receio. Mas Matthew se agarrou terrivelmente a esta ideia. Foi isso que percebi e foi por isso que cedi. É tão raro que Matthew queira algo que, quando ele faz isso, ainda que às vezes, acho que é sempre meu dever concordar. E no que diz respeito à coragem da empreitada, querida, em quase tudo o que se faz aqui no mundo corremos riscos. Afinal, há riscos de se ter os próprios filhos, mesmo que você tenha dado a eles todas as orientações necessárias, nem sempre se tem tanto sucesso! Mas a Nova Escócia não fica longe daqui, não é a mesma coisa que se o tivéssemos trazido da Inglaterra ou dos Estados Unidos. Acho que ele não é tão diferente de nós.

— Bem, eu sinceramente espero que tudo corra bem — disse a Sra. Rachel em uma voz que expressava claramente as mais fortes dúvidas. — Mas não me diga que eu não avisei se ele puser fogo em Green Gables ou estricnina em um poço — eu soube de um caso semelhante a este em New Brunswick e o resultado foi que toda a família morreu numa agonia terrível... Mas neste caso era uma menina.

— Afinal, não vamos adotar uma menina — disse Marilla, como se envenenar poços fosse uma habilidade exclusivamente feminina, e que não deveria ser temida no caso dos meninos. — Nunca me ocorreria pegar uma menina para criar. Eu me pergunto como a Sra. Spencer está fazendo isso. Mas *ela* não teria receio de adotar o orfanato inteiro se tivesse este desejo.

A Sra. Rachel gostaria de ficar até Matthew voltar para casa com seu órfão. Mas quando ela descobriu que ele levaria pelo menos umas boas duas horas antes de chegar, decidiu ir e parar na casa da família de Robert Bell para contar a novidade. Certamente seria surpreendente, e a Sra. Rachel ficava muito feliz em surpreender as pessoas.

Foi um grande alívio para Marilla quando ela partiu, pois suas dúvidas e medos aumentaram com o pessimismo das sugestões da Sra. Rachel.

— Nunca ouvi disparate maior! — exclamou a Sra. Rachel após chegar à estrada. — Isso não é uma loucura? Então, sinto pena desse menino, com certeza. Matthew e Marilla não têm ideia do que as crianças são e vão querer que ela seja mais sábia que o próprio avô; se é que ela já teve avô. Acho difícil pensar numa criança em Green Gables; acho que nunca houve uma criança lá, pois tanto Matthew quanto Marilla eram adultos quando a nova casa foi construída. Eu não gostaria de estar no lugar desse menino. Que Deus tenha piedade dele!

Então a Sra. Rachel falou do fundo do seu coração para as roseiras do caminho; mas se ela pudesse ter visto a criança que estava esperando pacientemente na estação ferroviária de Bright River agora, sua piedade teria sido ainda mais intensa e profunda.

## II
## MATTHEW CUTHBERT SE SURPREENDE

Matthew Cuthbert e sua égua alazã cavalgaram livremente aquela jornada de 13 quilômetros até Bright River. A estrada era linda, pois serpenteava por algumas casas de camponeses, de vez em quando passando por um trecho de abetos-do-canadá perfumados e resinosos ou ao longo de um vale onde ameixeiras selvagens distribuíam seus cachos de flores encantadas. O ar estava saturado com os cheiros de muitos pomares, os prados cobertos ao longe, envoltos em púrpura e avelã opala, enquanto:

*"Os passarinhos cantavam como se fosse*
*o único dia de verão em todo o ano."*

Matthew gostava, à sua maneira, de cavalgar, exceto nos momentos em que encontrava mulheres e era forçado a acenar para elas. Pois na Ilha do Príncipe Eduardo era costume acenar para cada recém-chegado na estrada, fosse familiar ou desconhecido.

Matthew tinha pavor de todas as mulheres, exceto a sua irmã Marilla ou a Sra. Rachel; ele tinha a sensação desagradável de que aquelas criaturas misteriosas riam dele. Talvez ele estivesse certo em pensar assim, pois era um personagem de aparência estranha, com uma figura desajeitada e longos cabelos cinza-ferro que tocavam seus ombros curvados, e uma barba castanha cheia e macia que usava desde que tinha vinte anos. Na verdade, aos vinte anos ele já parecia ter sessenta, embora não fosse tão grisalho.

Quando chegou à estação, não viu nenhum trem. Ele achou que tivesse chegado cedo demais, por isso amarrou o cavalo no quintal de um pequeno hotel e foi para a estação. A longa plataforma estava quase deserta; a única criatura viva visível era uma garota sentada num monte de pedras na outra extremidade.

Matthew mal percebeu que era uma menina e passou o mais rápido possível, sem olhá-la. Se ele tivesse olhado, dificilmente deixaria de notar a tensa rigidez e expectativa de sua expressão. Ela estava sentada esperando por algo ou alguém e, uma vez que sentar e esperar eram as únicas coisas a fazer naquele momento, ela se sentou e esperou com todas as suas forças e determinação.

Matthew encontrou o gerente da estação quando este já estava fechando a bilheteria para ir jantar em casa, e perguntou se o trem das cinco e meia chegaria logo.

— O trem das cinco e meia chegou e partiu há meia hora — respondeu o destinatário da pergunta. — Um dos passageiros desceu e está esperando pelo senhor, uma garotinha. Ela está sentada naquela pilha de pedras. Pedi a ela que fosse para a sala de espera das senhoras, mas ela disse que preferia ficar aqui, "onde teria mais liberdade de movimento para observações".

— Não estou esperando por uma menina — disse Matthew, embaraçado. — Estou aqui para pegar um menino. Ele deveria estar aqui. A Sra. Spencer deveria trazê-la da Nova Escócia para mim.

O gerente da estação assobiou.

— Deve ter havido um engano aqui — disse ele. — A Sra. Spencer desceu do trem com aquela garota e a deixou. Ela disse que o senhor e sua irmã a retiraram de um orfanato e que a encontrariam aqui. É tudo o que sei; e não tenho mais órfãos espalhados por aqui.

— Não entendo isso — disse Matthew, impotente, esperando do fundo do coração que Marilla estivesse ali para lhe esclarecer a situação.

— Bem, é melhor você questionar a garota — disse o chefe da estação descuidadamente. — Ouso dizer que ela será capaz de explicar; ela tem uma língua afiada, isso é certo. Talvez no orfanato não tivesse mais meninos do tipo que vocês queriam.

O gerente girou com os calcanhares e seguiu seu caminho porque estava com fome. E o infeliz Matthew foi deixado sozinho para fazer algo mais difícil do que pisar na cova de um leão; ele teve que ir até uma garota, uma garota estranha... uma garota de um orfanato... e perguntar a ela por que não era um garoto.

Os olhos da garota estavam fixos nele desde que Matthew passou por ela pela primeira vez, e mesmo agora seu olhar estava grudado nele. Matthew não olhou para ela e, mesmo que tivesse olhado, não teria nenhuma ideia de como ela era de fato. Mas o espectador médio teria visto o seguinte: uma garota de cerca de onze anos, vestindo um suéter de tecido grosseiro, muito curto, muito apertado e muito feio, amarelo-acinzentado. Tinha um chapéu de marinheiro marrom desbotado, e sob o chapéu havia duas tranças de cabelo muito grossas e, definitivamente, vermelhas em suas costas. O rosto era pequeno, estreito, magro e muito sardento; a boca era grande e da mesma forma os olhos, dependendo da iluminação e do humor, às vezes eram verdes, às vezes cinzentos.

Assim a veria um observador médio. Os mais perspicazes teriam visto que o queixo era muito estreito e saliente, que os olhos brilhavam de inteligência e vivacidade, que a boca era expressiva e os lábios bonitos, a testa larga e bem formada. Em suma: um observador mais perspicaz teria chegado à conclusão de que nenhuma alma comum habitava esse ser feminino desabrigado, que Matthew Cuthbert temia absurdamente.

Matthew foi poupado do trabalho de iniciar o discurso, no entanto, assim que a garota percebeu que Matthew viria até ela, levantou-se, agarrou, com a sua mão magricela, o apoio de sua mala surrada e antiquada e entregou a outra mão a Matthew.

— Acho que você é o senhor Matthew Cuthbert de Green Gables — disse ela com uma voz notavelmente clara e agradável. — Estou tão feliz em conhecê-lo. Eu estava quase começando a temer que você não viesse me buscar, e me perguntei o que poderia ter acontecido. Decidi por mim mesma que, se não viesse esta noite, eu iria até aquela grande árvore da floresta, na curva da estrada, e subiria e me estabeleceria lá para passar a noite. Eu não teria medo de nada, e seria ótimo dormir no andar de cima em uma cerejeira da floresta cheia de flores, ao luar. Não acha? Você pode pensar que está sentado em um palácio de mármore, certo? E eu tinha certeza que você iria me buscar de manhã cedo se não fosse agora.

Matthew sentia-se constrangido fechando sua mão naquela mãozinha magricela, e ao mesmo tempo ele tomou sua decisão. Ele não poderia dizer a essa criança de olhos brilhantes que tudo era um erro; ele a levaria para casa. Sob nenhuma circunstância ele poderia deixá-la naquela estação, então todas as perguntas e explicações poderiam muito bem ser adiadas até que ele estivesse em segurança de volta a Green Gables.

— Foi uma pena ter chegado tarde — disse ele, constrangido. — Vamos! O cavalo está parado naquele quintal! Dê-me sua mala!

— Ah, eu mesma carrego — respondeu a garota animadamente. — Não é pesada em primeiro lugar. Tudo o que possuo está nela, mas não é pesada. E se não for carregada de uma forma especial, sua alça solta... mas já peguei o jeito. É uma mala terrivelmente velha. Afinal, estou muito feliz que você tenha vindo, embora parecesse divertido dormir em cima da cerejeira. Acho que temos uma longa viagem, não é? A Sra. Spencer disse que eram quase 13 quilômetros. Fico feliz, porque gosto muito de andar de carroça. Oh, como é maravilhoso ir morar com você e ser sua! Nunca pertenci a ninguém... não de verdade. Mas o orfanato, sabe, foi o pior de tudo. Estou lá há apenas quatro meses, mas foi o suficiente. Eu acho que você nunca foi um órfão em um orfanato, eu acho, então é impossível para você compreender como é. Essa é a pior coisa que você pode imaginar... A Sra. Spencer disse que era desagradável falar desse jeito, mas eu não quis ser desagradável... É muito fácil ser desagradável sem saber. As pessoas no orfanato eram gentis; de uma maneira geral. Mas há tão pouco espaço para a imaginação em um orfanato, exceto, é claro, as próprias crianças. Foi muito interessante imaginar coisas sobre elas, a garota que sentava ao lado, por exemplo, era filha de um conde, que foi raptada de seus pais por uma babá cruel que morreu antes que tivesse tempo de confessar seu crime... Eu costumava acordar à noite e inventar coisas assim, porque durante o dia eu não tinha tempo. Acho que sou muito franzina e magra... por isso, sou terrivelmente magra, não é? Em primeiro lugar, não tenho carne nos ossos. Eu penso que seria muito feliz se fosse bonita e corpulenta com covinhas nos cotovelos...

Com isso a companhia de Matthew ficou em silêncio, em parte para respirar, em parte porque eles tinham chegado à carroça. Então ela não disse uma palavra até que deixaram o vilarejo e começaram a descer uma pequena colina íngreme, cuja parte da estrada havia sido talhada tão profundamente no solo macio, que as margens, orladas por cerejeiras selvagens em flor e esguias bétulas estavam vários metros acima de suas cabeças.

A garota estendeu a mão e dobrou um galho de ameixa selvagem que tocou a lateral da carroça.

— Não é lindo? O que aquela árvore, inclinada para fora da margem, toda branca e rendada, faz o senhor se lembrar? — ela perguntou.

— Bem, não sei — disse Matthew.

— Ora, uma noiva, é claro; toda vestida de branco com um véu adorável e vaporoso. Nunca vi uma, mas posso imaginar. Eu mesma nunca serei uma noiva. Provavelmente ninguém está disposto a se casar comigo; a menos que seja um missionário. O missionário não deve ser tão exigente. Mas espero ter um vestido branco. Esse é meu maior ideal de felicidade terrena. Eu adoro roupas bonitas. E eu nunca tive um vestido bonito em minha vida que eu possa me lembrar, mas é claro que ainda posso esperar por isso, não é? E então posso imaginar que estou vestida lindamente. Esta manhã, quando saí do orfanato, me senti muito envergonhada porque tive que usar este horrível vestido velho e apertado. Todos os órfãos tinham que usá-los, você sabe. Um comerciante em Hopeton no inverno passado doou trezentos metros de flanela para o orfanato. Alguns dizem que ele fez isso porque ninguém queria comprar aquela peça, mas eu prefiro pensar que ele tenha feito por bondade... Mas é lindo, não é? Quando entramos no trem, senti como se todos estivessem olhando e sentindo pena de mim. Mas eu pus minha imaginação para trabalhar e imaginei que estava com um lindo vestido de seda azul-clara, porque quando você está imaginando, pode muito bem imaginar algo que valha a pena, e um grande chapéu cheio de flores e penas esvoaçantes, e um relógio de ouro e luvas roxas e sapatos de botão marrom. Eu me senti tão feliz e achei a viagem indescritivelmente divertida. Eu não estava nem um pouco enjoada vindo de barco. Nem a Sra. Spencer, embora, geralmente, ela fique. Ela disse que não teve tempo de ficar enjoada, pois tinha que me vigiar para que eu não caísse no mar. Ela disse que nunca tinha visto uma alma tão inquieta... Claro que eu queria dar uma espiada em tudo o que havia para ver no barco, pois não sabia quando teria essa oportunidade novamente... Oh, aqui estão mais cerejeiras em flor, é uma ilha maravilhosa! Estou tão feliz em pensar que vou ficar aqui. Sempre ouvi dizer que a Ilha do Príncipe Eduardo era o lugar mais bonito do mundo e eu costumava imaginar que morava aqui, mas nunca esperei realmente que o faria. É maravilhoso quando sua imaginação se torna realidade, não é? Mas aquelas estradas vermelhas são muito curiosas. Quando entramos no trem em Charlottetown e as estradas vermelhas começaram a passar, perguntei à Sra. Spencer o que as deixava vermelhas e ela disse que não sabia e que, pelo amor de Deus, não lhe fizesse mais perguntas. Disse que eu já tinha perguntado a ela provavelmente mil coisas... Bem, é possível... mas como vou descobrir as coisas se não perguntar. E qual é o motivo que as torna vermelhas?

— Eu realmente não sei, — disse Matthew.

— Essa é uma das coisas que ainda tenho que descobrir. Não é esplêndido pensar em todas as coisas que há para descobrir? Isso me faz sentir feliz por estar viva, é um mundo tão interessante. E ele não seria tão interessante se soubéssemos tudo, não é? Não haveria espaço para a imaginação. Mas estou falando muito? As pessoas estão sempre me dizendo que sim. Você prefere que eu não fale? Se você quiser, eu paro. Posso parar quando decidir, embora seja difícil.

Matthew, para sua própria surpresa, estava se divertindo. Como a maioria das pessoas caladas, ele gostava de pessoas falantes quando estas estavam dispostas a falar sozinhas e não esperava que ele as completasse. Mas ele nunca esperou desfrutar da companhia de uma menina. As mulheres já eram ruins, mas as meninas eram piores. Detestava a maneira como elas passavam por ele, timidamente, com olhares de esguelha, como se esperassem que ele as engolisse de uma garfada se se aventurassem a dizer uma palavra. Esse era o tipo de garota bem-educada que vivia em Avonlea. Mas essa bruxa sardenta e de olhos brilhantes era bem diferente e, embora fosse bastante difícil para o intelecto lento de Matthew acompanhar os saltos ousados dos pensamentos da garota, ele sentiu que gostava de sua tagarelice.

— Oh, você pode falar o quanto quiser. Eu não me importo.

— Oh, estou tão feliz. Eu sei que você e eu vamos nos dar bem. É um alívio falar quando se quer e não ouvir que as crianças devem ser vistas e não ouvidas. Já ouvi isso um milhão de vezes. E as pessoas riem de mim porque uso palavras complicadas. Mas se você tem grandes ideias, precisa usar grandes palavras para expressá-las, não é?

— Bem, isso parece razoável, — disse Matthew.

— A Sra. Spencer disse que minha língua deve estar sem freio. Mas não, está firmemente presa na minha boca. A Sra. Spencer disse que sua casa se chamava Green Gables. Eu perguntei a ela tudo sobre o lugar. E ela disse que havia árvores ao redor. Fiquei mais feliz do que nunca. Eu adoro árvores, elas são minha vida! Não há nenhuma árvore ao redor do orfanato, apenas algumas coisinhas pequenininhas na frente com coisinhas caiadas de branco sobre elas. Elas próprias pareciam órfãos. Dava vontade de chorar só de olhar para elas. Eu costumava dizer a eles: — Oh, suas *pobres coisinhas*! Se vocês estivessem em uma grande floresta com outras árvores ao seu redor e pequenos musgos crescendo sobre suas raízes, um riacho próximo e pássaros cantando em seus galhos, vocês poderiam crescer. Mas vocês não podem onde estão. Eu sei exatamente como vocês se sentem. Senti pena de deixá-las para trás esta manhã. A gente fica tão apegada a coisas assim, não é? Existe um riacho perto de Green Gables? Esqueci de perguntar isso à Sra. Spencer.

— Sim, claro, logo atrás da casa.

— Ah, sério?... Eu sempre sonhei em morar perto do riacho! Ah, gostaria que todos os meus sonhos só se tornassem realidade com um pouco mais de frequência! Mas agora me sinto *quase* perfeitamente feliz. Não consigo me sentir perfeitamente feliz porque... bem, de que cor você chamaria isso?

Ela acenou com as tranças longas e brilhantes sobre o ombro magro e as ergueu até os olhos de Matthew. Matthew não estava acostumado a expressar seus pensamentos sobre a cor dos cabelos das mulheres, mas neste caso não poderia haver dúvida.

— É vermelho, não é? — ele disse.

A garota deixou as tranças caírem para trás com um suspiro que parecia vir de seus pés e exalar toda a tristeza de séculos.

— Sim, é vermelho! — disse ela resignada — Agora você pode entender porque eu não posso ser perfeitamente feliz. Ninguém com cabelo vermelho pode ser feliz. Eu não me importo tanto com as outras coisas, as sardas e os olhos verdes e minha magreza. Posso imaginar que essas coisas sumiram. Posso imaginar em minha mente que tenho uma pele como a pétala da rosa mais brilhante e olhos violetas que irradiam como estrelas. Mas não consigo remover meu cabelo da mente. Eu faço meu melhor. Eu penso comigo mesma: Agora meu cabelo é preto, preto como a asa do corvo. Mas o tempo todo eu sei que é simplesmente vermelho, e essa é a minha maior tristeza. Vai durar toda a minha vida. Uma vez em um romance, li sobre uma garota que teve uma tristeza ao longo da vida, mas não era ruiva. Seu cabelo era puro ouro ondulando para trás de sua testa de alabastro. O que é uma testa de alabastro? Eu nunca consegui descobrir. Você pode me dizer?

— Não, infelizmente não posso — disse Matthew, que estava ficando um pouco tonto. Ele se sentiu como em sua juventude, quando outro garoto o convenceu a andar no carrossel em um piquenique.

— Bem, deve ter sido algo bom, de qualquer maneira, porque ela era divinamente linda. Qual seria a sensação de ser divinamente linda?

— Não me pergunte isso — disse Matthew com ingenuidade.

— Bem, o que você preferiria ser se tivesse que escolher: divinamente belo, deslumbrantemente inteligente ou angelicalmente bom?

— Bem, eu... eu não sei exatamente.

— Nem eu. Eu nunca poderia decidir. Mas isso não faz muita diferença, porque, provavelmente, nunca seja nenhuma das três. É certo que nunca serei angelicalmente boa. A Sra. Spencer disse... Oh, Sr. Cuthbert! Oh, Sr. Cuthbert!! Oh, Sr. Cuthbert!!!

Não foi isso que a Sra. Spencer tinha dito; nem a menina havia caído para fora da carroça, nem Matthew havia feito nada de surpreendente. Eles simplesmente fizeram uma curva na estrada e chegaram na... Avenida.

A "Avenida", assim chamada pelo povo de Newbridge, era um trecho da estrada de quatrocentos ou quinhentos metros de comprimento, arqueado com enormes macieiras, plantadas anos atrás por um velho fazendeiro excêntrico. Acima deles estava um longo dossel de flores perfumadas. Abaixo dos galhos, o ar estava cheio de um crepúsculo púrpura e, bem à frente, um vislumbre do céu pintado do pôr do sol brilhava, como uma grande rosácea no final do corredor de uma catedral.

A bela vista parecia privar a garota da habilidade de falar. Ela se recostou na carroça, os braços magros cruzados sobre os joelhos e o rosto erguido em êxtase silencioso para o esplendor branco acima de sua cabeça. Mesmo quando estava descendo a longa encosta para Newbridge, não se moveu ou falou. Ainda com o rosto extasiado, ela contemplou de longe o pôr do sol a Oeste, com olhos que viram coisas esplêndidas naquele fundo brilhante.

Atravessaram, em silêncio, Newbridge, um pequeno vilarejo movimentado onde cachorros latiam, meninos gritavam e rostos curiosos espiavam pelas janelas. Eles deixaram para trás mais de 5 quilômetros, e a menina ainda não tinha aberto a boca. Ela podia ficar quieta tão vigorosamente quanto podia falar.

— Acho que você deve estar com fome e cansada — disse Matthew, por fim. Ele não conseguia pensar em outra razão para tanto silêncio. — Agora estamos quase chegando, só mais um quilômetro.

Ela saiu de seu devaneio com um suspiro profundo e olhou para ele com o olhar sonhador de uma alma que havia estado longe, guiada pelas estrelas.

— Oh, Sr. Cuthbert — ela sussurrou — aquele lugar por onde viemos, aquele lugar branco.... o que era aquilo?

— Bem, você deve estar se referindo à Avenida — disse Matthew, após alguns momentos de profunda reflexão. É um lugar bonito.

— *Bonito*? Oh, provavelmente essa não é a palavra certa. Também não é lindo. Oh, é maravilhoso, maravilhoso! É a primeira vez que vejo algo que não poderia ser melhorado pela imaginação; ela colocou uma das mãos no peito. — Causou-me uma dor esquisita e curiosa, mas foi uma dor agradável. Você já sentiu esse tipo de dor, Sr. Cuthbert?

— Não, não me lembro de nada parecido.

— Isso me ocorre com bastante frequência quando vejo algo terrivelmente lindo como aquilo. Mas por que aquele adorável lugar é chamado de avenida? Esse nome não diz muito. Não, seu nome deveria ser... espere... sim, o Caminho Branco da Doçura. Não é um nome bonito e imaginativo? Quando não gosto do nome de um lugar ou de uma pessoa, sempre imagino um novo e sempre penso assim. Havia uma garota no orfanato cujo nome era Hepzibah Jenkins, mas sempre a imaginei como Rosalia DeVere. Outras pessoas podem chamar aquele lugar de Avenida, mas sempre chamarei de Caminho Branco da Doçura. Chegaremos logo? Estou feliz e lamento ao mesmo tempo. Lamento porque andar de carroça é tão divertido e é sempre triste quando a diversão acaba. Mas posso pensar em algo ainda mais divertido depois, mas não é preciso muito esforço para ter certeza disso... É assim que acontece, pelo menos no meu caso. Mas ah, como estou feliz por ter a oportunidade de chegar em casa! Afinal, eu nunca tive uma casa de verdade, não que me lembre. Agora eu tenho aquela sensação estranha em meu coração novamente... Oh! não é lindo?

Eles agora haviam passado pelo ponto mais alto da colina. Abaixo deles havia um lago, quase parecendo um rio de tão longo e sinuoso que era. Uma ponte se estendia no meio do caminho, até sua extremidade inferior, onde um cinturão de colinas de areia em tons de âmbar ligava o lago e o golfo azul-escuro; a água era uma glória de muitos tons mutantes; os espirituais matizes cor de açafrão e rosa e verde etéreo, com outras tonalidades indescritíveis para as quais nenhum nome jamais foi encontrado. Acima da ponte, o lago subia em bosques de abetos e bordos e ficava todo escuro translúcido em suas sombras oscilantes. Aqui e ali, uma ameixa selvagem se inclinava para fora da margem como uma garota vestida de branco nas pontas dos pés para seu próprio reflexo. Do pântano na entrada do lago vinha o coro límpido e melancolicamente doce das rãs.

— Este é o Lago dos Barry — disse Matthew.

— Uh, que nome feio. Vou dar um nome a isso; espere: Lago das Águas Brilhantes. Sim, esse é o nome certo. Eu sei por causa da emoção. Quando encontro um nome que se encaixa perfeitamente, fico emocionada. As coisas às vezes o emocionam?

Matthew pensou.

— Bem, sim. Sempre me dá uma espécie de frio na barriga ao ver aquelas larvas brancas feias que se espalham nos canteiros de pepino. Eu odeio a aparência delas.

— Oh, eu não acho que possa ser exatamente o mesmo tipo de emoção. Você acha que pode ser? Não parece haver muita conexão entre larvas e lagos de águas brilhantes, não é? Mas por que as pessoas chamam de Lago de Barry?

— Provavelmente porque o Sr. Barry mora lá em cima. O nome de sua casa é Orchard Slope. Se não fosse aquele arbusto atrás dela, Green Gables poderia ser vista daqui. Agora vamos atravessar a ponte, virar na estrada, e estaremos a 800 metros de lá.

— O Sr. Barry tem meninas? Mais ou menos da minha idade?

— Ele tem uma de onze anos. O nome dela é Diana.

— Oh! — ela respirou fundo. — É um nome absolutamente, absolutamente encantador!

— Bem, não sei... parece um nome pagão. Eu prefiro Jane e Mary ou outros nomes mais nobres. Mas quando Diana nasceu, havia um professor internado na casa de seus pais e deixaram que ele escolhesse o nome... e ele a chamou de Diana.

— Ah, eu gostaria que houvesse um professor por perto quando nasci!... Ah! A ponte! Vou fechar meus olhos com força. Estou sempre com medo de passar por cima de pontes. Não posso deixar de imaginar que, talvez, quando chegarmos ao meio, elas vão se dobrar como um canivete e nos prender. Então eu fecho meus olhos... Oh, como é divertido... Mas sempre abro os olhos quando acho que estamos chegando perto do meio, porque, veja, se a ponte cair eu gostaria de vê-la caindo. Agora superamos. Agora eu olho para trás. Boa noite, querido Lago das Águas Brilhantes. Agora a água parece estar sorrindo para mim. Sempre digo boa noite para as coisas que gosto, assim como as pessoas. Aquela água parecia estar sorrindo para mim.

Quando alcançaram a última colina e a estrada virou novamente, Matthew disse:

— Agora estamos perto da casa. Lá está Green Gables.

— Oh, não me diga onde fica... — ela interrompeu sem fôlego, agarrando seu braço parcialmente levantado e fechando os olhos para não ver na direção em que ele estava apontando. Deixe-me adivinhar. Tenho certeza que acertarei.

Ela abriu os olhos novamente e olhou em volta. Eles estavam no topo de um pequeno monte. O sol se pusera há pouco, mas a paisagem ainda estava iluminada por um brilho maravilhoso. No Oeste, entre outras coisas, uma torre escura de igreja se erguia contra um céu vermelho-amarelado. Abaixo se estendia um pequeno vale e, do outro lado a colina, subindo gradualmente, estava salpicada de chácaras.

De um para o outro, os olhos da criança dispararam, ansiosos. Por fim, eles permaneceram em uma chácara à esquerda, longe da estrada, vagamente branca por causa do reflexo das árvores no crepúsculo da floresta circundante. Acima dela, no céu deslumbrante do Sudoeste, uma grande estrela branca como cristal brilhava feito uma lâmpada que orienta e promete boa sorte.

— Ali está! — disse, apontando o dedo.

Matthew riu de alegria e bateu com as rédeas na égua alazã.

— Realmente, você adivinhou! — ele disse. — Mas a Sra. Spencer, é claro, deu uma descrição muito precisa.

— Não, eu lhe garanto. O que ela disse poderia muito bem caber em qualquer lugar. Eu não tinha nenhuma ideia de como era. Mas assim que a vi, senti que era meu lar. Oh, parece que devo estar em um sonho. Você sabe, meu braço deve estar roxo do cotovelo para cima, de tanto eu me beliscar. De vez em quando, uma sensação horrível e nauseante tomava conta de mim e eu ficava com tanto medo de que tudo fosse um sonho. Então eu me beliscava para ver se era real, até de repente me lembrar de que, mesmo supondo que fosse apenas um sonho, seria melhor continuar sonhando enquanto pudesse; então parei de beliscar. Mas é real e estamos quase em casa.

Com um suspiro de êxtase, ela caiu em silêncio. Matthew se mexeu inquieto. Ficou contente por ser Marilla, e não ele, quem teria de dizer a essa criança abandonada do mundo que a casa pela qual ela ansiava não seria dela, afinal.

Eles passaram por cima do fosso de Lynde, que já estava completamente escuro, mas não tão escuro que a Sra. Rachel não pudesse vê-los de sua vidraça enquanto subiam a lombada e percorriam a longa estrada lateral até Green Gables.

Enquanto entravam na casa, Matthew tremia ao pensar na iminente revelação, um sentimento que ele mesmo não entendia. Não era em Marilla ou em si mesmo que pensava, nem no que este erro, provavelmente, causaria a eles, mas na decepção da menina. Enquanto pensava, ele teve uma sensação terrível, algo perto de ajudar a destruir alguma coisa; parecida com o sentimento que teve quando ajudou a abater um leitão ou um bezerro ou algum outro animalzinho inocente.

O quintal estava bem escuro quando eles entraram nele e as folhas do álamo farfalharam em volta.

— Ouça as árvores falando enquanto dormem — ela sussurrou, enquanto ele a tirava da carroça e a colocava no chão. — Que sonhos lindos elas devem ter!

Então, segurando com força a mala que continha todos os seus bens materiais, ela o seguiu para dentro de casa.

## III
## MARILLA CUTHBERT SE SURPREENDE

Marilla saiu em passos rápidos quando seu irmão abriu a porta. Mas quando seus olhos encontraram uma estranha criaturinha de pé naquela saia estreita e feia, com suas longas tranças vermelhas e olhos irradiando uma expectativa alegre, ela recuou surpresa.

— Meu Deus, quem é esta? — exclamou. — Onde está o menino?

— Não havia meninos lá — respondeu Matthew, profundamente infeliz. — Só ela.

Ele acenou com a cabeça para a garota e agora começou a pensar que nem tinha perguntado o nome dela.

— Nenhum menino? Mas *devia* haver um menino, — insistiu Marilla. — Mandamos recado para a Sra. Spencer trazer um menino.

— Bem, ela não o fez. Ela a trouxe. Perguntei ao chefe da estação. E eu tive que trazê-la para casa. Ela não poderia ser deixada lá, não importa onde o erro tenha ocorrido. Afinal, ela não poderia ficar ali em uma estação vazia.

— Bem, este é um belo negócio! — exclamou Marilla.

Durante esse diálogo, a menina ficou em silêncio, virando o olhar alternadamente de um para o outro, e o olhar animado morreu completamente de seu rosto. De repente, ela pareceu compreender todo o conteúdo da conversa. Largou sua valiosa mala, deu um passo à frente e juntou as mãos.

— Você não me quer! — ela chorou. — Você não me quer porque eu não sou um menino! Eu deveria ter esperado por isso. Ninguém nunca me quis. Eu devia saber que tudo era lindo demais para durar. Eu deveria saber que ninguém realmente iria me querer. Oh, o que devo fazer? Vou explodir em lágrimas!

Ela explodiu em lágrimas. Sentando-se em uma cadeira ao lado da mesa, estendendo os braços sobre ela e enterrando o rosto neles, chorou tempestuosamente. Marilla e Matthew se entreolharam desesperadamente do outro lado do fogão. Nenhum deles sabia o que dizer ou fazer. Por fim, Marilla entrou no espaço, sem jeito. Finalmente, Marilla falou:

— Bem, acho que não é necessário chorar por causa disso.

— Sim, é necessário! — A garota levantou repentinamente a cabeça e expôs o rosto com lágrimas e lábios trêmulos. — Você também choraria se fosse órfã e chegasse a um lugar que achava que era seu lar e descobrisse que eles não a querem mais, porque você não é um menino. Oh, esta é a coisa mais trágica que já me aconteceu!

Algo como um sorriso relutante, um tanto enferrujado pelo longo desuso, suavizou a expressão sombria de Marilla.

— Bem, não chore mais. Não vamos deixá-la para fora de casa esta noite. Você terá que ficar aqui até que investiguemos este caso. Qual é o seu nome?

A garota hesitou num piscar de olhos.

— Você pode me chamar de Cordélia? — ela perguntou ansiosamente.

— Chamar você de Cordélia? Esse é o seu nome?

— Não, não é exatamente meu nome, mas adoraria ser chamada de Cordélia. É um nome perfeitamente elegante.

— Eu não sei o que diabos você quer dizer. Se Cordélia não é o seu nome, qual é?

— Anne Shirley — disse relutante a dona daquele nome — mas, oh, por favor, me chame de Cordélia. Não pode importar muito para você como me chama se eu só vou ficar aqui tão pouco tempo, não é? E Anne é um nome tão pouco romântico.

— Que bobagem, nada romântico! — disse Marilla, sem paciência. — Anne é um nome muito bom e sensato. Você não precisa ter vergonha dele.

— Não, não tenho vergonha — disse Anne — mas gosto muito mais de Cordélia. Sempre imaginei que meu nome fosse Cordélia; pelo menos, sempre imaginei nos últimos anos. Quando eu era menor, costumava imaginar que era Geraldine, mas agora gosto mais de Cordélia. Mas se você me chamar de Anne, por favor, me chame de Anne com um *E* no final.

— Que diferença faz como é escrito? — perguntou Marilla com outro sorriso enferrujado enquanto pegava o bule.

— Oh, muita diferença. Ele parece muito mais agradável. Quando você ouve a pronúncia de um nome, nem sempre consegue vê-lo em sua mente, como se tivesse sido escrito? Eu posso; e Ann parece horrível, mas Anne parece muito mais distinto. Se você me chamar de Anne com um *E* tentarei aceitar o fato de não ser chamada de Cordélia.

— Bem, Anne, escrito com *E*, você pode nos contar como esse erro aconteceu? Mandamos um bilhete à Sra. Spencer e pedimos que ela nos trouxesse um menino. Não havia meninos no orfanato?

— Oh, sim, havia uma abundância deles. Mas a Sra. Spencer disse *claramente* que você queria uma garota de onze anos... A diretora disse que achava que eu serviria. Você não pode saber como me alegrei... não sabe como fiquei encantada. Não consegui dormir a noite toda de alegria.... Oh! — acrescentou ela em tom de censura, virando-se para Matthew — por que você não me disse na estação que não me queria e me deixou lá? Se eu não tivesse visto o Caminho Branco das Doçuras e o Lago das Águas Brilhantes, não seria tão difícil.

— O que diabos ela quer dizer com isso? — Marilla perguntou, olhando para o irmão.

— Ela... ela está apenas se referindo a uma conversa que tivemos na estrada, — disse Matthew apressadamente. — Eu vou colocar a égua para dentro, Marilla. Faça o chá para quando eu voltar.

— A Sra. Spencer trouxe alguém além de você? — continuou Marilla quando Matthew saiu.

— Ela trouxe Lily Jones. Lily tem apenas cinco anos e é muito bonita. Ela tem um cabelo castanho. Se eu fosse muito bonita e tivesse cabelos castanhos, você ficaria comigo?

— Não. Queremos um menino para ajudar Matthew na fazenda. Uma garota não seria útil para nós. Tire seu chapéu. Vou colocá-lo junto à sua bolsa na mesa do corredor.

Anne, obedientemente, tirou o chapéu da cabeça. Depois de um momento, Matthew voltou e eles se sentaram à mesa de jantar. Mas Anne não conseguia comer. Em vão ela mordiscou o pão com manteiga e bicou a compota de maçã silvestre do pequeno prato de vidro recortado ao lado de seu prato. Mas estava claro como era difícil para ela engolir cada garfada.

— Você não está comendo nada. — disse Marilla, lançando-lhe um olhar penetrante, como se isso fosse algo muito repreensível.

Anne suspirou.

— Não posso. Eu me afundei no abismo do desespero. Você teria apetite se afundasse no abismo do desespero?

— Eu nunca estive lá, por isso, penso que não posso responder — disse Marilla.

— Mas você já imaginou?

— Não, nem isso.

— Então acho que você não pode entender como é. É uma sensação muito desconfortável, de fato. Quando você tenta comer, surge um caroço na garganta e não consegue engolir nada, nem mesmo se fosse um caramelo de chocolate. Eu comi um caramelo de chocolate uma vez há dois anos e estava simplesmente delicioso.

Desde então, sempre sonho que tenho muitos caramelos de chocolate, mas sempre acordo na hora de comê-los. Espero que não se ofenda porque não consigo comer. Tudo está extremamente bom, mas ainda assim não consigo comer.

— Acho que ela está cansada — disse Matthew, que não falava desde que saiu do estábulo. — Melhor colocá-la na cama, Marilla.

Marilla estava se perguntando onde Anne deveria dormir. Ela havia preparado um sofá na sala da cozinha para o menino. Mas, embora fosse arrumado e limpo, não parecia adequado colocar uma garota ali de alguma forma. Mas o quarto vago estava fora de cogitação para uma criança abandonada, então restava apenas o quarto do frontão Leste. Marilla acendeu uma vela e disse a Anne que a seguisse, o que Anne fez sem ânimo, pegando o chapéu e a mala na mesa do corredor ao passar por ali. O corredor estava assustadoramente limpo; o pequeno quarto em que ela se encontrava parecia ainda mais limpo.

Marilla largou a vela na mesa triangular apoiada em três pernas e arrumou o cobertor e o lençol.

— Creio que você tenha uma camisola — ela perguntou e Anne assentiu.

— Claro, tenho duas. A madre do orfanato fez para mim. Elas são terrivelmente apertadas. Tudo é tão escasso em um orfanato que, quando algo é costurado, fica pequeno demais, pelo menos em um orfanato pobre como o nosso. As camisolas curtas e justas são tão terríveis. Mas pode-se sonhar tão bem com elas como com lindas camisolas rastejantes, com babados ao redor do pescoço, isso é um consolo.

— Bem, tire a roupa o mais rápido que puder e vá para a cama. Voltarei em alguns minutos para pegar a vela. Não ouso confiar em você, provavelmente, colocaria fogo na casa.

Depois que Marilla se foi, Anne olhou em volta melancolicamente. As paredes caiadas de branco estavam tão dolorosamente nuas que ela pensou que elas deviam sofrer por sua própria nudez. O chão também estava vazio, exceto por um tapete redondo trançado no meio, de um tipo que nunca tinha visto antes. Em um canto ficava uma cama alta e antiga, com quatro colunas escuras e baixas. No outro canto ficava a mencionada mesa de três cantos, adornada com uma grande almofada de veludo vermelho, dura o suficiente para virar a ponta do alfinete mais aventureiro. Acima dela estava pendurado um pequeno espelho. No meio do caminho entre a mesa e a cama ficava a janela, com uma cortina de babado de musselina branca sobre ela, e do lado oposto ficava o lavatório. Todo o quarto era de uma rigidez que não podia ser descrita em palavras, e isso causou um arrepio em Anne. Soluçando, ela rapidamente se desfez de suas roupas, vestiu a camisola minúscula e saltou para a cama, onde afundou o rosto no travesseiro e puxou as cobertas até a cabeça. Quando Marilla apareceu para apagar a vela, as várias roupinhas minúsculas espalhadas pelo chão e a cama desarrumada eram as únicas indicações de ter alguém no quarto, além dela.

Ela calmamente pegou as roupas de Anne do chão, colocou-as cuidadosamente embrulhadas em uma pequena cadeira, pegou uma vela e foi para a cama.

— Boa noite, — disse ela, um pouco sem jeito, mas não friamente.

O rosto pálido de Anne e os olhos grandes de repente mergulharam da cama com espanto.

— Como você pode me desejar uma boa noite, quando sabe que deve ser a pior noite que já tive? — ela disse em tom de censura.

Então ela mergulhou na invisibilidade novamente.

Marilla desceu lentamente para a cozinha e começou a lavar os pratos do jantar. Matthew estava fumando, um sinal claro de nervosismo. Ele raramente fumava, pois Marilla opunha-se a isso como um hábito imundo; mas em certos momentos ele se sentia levado a isso e então Marilla fazia vista grossa para a prática, percebendo que um homem deve ter um pouco de vazão para suas emoções.

— Que bela confusão que arranjamos agora — disse Marilla irritada. — Isso é o que acontece quando mandamos a mensagem em vez de irmos nós mesmos. O mensageiro da família Spencer, é claro, se distraiu e, de alguma forma, distorceu o recado de forma insana. Teremos que ir até a Sra. Spencer amanhã para conversar, com certeza. A menina precisa ser mandada de volta para o orfanato.

— Acho que é melhor fazer isso, — disse Matthew em uma voz que parecia relutante.

— Você *acha*? Não tem certeza?

— Quer saber, a menina é muito gentil, Marilla. Seria uma pena mandá-la embora, quando ela está tão feliz por ficar aqui.

— Matthew Cuthbert! Sua intenção é dizer que acha que devemos ficar com ela?

O espanto de Marilla não poderia ter sido maior se seu irmão tivesse dito que queira andar de cabeça para baixo.

— Não, presumo que não... — gaguejou — Presumo.... que não podemos ficar com ela.

— Eu digo que não... De qual forma ela nos faria bem?

— Podemos ser bons para ela — disse Matthew de repente e inesperadamente.

— Matthew Cuthbert, acho que a garota o enfeitiçou! Posso ver agora que você deseja mantê-la.

— Bem, ela é uma garotinha realmente interessante — persistiu Matthew. — Você deveria ter ouvido ela falar vindo da estação.

— Sim, ela fala bem rápido... Eu ouvi isso... Mas essa certamente não é uma vantagem. Não gosto de crianças que têm tanto a dizer. Não quero uma menina órfã e, se quisesse, ela não seria a escolhida. Há algo nela que não entendo. Ela tem que ser despachada diretamente de volta de onde veio.

— Eu poderia contratar um garoto francês para me ajudar — disse Matthew. — E então você poderia ficar com a garota.

— Não estou sofrendo por falta companhia — disse Marilla. — E eu não vou mantê-la conosco.

— Bem, Marilla, claro, você faz o que quiser — disse Matthew, levantou-se e guardou o cachimbo. — Eu vou dormir.

Matthew foi para a cama. Marilla também foi para seu quarto, depois de guardar os pratos, com o cenho franzido com muita determinação. E no andar de cima, uma criança solitária, faminta de carinho e sem amigos chorou até dormir.

# IV
# GREEN GABLES

Já era manhã alta quando Anne acordou e sentou-se na cama, olhando confusa para a janela através da qual uma torrente de luz do sol estava vertendo e fora da qual algo branco e emplumado ondulava através de vislumbres de céu azul.

Ela não se lembrava de onde estava. Primeiro veio uma emoção deliciosa, como algo muito agradável; então, uma lembrança horrível. Era Green Gables e eles não a queriam porque ela não era um menino.

Mas agora era de manhã e, sim, havia uma cerejeira em flor do lado de fora de sua janela. Com um salto, ela pulou da cama e andou pelo quarto. Abriu a janela, subiu rígida e rangendo, como se não tivesse sido aberta por muito tempo, o que era o caso, e ficou tão firme que nada foi necessário para segurá-la.

Anne ajoelhou-se e olhou para o brilho da manhã de junho com olhos radiantes de alegria. Oh, como era encantadoramente lindo! E que lugar maravilhoso! E pensar que ela realmente não iria ficar! Ela queria imaginar que ficaria. Havia espaço para imaginação ali.

Uma enorme cerejeira crescia do lado de fora, tão perto que seus galhos batiam contra a casa, e era tão cheia de flores que mal se via uma folha. Em ambos os lados da casa havia grandes pomares, um de macieiras e outro de cerejeiras, também coberto de flores; e seu gramado estava todo borrifado com dentes-de-leão.

No jardim abaixo havia arbustos de lilases como buquês de flores e seu perfume doce e inebriante batia na janela com a brisa da manhã.

Atrás do jardim, prados verdes e repletos de trevos que cresciam em direção ao riacho e onde surgia o bosque. Os troncos delgados e brancos das bétulas erguiam-se livres e flexíveis da exuberante abundância de samambaias espessas, musgos e arbustos de todos os tipos. Uma cavidade do outro lado da colina, que os abetos e as folhas verde-escuras ocultavam; uma pequena laguna se abriu no meio dos troncos das árvores, através da qual Anne teve um vislumbre cinza da casinha que vira do outro lado do Lago das Águas Brilhantes.

A uma curta distância à esquerda havia celeiros, estábulos e outras construções externas, e do outro lado, atrás de um campo verde, um pedaço do mar azul podia ser visto tremulando.

Os olhos sedentos de Anne se demoraram em tudo, sugando as imagens avidamente. Ela tinha visto tantos lugares desagradáveis em sua vida, pobre criança; mas isso era tão lindo quanto qualquer outra coisa que já havia sonhado.

Ela se ajoelhou ali, esquecendo tudo, exceto a beleza ao seu redor, até que foi surpreendida por uma mão em seu ombro. Marilla havia entrado sem ser ouvida pela pequena sonhadora.

— É hora de você se vestir — ela disse secamente.

Marilla realmente não sabia como falar com a criança, e sua frieza no assunto a tornava ríspida e lacônica, quando, na verdade, ela não pretendia ser.

Anne se levantou e deu um longo suspiro.

— Oh, não é maravilhoso? — disse ela, acenando com a mão de forma abrangente para o mundo lá fora.

— É uma árvore grande — disse Marilla —, e ela floresce sempre, mas os frutos nunca chegam a ser muitos, são pequenos e têm vermes.

— Oh, não me refiro apenas à árvore; é claro que é linda, sim, é radiantemente linda, floresce como se quisesse... mas eu estava falando sobre tudo, o jardim e o pomar e o riacho e a floresta, todo o grande e querido mundo. Você não sente amor pelo mundo em uma manhã como esta? E eu posso ouvir o riacho rindo todo o caminho até aqui. Você já percebeu como os riachos são alegres? Eles estão sempre rindo. Mesmo no inverno, já os ouvi rindo sob o gelo. Estou tão feliz por haver um riacho perto de Green Gables. Talvez você pense que não faz nenhuma diferença para mim porque não vai ficar comigo, mas faz. Sempre gostarei de lembrar que existe um riacho em Green Gables, mesmo que nunca mais o veja. Se não houvesse um riacho eu estaria assombrada pela sensação desagradável de que deveria haver um. Não estou nas *profundezas do desespero* esta manhã. Eu nunca me sinto assim de manhã. Não é esplêndido que haja manhãs? Mas me sinto muito triste. Eu estava imaginando que realmente você me quisesse, afinal, e que eu ficaria aqui para todo o sempre. Foi um momento reconfortante enquanto durou. Mas o pior de imaginar coisas é que chega a hora em que você tem que parar de imaginar e isso dói.

— É melhor você se vestir, descer as escadas e esquecer o que está imaginando — disse Marilla assim que conseguiu dizer alguma coisa. — O café da manhã está esperando. Lave o rosto e penteie o cabelo. Deixe a janela aberta e vire o cobertor e os lençóis de cabeça para baixo para permitir que a roupa de cama seja ventilada. Seja o mais apresentável possível.

Anne aparentemente sabia como se apressar quando solicitada, pois menos de dez minutos haviam se passado quando ela desceu as escadas com as roupas bem cuidadas, o rosto com brilho, o cabelo penteado e trançado e uma sensação satisfatória de ter obedecido aos regulamentos. Em nome da verdade, porém, talvez seja necessário mencionar que ela se esquecera de dobrar o cobertor.

— Estou com muita fome esta manhã — ela anunciou enquanto se sentava na cadeira que Marilla colocou para ela. — O mundo não parece mais um deserto como na noite passada. Estou tão feliz que seja uma manhã ensolarada. Mas também gosto muito das manhãs chuvosas. Todas as manhãs são interessantes, não acha? Você não sabe o que vai acontecer ao longo do dia e há muito espaço para a imaginação. Mas estou feliz que não esteja chovendo hoje porque é mais fácil ficar alegre e suportar as aflições em um dia ensolarado. Sinto que tenho que me manter forte. É muito bom ler sobre coisas tristes e se imaginar vivendo-as heroicamente, mas não é tão bom quando você realmente passa por elas, não é?

— Tente manter a boca fechada — disse Marilla. — Você fala demais para uma garotinha.

Depois disso, Anne segurou a língua, mas de maneira tão obediente e meticulosa que seu silêncio deixou Marilla nervosa, como se não fosse algo exatamente natural. Matthew também segurou a língua, mas isso era natural, de modo que a refeição transcorreu em silêncio.

Aos poucos, Anne foi ficando cada vez mais distraída, comendo mecanicamente, com seus grandes olhos fixos inabaláveis no céu através da janela. Isso deixou Marilla mais nervosa do que nunca; ela teve uma sensação incômoda de que, embora o corpo daquela criança pudesse estar ali à mesa, seu espírito estava longe, em alguma nuvem remota e arejada, erguido nas asas da imaginação. Quem iria querer uma criança assim em casa?

Ainda assim, Matthew desejava ficar com ela, que coisa inexplicável! Marilla sentiu que ele queria tanto esta manhã quanto na noite anterior, e que continuaria desejando. Esse é o jeito de Matthew — coloca uma cisma em sua cabeça e agarra-se a ela com a mais surpreendente persistência silenciosa, uma persistência dez vezes mais potente do que se tivesse sido expressa em palavras.

Quando a refeição terminou, Anne saiu de seu devaneio e se ofereceu para lavar a louça.

— Você pode lavar corretamente? — Marilla perguntou desconfiada.

— Sim, claro! Embora me sinta melhor em cuidar de bebês. Eu já tive muita experiência nisso. Que pena que você não tem filhos aqui que eu possa cuidar!

— Acho que não preciso de mais crianças para cuidar do que já tenho no momento... Você já me basta. O que vamos fazer com você não tenho ideia. Mateus é simplesmente ridículo.

— Acho que ele é adorável — disse Anne em tom de censura. — Ele é muito simpático. Ele não se importou com o quanto eu falei, ele parecia gostar. Eu senti que éramos almas gêmeas assim que o vi.

— Vocês dois são esquisitos o suficiente, se é isso que você quer dizer com almas gêmeas — disse Marilla com uma fungada. — Sim, você pode lavar a louça. Lave com bastante água quente e certifique-se de secar bem. Tenho o suficiente que fazer esta manhã, pois, à tarde, vou até White Sands para ver a Sra. Spencer. Você virá comigo e nós resolveremos o que deve ser feito com você. Depois de terminar a louça, suba as escadas e faça a cama.

Anne lavou os copos e a porcelana com bastante destreza, o que Marilla, que acompanhava de perto seus movimentos, pôde ver. Ela provou ser menos hábil na arrumação da cama. Por fim, ela conseguiu deixar a cama um pouco lisa e regular e, para se livrar dela, Marilla disse-lhe que já tinha permissão para sair e se divertir sozinha até o almoço.

Anne voou para a porta com um rosto sorridente e olhos brilhantes. Mas no meio da soleira ela parou, repentinamente deu uma volta completa e sentou-se à mesa com um olhar do qual seu fascínio havia desaparecido completamente.

— Qual é o problema agora? — perguntou Marilla.

— Não me atrevo a sair — disse Anne, no mesmo tom de uma mártir, que recusa todas as alegrias do mundo. — Se eu não ficar aqui, é claro que não adianta gostar de Green Gables. E se eu sair agora e conhecer todas as bétulas, flores, árvores frutíferas e o riacho, não posso deixar de gostar deles. De qualquer forma, isso já é difícil e não quero piorar as coisas... Eu quero tanto sair, tudo parece estar me chamando: "Anne, Anne, saia para nós. Anne, Anne, queremos uma companheira de brincadeira"...mas é melhor não. Não adianta amar as coisas se você tem que ser arrancado delas, não é? E é tão difícil deixar de amar as coisas, não é? Foi por isso que fiquei tão feliz quando pensei que iria morar aqui. Achei que teria tantas coisas para amar e nada para me impedir. Mas aquele breve sonho acabou. Estou resignada com o meu destino agora, então não vou sair por medo de perder essa resignação. Qual é o nome daquele gerânio que está no peitoril da janela?

— Chama-se gerânio-crespo.

— Oh não, não me refiro a esse tipo de nome... quero dizer o nome que você mesmo deu a ele; um apelido. Você não deu um nome? Posso dar eu mesma? Posso chamá-lo... deixe-me ver... Bonny... posso chamá-lo de Bonny enquanto estou aqui? Oh, deixe-me!

— Meu Deus, eu não me importo. Mas onde está o sentido de nomear um gerânio?

— Oh, eu gosto que as coisas tenham apelido, mesmo que sejam apenas gerânios. Isso os faz parecer com pessoas. Como você sabe se um gerânio não se sente magoado quando é chamado de gerânio e nada mais? Você não gostaria de ser chamada de mulher o tempo todo. Sim, devo chamá-lo de Bonny. Dei um nome para aquela cerejeira do lado de fora da janela do meu quarto esta manhã. Eu a chamei de Rainha da Neve porque era muito branca. Claro, nem sempre estará em flor, mas pode-se imaginar que está, não é?

— Nunca, em toda a minha vida, vi ou ouvi alguém que se igualasse a ela —, murmurou Marilla, batendo em retirada para o porão atrás de batatas. — Ela é bem interessante, como Matthew diz. Já posso sentir que estou me perguntando: o que diabos ela vai dizer a seguir? Ela vai lançar um feitiço sobre mim também. Ela jogou sobre Matthew. Aquele olhar que ele me lançou quando saiu confirmou tudo o que disse ou insinuou ontem à noite. Eu gostaria que ele fosse como os outros homens e conversasse sobre as coisas. Assim poderia dialogar com ele e fazê-lo recobrar a razão. Mas o que fazer com um homem que apenas me olha?

Anne recaíra no devaneio, com o queixo nas mãos e os olhos no céu, quando Marilla regressou do porão. Marilla a deixou ali até que o almoço da manhã estivesse à mesa.

— Suponho que posso ficar com a égua e a charrete esta tarde, não é Matthew? — disse Marilla.

Matthew acenou com a cabeça e olhou melancolicamente para Anne. Marilla interceptou o olhar e disse severamente:

— Eu vou até White Sands resolver isso. Vou levar Anne comigo e a Sra. Spencer deve providenciar como mandá-la de volta à Nova Escócia imediatamente. Vou preparar o seu chá e voltarei para casa a tempo de ordenhar as vacas.

Matthew permaneceu em silêncio e Marilla sentiu que havia desperdiçado palavras e sermões. Não há nada mais irritante do que um homem que não quer responder, a menos que seja uma mulher.

Em boa hora, Matthew atrelou a égua na frente da carroça e Marilla e Anne partiram. Matthew abriu o portão do pátio para elas e, enquanto elas dirigiam lentamente, ele disse, para ninguém em particular:

— O pequeno Jerry Buote, de Creek, esteve aqui esta manhã e eu disse a ele que achava que o contrataria para o verão.

Marilla não respondeu, mas deu um golpe tão violento na égua gorda, pouco acostumada a tal tratamento, que zuniu indignada pela alameda a um ritmo alarmante. Marilla olhou para trás uma vez quando a charrete saltou e viu o irritante Matthew inclinado sobre o portão, olhando melancolicamente para elas.

## V
## UMA HISTÓRIA DE VIDA

— Sabe — disse Anne familiarmente — decidi me divertir com esse passeio. Por experiência própria, quase sempre você pode desfrutar das coisas se decidir com firmeza que o fará... Durante nossa viagem, não vou pensar no orfanato ou se vou voltar para lá. Só quero pensar na diversão de passear. Oh, olhe, há uma pequena rosa selvagem precoce! Não é linda? Você não acha que deve ser feliz por ser uma rosa? Não seria bom se as rosas pudessem falar? Tenho certeza de que elas poderiam nos contar coisas tão lindas. E rosa não é a cor mais encantadora do mundo? Eu amo rosa, mas não posso usar. Pessoas ruivas não podem usar, nem mesmo na imaginação. Você já conheceu alguém cujo cabelo era ruivo quando ela era jovem, mas tornou-se de outra cor quando ela cresceu?

— Não, não que eu me lembro — respondeu a obstinada Marilla. — E eu não acho que isso aconteceria no seu caso também.

Anne suspirou.

— Bem, essa é outra esperança perdida. Minha vida é um cemitério perfeito de esperanças enterradas. Essa é uma frase que li em um livro uma vez, e a repito para me consolar sempre que estou decepcionada com alguma coisa.

— Não consigo ver de onde vem o consolo — disse Marilla

— Ora, porque soa tão bonito e romântico, como se eu fosse uma heroína em um livro, você sabe. Gosto tanto de coisas românticas, e um cemitério cheio de esperanças enterradas é a coisa mais romântica que se pode imaginar, não é? Estou muito feliz por ter um. Vamos atravessar o Lago das Águas Brilhantes hoje?

— Não passaremos pelo Lago Barry se você quer dizer isso com Lago das Águas Brilhantes. Vamos para a estrada da orla.

— Estrada da orla, parece bonito — disse Anne pensativa. — Vamos ver se é tão bonito quanto o seu nome. Bem quando você disse "estrada da orla" eu a vi na minha frente. Praia Branca também é um nome bonito. Fica a que distância?

— São oito quilômetros até lá, e já que você adora ficar com a boca aberta, é melhor me contar alguma coisa que tenha um propósito e me contar tudo o que sabe sobre você mesma.

— Oh, o que eu sei sobre mim... dificilmente vale a pena contar — Anne disse ansiosamente. — Se você me deixar contar o que eu imagino sobre mim, você vai achar muito mais interessante.

— Não, eu não quero nenhuma de suas imaginações. Basta se limitar a fatos simples. Comece do início. Onde você nasceu e quantos anos você tem?

— Fiz onze anos em março passado — Anne disse, suspirando humildemente. — O nome do meu pai era Walter Shirley, e ele era professor na Bolingbroke High School. O nome da minha mãe era Bertha Shirley. Walter e Bertha não são nomes adoráveis? Sou tão feliz que meus pais tenham nomes bonitos. Seria uma verdadeira vergonha ter um pai chamado Jedediah, não seria?

— Acho que não importa o nome de uma pessoa, desde que ela saiba se comportar — disse Marilla, que sentiu um chamado para um pequeno ensinamento útil e edificante.

— Bem, eu não sei — Anne parecia pensativa. — Eu li em um livro uma vez que uma rosa com qualquer outro nome teria um cheiro tão doce, mas nunca fui capaz de acreditar nisso. Eu não acredito que uma rosa seria tão agradável se fosse chamada de cardo ou repolho-gambá. Suponho que meu pai deve ter sido um bom homem, mesmo que se chamasse Jedediah; mas tenho certeza de que seria um tormento. Bem, minha mãe era professora também mas quando se casou com meu pai, ela desistiu de lecionar, é claro. Um marido era responsabilidade suficiente. A Sra. Thomas disse que eles eram dois bebês e tão pobres quanto ratos de igreja. Eles foram morar em uma casinha amarela pequenininha em Bolingbroke. Nunca vi essa casa, mas já a imaginei milhares de vezes. Acho que devia ter madressilva na janela da sala e lilases no jardim da frente e lírios do vale logo depois do portão. Sim, e cortinas de musselina em todas as janelas. Cortinas de musselina dão a uma casa um certo ar. Eu nasci nessa casa. A Sra. Thomas disse que eu era o bebê mais feio que ela já viu, magricela e minúscula e nada além de olhos, mas que minha mãe me achava perfeitamente bonita. Eu penso que uma mãe é uma juíza muito melhor que uma pobre mulher que veio para faxinar a nossa casa, não é? Fico feliz que ela estivesse satisfeita comigo de qualquer maneira, eu ficaria muito triste se pensasse que fui uma decepção para ela — porque ela não viveu muito depois disso, sabe. Ela morreu de febre quando eu tinha apenas três meses. Eu gostaria que ela tivesse vivido o suficiente para eu me lembrar de tê-la chamado de mãe. Acho que seria tão doce dizer "mãe", não é? E meu pai morreu quatro dias depois da mesma febre. Isso me deixou órfã e as pessoas ficaram desesperadas, sem saber o que fazer comigo, como a Sra. Thomas me disse. Entende, ninguém me queria mesmo. Parece ser meu destino. Pai e mãe tinham vindo de lugares distantes e era sabido que não tinham parentes vivos. Finalmente, a Sra. Thomas disse que me aceitaria, embora ela fosse pobre e tivesse um marido bêbado. Ela não me amamentou. Você sabe se existe algo em relação a quem foi amamentado ou não, ser melhor ou pior do que as outras pessoas? Porque sempre que eu era desobediente, a Sra. Thomas me perguntava como eu poderia ser uma garota tão má se não fui amamentada. O Sr. e a Sra. Thomas mudaram-se de Bolingbroke para Marysville, e morei com eles até os oito anos de idade. Ajudei a cuidar dos filhos dos Thomas, eram quatro mais novos do que eu — e posso dizer que eles precisaram de muito cuidado. Depois, o Sr. Thomas foi morto caindo debaixo de um trem e a mãe dele se ofereceu para levar a Sra. Thomas e as crianças, mas ela não me quis. Sra. Thomas ficou desesperada, segundo ela mesmo disse, sem saber o que fazer comigo. Então a Sra. Hammond, do rio acima, desceu e disse que me levaria, visto que eu era boa cuidadora de crianças, e subi o rio para morar com ela em uma pequena clareira entre a troncos cortados. Era um lugar muito solitário. Tenho certeza de que nunca teria vivido lá se não tivesse imaginação. O Sr. Hammond trabalhava em uma pequena serraria lá perto, e a Sra. Hammond tinha oito filhos. Ela teve gêmeos três vezes. Gosto de bebês com moderação, mas gêmeos três vezes consecutivas é *demais*. Eu disse isso à Sra. Hammond com tanta firmeza, quando o último par nasceu. Eu costumava ficar terrivelmente cansada de carregá-los.

Lá em cima, morei com a Sra. Hammond por mais de dois anos, mas então o Sr. Hammond morreu e a Sra. desfez sua casa. Ela repartiu seus filhos com os parentes e foi para os Estados Unidos. Tive de ser mandada para o orfanato Hopetown quando ninguém me quis mais. Também não queriam me aceitar no orfanato, eles disseram que já estava lotado. Mas tiveram que ficar comigo de qualquer maneira, e lá fiquei por quatro meses até a Sra. Spencer chegar.

Anne terminou com outro suspiro, de alívio desta vez. Evidentemente, ela não gostava de falar sobre suas experiências em um mundo que não a desejava.

— Você já foi à escola? — perguntou Marilla, virando a égua para a orla.

— Não muito. Frequentei um pouco enquanto estava com a Sra. Thomas no último ano. Quando subi o riacho, ficou tão longe da escola que não pude ir no inverno, e no verão as crianças tiraram férias, então eu só podia ir no outono e na primavera. Mas enquanto morava no orfanato, fui para a escola. Posso ler muito bem e conheço muitos belos poemas de fora, "A Batalha de Hohenlinden" e *The "Lofty Edinburgh"*, "O Castelo do Reno"... e muitas belas peças de Longfellow e Lord Byron. Ah, como eu gosto de um tipo de poesia que faz o tremor correr por toda a espinha…

— Aquelas senhoras com seus muitos filhos... A Sra. Hammond e Sra. Thomas foram gentis com você? — perguntou Marilla, olhando para Anne de lado.

— Oooh — hesitou Anne. Seu rostinho sensível ficou vermelho de repente e o constrangimento apareceu em sua testa. — Oh, elas *tentavam* ser... eu sei que elas queriam ser boas e gentis tanto quanto possível. E quando as pessoas tentam ser boas... você não se importa muito quando elas não são assim... sempre. Elas tinham muito com o que se preocupar, sabe. É muito difícil ter um marido bêbado, e deve ser muito difícil ter gêmeos três vezes seguidas, não acha? Mas tenho certeza de que elas desejavam ser boas comigo.

Marilla não fez mais perguntas. Anne afundou na admiração da silenciosa orla e Marilla se manteve distraída das rédeas, com uma variedade de pensamentos cruzando sua mente.

Ela de repente começou a sentir pena da garota. Que vida cruel, pobre e sem amor ela teve — uma vida de trabalho árduo, pobreza e falta de cuidado... Pois Marilla era inteligente o suficiente para ler a história de Anne nas entrelinhas e adivinhar a verdade. Não era de se espantar que ela estivesse tão fascinada com a ideia de um lar de verdade! Na verdade, era uma pena ela ser mandada de volta. E se ela, Marilla, satisfizesse esse capricho inexplicável de Matthew e a deixasse ficar? Ele estava decidido quanto a ficar com ela, e a criança parecia simpática e dócil.

— Ela fala muito alto — pensou Marilla — mas talvez possa ensiná-la. E de forma alguma ela é grosseira. Ela se porta como uma dama. É muito provável que seus pais fossem pessoas honradas.

A estrada costeira passava por uma paisagem bastante acidentada e deserta. À direita, cresciam densas florestas de abetos, cujo poder tenaz não havia sido quebrado, apesar dos ventos perenes do mar. À esquerda, os penhascos de arenito vermelho inclinavam-se diretamente para baixo, em lugares tão próximos à estrada que um cavalo menos estável do que uma égua alazã poderia ter deixado outros cavaleiros em apuros. Abaixo das raízes dos penhascos havia pedreiras lavadas, lisas e brilhantes pelas ondas do mar, ou pequenas baías de areia, cheias de pedras cintilantes... joias do oceano. Mais além, sobre o mar cintilante e azul, as gaivotas refletiam nas asas os raios prateados do sol.

— O mar não é maravilhoso? — disse Anne, despertando de um longo silêncio de olhos arregalados. — Certa vez, quando eu morava em Marysville, o Sr. Thomas alugou uma carroça grande e nos levou para passar o dia na costa, a 15 quilômetros de distância. Aproveitei cada momento daquele dia, mesmo tendo que cuidar das crianças o tempo todo. Eu vivi isso, em sonho, por anos. Mas esta costa é melhor do que a costa de Marysville. Essas gaivotas não são esplêndidas? Você gostaria de ser uma gaivota? Eu acho que sim; isto é, se eu não pudesse ser uma garota humana. Você não acha que seria bom acordar ao nascer do sol e mergulhar sobre a água e passar o dia todo naquele lindo azul; e depois à noite voar de volta para o ninho? Oh, eu posso me imaginar fazendo isso. Que casa grande é essa logo à frente, por favor?

— É uma pousada, a White Sands. O Senhor Kirke é o dono, mas a alta temporada ainda não começou. Um grupo de americanos costuma vir aqui no verão. Eles amam esta praia.

— Temia que fosse a casa da Sra. Spencer — disse Anne com tristeza. — Eu não quero chegar lá. Quando eu chegar... estará tudo acabado...

## VI
## MARILLA SE DECIDE

No entanto, elas chegaram momentos depois. A Sra. Spencer morava em uma grande casa amarela em frente a uma baía arenosa e veio até a porta, com seu rosto benevolente e uma expressão de espanto alegre.

— Bom dia! — ela gritou. — Na verdade, vocês são as últimas pessoas que eu poderia esperar, mas estou contente de qualquer maneira! Você vai entrar com seu cavalo? E você, Anne, como vai?

— Estou tão bem quanto se poderia esperar, obrigada — disse Anne sem sorrir. Uma maldição parecia ter caído sobre ela.

— Acho que ficaremos um pouco para deixar a égua descansar — disse Marilla — mas prometi ao meu irmão que voltaria em breve. O fato é, Sra. Spencer, que houve um engano estranho em algum lugar, e vim saber qual foi. Mandamos recado para que você nos trouxesse um menino do orfanato. Dissemos ao seu irmão Robert para dizer que queríamos um menino de dez ou onze anos.

— Marilla Cuthbert, o que você me diz? — exclamou a Sra. Spencer com grande preocupação. — Ora, Robert nos mandou avisar aqui pela filha Nancy, e esta disse que você queria uma menina, não é, Flora Jane? — ela perguntou, virando-se para sua própria filha, que havia descido as escadas.

— Sim, foi exatamente isso que ela disse, senhorita Cuthbert — Flora Jane estava segura.

— Lamento terrivelmente — disse a Sra. Spencer. — É muito ruim; mas certamente não foi minha culpa, senhorita Cuthbert. Fiz o melhor que pude e achei que estava seguindo suas instruções. Nancy é terrível e volúvel. Muitas vezes tive que repreendê-la por sua negligência.

— Foi nossa própria culpa — disse Marilla resignada. — Devíamos ter vindo pessoalmente a vocês e não deixado uma mensagem importante a ser passada de boca em boca dessa forma. De qualquer forma, o erro foi cometido e a única coisa a fazer é consertar. Podemos mandar a criança de volta para o orfanato? Acho que eles vão aceitá-la de volta, não é?

— Acho que sim — disse a Sra. Spencer pensativa — mas não acho que seja necessário mandá-la de volta. A Sra. Blewett parou aqui ontem e apenas disse que lamentava muito não ter me deixado trazer a menina para ajudá-la. A Sra. Blewett tem uma família muito grande, como sabemos, e ela acha difícil ter criados que permaneçam... Anne se encaixará perfeitamente. Diria que foi providencial que tenha vindo hoje aqui.

Marilla não parecia pensar que a *Providência* tinha muito a ver com o assunto. Aqui estava uma chance inesperadamente boa de tirar essa órfã indesejada de suas mãos, e ela nem mesmo se sentia grata por isso.

Ela conhecia a Sra. Peter Blewett apenas de vista, era uma mulher pequena, com cara de megera, sem um grama de carne sobre os ossos. Mas ela tinha ouvido falar dela. "Terrivelmente exigente com os criados", assim descreviam a Sra. Peter. As empregadas dispensadas contavam histórias assustadoras sobre seu temperamento e mesquinhez, e sobre sua família de crianças atrevidas e briguentas. Marilla sentiu um peso na consciência ao pensar em entregar Anne aos seus terríveis caprichos.

— Obrigada, vou entrar então para discutirmos o assunto — disse Marilla.

— Quem senão a própria Sra. Blewett vem vindo ali! Foi uma grata coincidência! — exclamou a Sra. Spencer, levando suas convidadas para dentro, pelo corredor até a sala de visitas. No interior um frio mortal atingiu-as como se o ar tivesse sido filtrado por tanto tempo através de cortinas verde-escuras fechadas que havia perdido cada partícula de calor que já possuía. — Isso é muita sorte, pois podemos resolver o assunto imediatamente. Pegue a poltrona, Srta. Cuthbert. Anne, sente-se aqui e não se mexa. Deixe-me pegar seus chapéus. Flora Jane, saia e coloque a chaleira no fogo. Boa tarde, Sra. Blewett! Estávamos dizendo que sorte a senhora tem... Deixe-me apresentar a vocês duas, senhoras. Sra. Blewett, Srta. Cuthbert. Por favor, deem-me licença. Por favor, perdoem-me se esqueci de dizer a Flora Jane que tire um prato de pão de trigo no forno.

A Sra. Spencer foi embora, depois de fechar as cortinas. Anne, sentada silenciosamente na poltrona, com as mãos firmemente cruzadas no colo, olhou para a Sra. Blewett como se estivesse fascinada. Ela seria entregue aos cuidados desta mulher de rosto aguçado e olhos afiados? Ela sentiu um nó subindo em sua garganta e seus olhos ardiam dolorosamente. Ela estava começando a ter medo de não conseguir conter as lágrimas quando a Sra. Spencer voltou, corada e radiante, capaz de levar em consideração qualquer dificuldade, física, mental ou espiritual, e resolvê-la de imediato. — A questão é sobre esta garotinha, Sra. Blewett... um pequeno mal-entendido... Eu havia pensado que o Sr. e a Srta. Cuthbert queriam levar uma garotinha para ser sua criada. Assim foi dito para mim. Mas, em vez disso, eles queriam um menino. Assim, se você ainda tem a mesma opinião de ontem, parece que o seu desejo foi realizado.

A Sra. Blewett mediu Anne com olhos penetrantes, da cabeça aos pés.

— Quantos anos você tem? E qual é o seu nome? — ela perguntou.

— Anne Shirley — a menina encolheu os ombros, desta vez sem ousar fazer qualquer comentário em relação ao seu nome. — E eu tenho onze anos.

— Hmmm; você não é grande para a sua idade... Mas deve ser forte... Então, se eu ficar com você, terá que se comportar como uma garota gentil; você tem que ser gentil, decente, trabalhadora e educada. Você tem que fazer o seu melhor para ganhar comida e um quarto... Sim, acho que vou ficar com ela, Srta. Cuthbert. Meu pequeno está terrivelmente irritadiço, de modo que estou bastante exausta.

Marilla olhou para Anne e seu coração amoleceu ao ver o rosto pálido da criança com sua expressão de mudo sofrimento; o sofrimento de uma criaturinha indefesa que se encontra mais uma vez presa na armadilha da qual havia escapado. Marilla sentiu uma convicção incômoda de que, se negasse o apelo daquele olhar, isso a assombraria até o dia da sua morte. Além do mais, ela não gostava da Sra. Blewett. Entregar uma criança sensível e amedrontada a uma mulher assim! Não, ela não poderia assumir a responsabilidade de fazer isso!

— Bem, eu não sei — ela disse lentamente. — Eu não disse que Matthew e eu tínhamos decidido que não ficaríamos com ela. Na verdade, posso dizer que Matthew está disposto a mantê-la. Só vim descobrir como ocorreu o erro. Acho melhor levá-la para casa novamente e conversar sobre isso com Matthew. Sinto que não devo decidir nada sem consultá-lo. Se decidirmos não ficar com ela, vamos trazê-la ou enviá-la amanhã à noite. Se não o fizermos, você pode saber que ela vai ficar conosco. Isso está bom para você, Sra. Blewett?

— Suponho que sim — disse a Sra. Blewett sem graça.

Durante o discurso de Marilla, o rosto de Anne iluminou-se. Primeiro, a expressão de desespero desapareceu; então veio um tênue rubor de esperança; seus olhos arregalados e brilhantes como estrelas da manhã. A criança ficou transfigurada; e, um momento depois, quando a Sra. Spencer e a Sra. Blewett saíram em busca de uma receita que esta última pedira emprestada, ela saltou e voou pela sala até Marilla.

— Oh, Srta. Cuthbert, você realmente disse que poderia permitir que eu ficasse em Green Gables? — sussurrou prendendo a respiração, como se aquela oportunidade encantadora pudesse escapar se fosse falada em voz alta. — Você realmente disse isso? Ou apenas minha imaginação me pregou uma peça?

— Acho melhor você aprender a controlar essa sua imaginação, Anne, se não consegue distinguir entre o que é real e o que não é — disse Marilla com irritação. — Sim, foi exatamente isso que você me ouviu dizer, e sobre nenhuma outra coisa. Mas nada está *resolvido* ainda, e talvez concluamos deixar a Sra. Blewett levá-la, afinal. Ela realmente precisa de você muito mais do que eu.

— Então eu prefiro voltar para o orfanato a morar com ela — Anne exclamou acaloradamente. — Ela é como... como uma verruga.

Marilla reprimiu o sorriso com a convicção de que Anne deveria ser reprovada por tal discurso.

— Uma menina como você deveria ter vergonha de falar assim sobre uma senhora e de uma desconhecida — disse severamente. — Volte e sente-se em silêncio, segure a língua e se comporte como uma boa menina.

— Eu faço tudo o que você quiser, apenas me deixe ficar — disse Anne, e voltou ao seu banquinho.

Quando elas voltaram naquela noite para Green Gables, Matthew as esperou no atalho. Marilla o vira de longe e entendeu seus motivos. Ela estava preparada para ver o alívio em seu rosto quando ela trouxe Anne de volta. Mas ela não disse nada a ele sobre o caso, até que os dois estavam no quintal atrás do celeiro ordenhando as vacas. Em seguida, ela contou-lhe brevemente a história de Anne e o resultado da entrevista com a Sra. Spencer.

— Eu não daria um cachorro para aquela mulher, a Blewett — disse Matthew com um vigor incomum.

— Eu também não a suporto — Marilla admitiu — mas não temos escolha, ou a garota vai ou ficamos com ela. E como você parece querer ficar com ela, acho que eu estou disposta a isso também. Tenho que encarar tudo em termos de dever... Nunca criei uma criança na minha vida, muito menos uma menina, e provavelmente farei muita asneira... Mas quero dar o meu melhor. Então, se depender de mim, Matthew, ela fica.

O rosto desajeitado de Matthew apenas brilhou de alegria.

— Bem, achei mesmo que você iria ver isso sob essa luz, Marilla — ele disse. — Ela é uma garotinha tão interessante.

— Seria mais direto se você pudesse dizer que ela é uma garotinha útil — retrucou Marilla — mas farei questão de treiná-la para isso. E lembre-se, Matthew, você não deve interferir nos meus métodos. Talvez uma solteirona não saiba muito sobre como criar uma criança, mas acho que ela sabe mais do que um velho solteirão. Então, você apenas me deixa educá-la. Quando eu falhar, aí poderá se intrometer.

— Calma, calma, Marilla, você pode fazer do seu jeito — disse Matthew, tranquilizando-a. — Apenas seja tão boa e gentil quanto puder, sem mimá-la. Eu meio que acho que ela é o tipo de pessoa com quem você pode fazer qualquer coisa, se simplesmente conseguir que ela ame você.

Marilla bufou, para expressar seu desprezo pelas opiniões de Matthew sobre qualquer coisa feminina, e saiu dali com os baldes de leite.

— Não vou dizer esta noite que ela pode ficar — ela refletiu, enquanto coava o leite. — Ela ficaria tão animada que não iria pregar o olho. Marilla Cuthbert, você está perdida. Você já imaginou que haveria o dia em que estaria adotando uma menina órfã? É bastante surpreendente; mas não tão surpreendente como Matthew ser o motivo, logo ele que sempre pareceu ter um pavor mortal de garotinhas. De qualquer forma, decidimos pela experiência e só Deus sabe o que virá dela.

## VII
## AS ORAÇÕES NOTURNAS

Enquanto Marilla levava Anne até o sótão na mesma noite, ela disse seriamente em uma voz instrutiva:

— Estou lhe dizendo, Anne, que notei ontem à noite que você deixou suas roupas espalhadas pelo chão. Isso é uma negligência terrível, que não posso aceitar. Assim que você tirar a roupa, é preciso dobrá-la com cuidado e colocá-la na cadeira. Não preciso de garotinhas que não tenham tendência para a ordem e a limpeza.

— Estava tão triste e com tanta raiva na noite passada que nem pensei nas minhas roupas — disse Anne. — Vou dobrá-las bem esta noite. Eles sempre nos obrigaram a fazer isso no orfanato. Na metade do tempo, porém, eu esquecia porque estava com pressa de ir para a cama ficar bem quieta e imaginar coisas.

— Você vai ter que se esforçar para se lembrar um pouco melhor — advertiu Marilla. — Faça suas orações agora e vá para a cama.

— Eu não faço oração — anunciou Anne.

Marilla parecia surpresa e horrorizada.

— Mas Anne, o que você está dizendo? Você nunca aprendeu uma oração? Deus quer que as meninas orem. Você sabe quem é Deus, Anne?

— Deus é um espírito, um ser invisível, perfeito, eterno e imutável, onipotente e onisciente, justo, bom e misericordioso — Anne respondeu pronta e mecanicamente.

Marilla parecia aliviada.

— Bem, graças a Deus, você sabe de alguma coisa. Você não é, exatamente, uma pagã. Onde você aprendeu isso?

— Oh, na escola dominical do orfanato. Eles nos faziam aprender todo o catecismo. Eu gostava muito. Há algo de esplêndido em algumas das palavras. "Perfeito, eterno e imutável". Não é maravilhoso? Tem um toque especial... como um grande órgão tocando. Você não poderia chamar de poesia, suponho, mas soa muito parecido, não é?

— Deixe a poesia em paz, Anne, estamos falando sobre fazer suas orações. Você não sabe que é uma coisa terrível e perversa não fazer suas orações todas as noites? Receio que você não seja uma menina muito bondosa.

— Deixe-me dizer que é mais fácil ser má do que gentil quando se é ruivo — disse Anne em tom de censura. — Quem não tem cabelo ruivo não sabe o que é problema. A Sra. Thomas me disse que Deus me deu cabelos ruivos de propósito, e não me importo com Ele desde então. E, de qualquer forma, eu sempre ficava muito cansada à noite para me preocupar em fazer orações. Não se pode esperar que as pessoas que cuidam de gêmeos façam suas orações. Agora, você, honestamente, acha que isto é possível?

Marilla chegou à conclusão de que a educação religiosa de Anne precisava começar imediatamente. Obviamente, não podia perder tempo.

— Você deve fazer suas orações enquanto estiver sob meu teto, Anne.

— Claro, claro que vou fazer, se você quiser — Anne respondeu animada. — Farei qualquer coisa para que você seja feliz. Mas você terá que me ensinar o que devo dizer. Depois, imaginarei uma oração realmente agradável para fazer sempre. Acredito que será bastante interessante, agora que penso nisso.

— Você tem que se ajoelhar — disse Marilla, um pouco envergonhada.

Anne obedeceu e olhou seriamente para o rosto de Marilla.

— Não consigo entender por que temos que nos ajoelhar. Se eu realmente quisesse orar, direi o que faria. Eu iria para um grande campo sozinha ou para as florestas, e olharia para o céu, para cima... para cima... para o lindo céu azul que parece não haver fim. E então eu simplesmente *sentiria* uma oração. Bem, estou pronta. O que devo dizer?

Marilla se sentiu mais envergonhada do que nunca. Ela pretendia ensinar a Anne o clássico infantil: "Com Deus me deito". Mas ela tinha, como eu disse a vocês, um lampejo de senso de humor, que é simplesmente outro nome para um senso de adequação das coisas; e de repente lhe ocorreu que aquela pequena oração simples, sagrada para a infância de camisola branca embalada nos joelhos maternos, era totalmente inadequada para aquela bruxinha sardenta que não sabia ou não se importava com o amor de Deus, já que ela nunca o havia experimentado por meio do amor humano.

— Você tem idade suficiente para ser capaz de orar sozinha, Anne — disse ela por fim. — Agora agradeça a Deus por todas as bênçãos que tem recebido e peça a Ele humildemente o que deseja para si.

— Sim, vou tentar fazer o meu melhor — disse Anne, escondendo o rosto no joelho de Marilla. — Querido Pai Celestial, assim dizem os párocos na igreja, e então você pode dizer em casa também, certo? — Ela interrompeu e ergueu a cabeça por um instante. — Querido Pai Celestial, agradeço pela Estrada Branca da Doçura e pelo Lago das Águas Brilhantes, por Bonny e pela Rainha das Neves. Sou incrivelmente grata por eles. E essas são todas as bênçãos que posso pensar agora para Te agradecer. Quanto às coisas que quero para mim, elas são tão numerosas que seriam necessárias muitas horas para listar, então vou apenas mencionar as mais importantes. Por favor, deixe-me ficar em Green Gables e deixe-me ser bonita quando crescer.

Sem mais.
Atenciosamente,
Anne Shirley.

— Pronto, eu me saí bem? — ela perguntou ansiosamente, levantando-se. — Eu poderia ter deixado muito mais florido se tivesse tido um pouco mais de tempo para pensar sobre isso.

A pobre Marilla só foi preservada do colapso total ao lembrar que não era a irreverência, mas simplesmente a ignorância espiritual da parte de Anne a responsável por essa oração extraordinária. Ela colocou a criança na cama, jurando mentalmente que deveria ensinar a ela uma oração no dia seguinte, e quando estava saindo do quarto com a luz, Anne a chamou de volta.

— Acabei de pensar em algo. Eu deveria ter dito "amém" em vez de "atenciosamente", é o que o pároco diz na igreja. Eu tinha me esquecido disso, mas acho que a oração deve terminar de forma solene, e por isso terminei assim... Você acha que vai interferir em alguma coisa?

— Não, acho que não — disse Marilla. — Durma como uma criança boazinha. Boa noite.

— Esta noite posso dizer boa noite com a consciência tranquila — disse Anne aninhando-se luxuosamente entre seus travesseiros.

Marilla voltou para a cozinha, pôs o castiçal sobre a mesa e olhou para Matthew.

— Matthew Cuthbert, já era hora de alguém adotar aquela criança e ensinar algo a ela. Ela é praticamente uma pagã completa. Você acredita que ela nunca fez uma oração na vida até esta noite? Vou mandá-la para o presbitério amanhã para pegar emprestado o catecismo, é o que farei. E irá para a escola dominical assim que eu conseguir fazer algumas roupas adequadas para ela. Eu prevejo que terei muito trabalho a partir de agora. Bem, bem, não podemos atravessar este mundo sem nossa cota de problemas. Tive uma vida muito fácil até agora, mas minha hora finalmente chegou e suponho que terei de aproveitar ao máximo tudo isso.

## VIII
## A EDUCAÇÃO DE ANNE COMEÇA

Por razões que só ela conhecia, Marilla não disse a Anne, na tarde seguinte, que ela ficaria em Green Gables. Durante a manhã, ela deu à menina várias tarefas e ficou de olho no que ela se atrapalhava. Ao meio-dia, descobriu que Anne era animada e obediente, trabalhadora e bem informada. Sua maior fraqueza parecia ser a tendência de se afundar nos sonhos no meio do trabalho e esquecer de tudo até o momento em que ela fosse bruscamente chamada à Terra por uma reprimenda ou uma catástrofe.

Depois que Anne lavou os utensílios do almoço, ela apareceu de repente e se acomodou em frente a Marilla, com a expressão e o olhar de quem está pronta para ouvir o pior. O corpinho magro tremia a seus pés, seu rosto brilhava e seus olhos estavam tão arregalados que pareciam quase pretos. Ela apertou as mãos com firmeza e disse em voz de oração:

— Gentil senhorita Cuthbert, você não quer ser boazinha e me dizer, você vai me mandar embora ou não? A manhã inteira tentei ser paciente, mas agora sinto que não posso mais esperar sem saber. É uma sensação tão terrível. Por favor, me diga!

— Você não escaldou a toalha com água quente como eu disse — respondeu a insensível Marilla. — Continue o trabalho, Anne, antes de fazer suas perguntas.

Anne foi e fez tudo certo na toalha, então voltou para Marilla e lhe dirigiu seus olhos suplicantes.

— Bem — disse Marilla, incapaz de encontrar qualquer desculpa para adiar sua explicação — suponho que eu deva lhe contar. Matthew e eu decidimos mantê-la; isto é, se você for uma boa menina e mostrar-se grata. Por que está chorando, criança, qual é o problema?

— Estou chorando — disse Anne em tom de perplexidade. — Não consigo imaginar por quê. Estou tão feliz quanto possível. Oh, feliz não parece a palavra certa em tudo. Fiquei feliz com o Caminho Branco e as flores da cerejeira, mas isso! Oh, é algo mais do que feliz. Vou tentar ser muito boa. Será um trabalho árduo, pois a Sra. Thomas sempre me disse que eu era terrivelmente levada. No entanto, farei o meu melhor. Mas você pode me dizer por que estou chorando?

— Suponho que seja porque você está animada e agitada — disse Marilla em desaprovação. — Sente-se naquela cadeira e tente se acalmar. Receio que você chore e ria com a mesma facilidade. Sim, você pode ficar aqui e nós tentaremos fazer o que for melhor para você. Deve ir para a escola; mas faltam apenas quinze dias para as férias, então não vale a pena você começar antes que ela abra novamente em setembro.

— Como devo lhe chamar? — Anne perguntou. — De Srta. Cuthbert? Posso chamá-la de tia Marilla?

— Claro que não, você simplesmente me chama de Marilla. Não estou acostumada a ser chamada de Senhorita, e isso me incomoda.

— É falta de respeito chamá-la apenas de Marilla — a garota afirmou.

— Não é falta de respeito me chamar pelo nome. Todas as pessoas de Avonlea, velhos e jovens, me chamam de Marilla, exceto o pastor. Ele, às vezes, diz Srta. Cuthbert.

— Eu adoraria chamar você de tia Marilla — disse Anne melancolicamente. — Eu nunca tive uma tia ou qualquer parente, nem mesmo uma avó. Isso me faria sentir como se realmente pertencesse a você. Não posso chamar você de tia Marilla?

— Não. Eu não sou sua tia e não gosto de chamar as pessoas com títulos que não lhes pertence.

— Mas poderíamos imaginar que você é minha tia.

— Você pode, mas eu não! — disse Marilla rudemente.

— Você nunca imagina coisas? —Anne perguntou, arregalando os olhos.

— Não.

— Oh! — Anne respirou fundo. — Oh, senhorita, não, Marilla, você não sabe o que está perdendo.

— Eu realmente não sei... Qual é a utilidade de imaginar as coisas de forma diferente do que realmente são? — respondeu Marilla. — Quando o bom Deus nos coloca em certas condições aqui na Terra, não é Sua intenção que nós imaginemos que elas sejam diferentes... E isso me lembra... Vá para a sala de estar, Anne, certifique-se de que seus pés estão limpos e não deixe nenhuma mosca entrar, e traga-me o cartão que está sobre a lareira. O Pai-Nosso está lá e você vai dedicar seu tempo livre esta tarde para memorizá-lo. Não haverá mais oração como a que ouvi na noite passada.

— Eu suponho que fui muito estranha — disse Anne se desculpando. — Mas eu nunca tive qualquer prática em orações. Você não poderia esperar que uma pessoa orasse muito bem na primeira vez, não é? Pensei em uma oração esplêndida depois de ir para a cama, assim como prometi que faria. Era quase tão longa quanto a de um pastor e tão poética. Acredita nisso? Não conseguia me lembrar de uma palavra quando acordei esta manhã. E temo nunca ser capaz de pensar em outra tão boa. De alguma forma, as coisas nunca são tão boas quando são pensadas uma segunda vez. Você já reparou nisso?

— Aqui está algo que você deve reparar, Anne. Quando eu lhe pedir para fazer algo, seja gentil e obedeça imediatamente, e não fique parada e falando sem fim. Vá agora e faça o que eu disse!

Anne partiu prontamente para a sala de estar do outro lado do corredor; mas não retornou; depois de esperar dez minutos, Marilla largou o tricô e caminhou atrás dela com uma expressão sombria. Ela encontrou Anne imóvel diante de um quadro pendurado na parede entre as duas janelas, com os olhos de quem sonha acordada. A luz branca e verde filtrada por macieiras e vinhas do lado de fora caiu sobre a pequena figura extasiada com um brilho meio sobrenatural.

— Anne, o que você está pensando? — Marilla perguntou bruscamente.

Anne estremeceu.

— Naquilo! — disse Anne, apontando para o quadro — Cristo abençoando as crianças, eu estava apenas imaginando que eu era a garotinha de vestido azul, de pé sozinha no canto como se não pertencesse a ninguém, assim como eu. Ela parece solitária e triste, não acha? Acho que ela não tem pai nem mãe. Mas ela queria ser abençoada também, então ela simplesmente se arrastou timidamente para fora da multidão, esperando que ninguém a notasse, exceto Ele. Tenho certeza de que sei exatamente como ela se sentiu. O coração dela deve ter batido e as mãos devem ter ficado geladas, como as minhas quando perguntei se eu poderia ficar. Ela estava com medo de que Ele não a notasse. Mas é provável que Ele a tenha notado, você não acha? Fico tentando imaginar tudo, ela se aproximando um pouco mais, até estar bem perto d'Ele; e então Ele olharia para ela e colocaria Sua mão em seus cabelos e, oh, uma onda de alegria a percorreria! Mas eu gostaria que o artista não O tivesse pintado com uma aparência tão triste. Todos os retratos d'Ele são assim, se você notou. Mas eu não acredito que Ele tinha uma expressão tão triste ou as crianças teriam ficado com medo dele.

— Anne — disse Marilla, imaginando por que ainda não havia interrompido a fala da garota. — Você não pode falar assim. É falta de respeito... mostra uma grande falta de respeito...

Os olhos de Anne estavam surpresos.

— Oh, me sinto tão respeitosa... Garanto que não quis dizer nada desrespeitoso.

— Espero que não! Mas não pode falar sobre essas coisas com tanta intimidade... E mais uma coisa, Anne, quando eu mando você pegar algo, você tem que voltar com isso imediatamente e não ficar parada na frente do quadro de alguém. Lembre-se disso! Pegue aquele cartão e vá direto para a cozinha. Agora, sente-se em um canto e aprenda essa oração de cor.

Anne apoiou o cartão contra o jarro de flores de maçã que trouxera para decorar a mesa de jantar. Marilla tinha olhado aquela decoração de soslaio, mas não disse nada. Então Anne apoiou o queixo nas mãos e começou a estudá-lo atentamente por vários minutos, em silêncio.

— Eu gosto disso — disse ela, por fim. — É lindo. Já ouvi isso antes... ouvi o diretor da escola dominical rezar uma vez. Mas eu não gostei. Ele tinha uma voz tão estridente; orava tão tristemente. Eu realmente tinha certeza de que ele achava que orar era um dever desagradável, isso não é poesia, mas me faz sentir da mesma maneira que a poesia. "Pai-Nosso que estais nos céus, santificado seja o teu nome." Isso é como uma linha de música. Oh, estou tão feliz que você pensou em me fazer aprender isso, Srta. Marilla.

— Então decore-a e segure a língua — disse Marilla secamente.

Anne aproximou o vaso de flores de maçã para perto de si e deu um beijo gentil em cada botão avermelhado, e então estudou diligentemente por mais alguns momentos.

— Marilla — de repente perguntou. — Você acha que algum dia terei uma amiga do peito em Avonlea?

— Ah!... que tipo de amiga? — Marilla perguntou.

— Uma amiga do peito, uma amiga íntima, você sabe, uma alma gêmea a quem posso confiar minha alma. Sonhei em conhecê-la toda a minha vida. Eu realmente nunca imaginei que teria uma, mas tantos dos meus sonhos mais adoráveis se tornaram realidade de uma só vez que, talvez, este se torne também. Você acha que é possível?

— Diana Barry mora em Orchard Slope e tem mais ou menos a sua idade. Ela é uma menina muito simpática e talvez seja uma companheira para você quando voltar para casa. Ela está visitando sua tia em Carmody. Você terá que ter cuidado em como você se comporta. A Sra. Barry é muito dura. Ela não vai deixar Diana brincar com nenhuma menina que não seja educada e boa.

Anne olhou para Marilla por trás das flores de macieira com olhos cintilantes de entusiasmo.

— Como é a Diana? Ela não é ruiva, é? É triste o suficiente eu ser ruiva, e eu não podia tolerar minha melhor amiga sendo uma ruiva também.

— Diana é uma menina muito bonita. Ela tem olhos e cabelos pretos e bochechas rosadas. Além disso, ela é gentil e doce, e isso é melhor do que ser bonita.

Marilla gostava tanto de moral quanto a Duquesa no País das Maravilhas, e estava firmemente convencida de que a moral deveria estar em cada comentário feito a uma criança que estava sendo educada.

Mas Anne descartou a moral e agarrou-se apenas às possibilidades deliciosas diante dela.

— Oh, estou tão feliz que ela seja bonita. Além de ser bonita, e isso é impossível no meu caso, seria melhor ter uma bela amiga do peito. Quando eu morava com a Sra. Thomas, ela tinha uma estante de livros em sua sala de estar com portas de vidro. Não havia nenhum livro nela. A Sra. Thomas guardava sua melhor porcelana e suas compotas ali, quando tinha alguma compota para guardar. Uma das portas estava quebrada. O Sr. Thomas quebrou-a uma noite quando estava ligeiramente embriagado. Mas a outra estava inteira e eu costumava fingir que meu reflexo nela era outra menina. Eu a chamei de Katie Maurice e éramos muito íntimas. Eu costumava conversar com ela por horas, principalmente no domingo, e lhe contava tudo. Katie foi o conforto e o consolo da minha vida. Costumávamos fingir que a estante estava encantada e que, se eu soubesse o feitiço, poderia abrir a porta e entrar direto no quarto onde Katie Maurice morava, em vez de entrar nas prateleiras de compotas e porcelana da Sra. Thomas. E então Katie Maurice teria me pegado pela mão e me levado a um lugar maravilhoso, cheio de flores, sol e fadas, e teríamos vivido ali felizes para sempre. Quando fui morar com a Sra. Hammond, fiquei com o coração partido por deixar Katie Maurice. Ela também sentiu terrivelmente, eu sei, porque estava chorando quando me deu um beijo de despedida pela porta da estante. Não havia estante de livros na casa da Sra. Hammond. Mas, um pouco longe da casa, havia um pequeno vale comprido e verde, e o eco mais adorável vivia ali. Ele ecoava cada palavra que você dissesse, mesmo se você falasse baixo. Então imaginei que fosse uma garotinha chamada Violetta e éramos grandes amigas e eu a amava quase tanto quanto amava Katie Maurice, não exatamente, mas quase, você sabe. Na noite anterior à minha ida para o orfanato, me despedi de Violetta e, ah!, o adeus dela voltou para mim em um tom tão triste. Fiquei tão apegada a ela que não tive coragem de imaginar uma amiga, mesmo que houvesse espaço para isso lá.

— Acho melhor mesmo que não houvesse — disse Marilla secamente. — Eu não aprovo tais brincadeiras. Você parece acreditar em sua própria imaginação. Seria bom que você tivesse uma amiga de verdade para tirar essas bobagens da sua cabeça. Mas não deixe a Sra. Barry ouvir você falando sobre Katie Maurice e suas Violettas ou ela pensará que você mente.

— Oh, eu não vou. Eu não poderia falar delas para todo mundo, suas memórias são sagradas demais para isso. Mas eu gostaria que você soubesse sobre elas.

Oh! Olhe, aqui está uma grande abelha que acabou de sair de uma flor de macieira. Imagine que lugar adorável para se viver, em uma flor de macieira! Imagine dormir nela quando o vento estivesse balançando. Se eu não fosse uma garota humana, acho que gostaria de ser uma abelha e viver entre as flores.

— Ontem você queria ser uma gaivota — lembrou Marilla. — Acho que você é um pouco volúvel. Eu disse que você deveria aprender o "Pai-Nosso" e não tagarelar. Mas parece ser impossível para você parar de conversar enquanto tem alguém ouvindo. Portanto, vá para o seu quarto e leia lá.

— Ah, eu sei quase tudo, só me resta a última linha.

— Bem, não importa, faça o que eu digo. Vá para o seu quarto e termine de aprender bem, e fique lá até que eu a chame para me ajudar a fazer o chá.

— Posso levar os botões de macieira comigo? — perguntou Anne.

— Não; não quero seu quarto entulhado de flores. Você deveria tê-los deixado na árvore em primeiro lugar.

— Eu também me senti um pouco incomodada. — disse Anne. — Eu meio que senti que não deveria encurtar suas vidas adoráveis colhendo-as; eu não gostaria de ser colhida se eu fosse uma flor de macieira. Mas a tentação era irresistível. O que você faz quando encontra uma tentação irresistível?

— Anne, você me ouviu mandar subir para o seu quarto?

Anne suspirou, foi para o sótão e se sentou em uma cadeira perto da janela.

— Pronto, já decorei esta oração. Aprendi a última frase subindo as escadas. Agora vou imaginar coisas neste quarto para que permaneçam sempre imaginadas. O chão é coberto por um tapete de veludo branco com rosas cor-de-rosa por toda parte e as cortinas são de seda rosa. As paredes são decoradas com tapeçaria de brocado de ouro e prata. A mobília é de mogno. Eu nunca vi nenhum mogno, mas parece, sim, *luxuoso*. Este é um sofá cheio de lindas almofadas de seda, nas cores rosa, azul, carmesim e dourada, e estou reclinada graciosamente nele. Posso ver meu reflexo naquele grande espelho esplêndido pendurado na parede. Sou alta e majestosa, vestida com um vestido de renda branca, com uma cruz de pérolas no peito e pérolas no cabelo. Meu cabelo é negro como o céu da meia-noite e minha pele é de uma clara palidez de marfim. Meu nome é Lady Cordélia Fitzgerald. Não, eu não posso fazer *isso* parecer real.

Ela dançou até o pequeno espelho e olhou para ele. Seu rosto pontudo e sardento e seus olhos cinzentos solenes olharam para ela.

— Você é apenas Anne de Green Gables — disse ela séria. — E eu a vejo, assim como você é, sempre que tento imaginar que sou uma *lady* Cordélia. Mas é um milhão de vezes mais divertido ser Anne de Green Gables do que Anne de lugar nenhum, você não acha?

Ela se inclinou para a frente, beijou suavemente sua imagem no espelho e foi até a janela aberta.

— Querida Rainha da Neve, boa tarde. E boa tarde, queridas bétulas no vale. E boa tarde, querida casa cinza no alto da colina. Eu me pergunto se Diana será minha amiga do peito. Espero que sim, e vou amá-la muito. Mas nunca vou me esquecer de Katie Maurice e Violetta. Elas se sentiriam muito magoadas se eu as esquecesse. Devo ter o cuidado de me lembrar delas e enviar-lhes um beijo todos os dias.

Anne soprou no ar alguns beijos com as pontas dos dedos, passando pelas flores de cerejeira e, em seguida, com o queixo nas mãos, mergulhou luxuosamente em um mar de devaneios.

# IX
# A SENHORA LYNDE FICA HORRORIZADA

Anne já estava há duas semanas em Green Gables sem que a Sra. Lynde aparecesse para examiná-la. No entanto, para ser justo, deve-se dizer que não foi culpa da Sra. Rachel. Uma gripe severa e fora de época havia confinado aquela boa senhora em sua casa desde a ocasião de sua última visita a Green Gables. A Sra. Rachel não ficava doente frequentemente e tinha um desprezo pelas pessoas que ficavam; mas gripe, afirmava, era diferente das outras doenças e só poderia ser interpretada como uma das visitas especiais da Providência. Assim que o médico permitiu que colocasse o pé ao ar livre, ela correu para Green Gables, explodindo de curiosidade ao ver a órfã de Matthew e Marilla, sobre quem já circulava em Avonlea toda uma série de suposições e histórias.

Anne aproveitou cada momento daquela quinzena. Ela já conhecia todas as árvores e arbustos do lugar. Ela descobrira que um caminho se abria abaixo do pomar de maçãs e subia por um cinturão de bosques; e ela o havia explorado até o fim em todos os seus caprichos deliciosos de riacho e ponte, talha de abeto e arco de cerejeira selvagem, cantos cheios de samambaias, caminhos ramificados de bordo e através das copas abobadadas sob a montanha.

Ela fizera amizade com a nascente do vale, aquela maravilhosa fonte profunda, límpida e fria como o gelo; emoldurada por uma borda lisa de arenito vermelho e cercada por grandes samambaias cujas folhas pareciam folhas de palmeira; além dela havia uma ponte de toras sobre o riacho.

Essa ponte conduziu os pés dançantes de Anne ao longo de uma colina arborizada, onde o crepúsculo perpétuo reinava sob os abetos retos e densos; as únicas flores eram miríades de delicados sinos de junho, aquelas mais tímidas e doces flores da floresta, e algumas flores estelares pálidas e aéreas, como os espíritos das flores do ano passado. Veludos-brancos brilhavam como fios de prata entre as árvores e os ramos e borlas dos pinheiros pareciam proferir uma fala amigável.

Todas essas descobertas maravilhosas aconteceram em momentos em que teve permissão de brincar, e Anne deixava Matthew e Marilla quase surdos sobre suas descobertas. Não que Matthew reclamasse; ele ouvia tudo com um sorriso mudo de alegria no rosto; Marilla permitiu a tagarelice até que descobriu que estava ficando muito interessada nisso, e controlava Anne com uma palavra de ordem para manter a boca fechada.

Anne estava no pomar quando a Sra. Rachel chegou, vagando em sua própria doce vontade através da relva exuberante e trêmula salpicada com o sol avermelhado da tarde; de modo que aquela boa senhora teve uma grande oportunidade de descrever todas as fases da sua doença, prolongando-se em todos os quadros e injeções e oscilações da temperatura com um prazer tão óbvio que Marilla se convenceu de que a gripe trouxe suas compensações. Quando os detalhes se esgotaram, a Sra. Rachel apresentou o verdadeiro motivo de sua visita.

— Tenho ouvido coisas surpreendentes sobre você e Matthew.

— Suponho que você não esteja mais surpresa do que eu mesma — disse Marilla. — Estou me recuperando dessa surpresa agora.

— É uma pena que tenha ocorrido tal engano — disse a Sra. Rachel com simpatia. — Não ocorreu mandá-la de volta?

— Ocorreu-nos, mas decidimos não fazê-lo. Matthew gostou dela. E devo dizer que também gostei, ainda que admita que ela tenha seus defeitos. A casa já parece um lugar diferente. Ela, realmente, nos trouxe à vida, ela é uma garotinha saltitante e honesta.

Marilla disse muito mais do que tinha sido sua intenção, ao ler a severa desaprovação no rosto da Sra. Rachel, obviamente.

— Você realmente assumiu uma grande responsabilidade — disse a senhora Lynde severamente — especialmente porque você nunca teve qualquer experiência em cuidar de crianças. Você não sabe muito sobre ela ou seu temperamento, eu suponho, e não há como adivinhar como uma criança assim ficará. Mas eu realmente não quero deprimi-la, Marilla.

— Não me sinto deprimida — respondeu Marilla secamente. — Quando tomo uma decisão, não mudo de opinião. Mas talvez você queira ver Anne. Eu vou chamá-la.

Anne entrou correndo, o rosto brilhando com o deleite de suas caminhadas no pomar; mas, envergonhada por encontrar o próprio deleite na presença inesperada de uma estranha, ela parou confusa perto da porta. Ela certamente era uma criaturinha de aparência estranha, com o vestido curto e justo que usava no orfanato, abaixo do qual suas pernas finas pareciam longas de uma maneira nada graciosa. Suas sardas eram mais numerosas e intrusivas do que nunca; o vento despenteara seu cabelo sem chapéu em uma desordem excessivamente brilhante; nunca pareceu tão vermelho do que naquele momento.

— Bem, eles não escolheram você por sua aparência, isso é certo — foi o comentário enfático da Sra. Rachel Lynde. A Sra. Rachel era uma daquelas pessoas encantadoras e populares que se orgulhava de falar o que pensava sem medo ou favorecimento. — Ela é terrivelmente magra e feia, Marilla. Venha aqui, criança, e deixe-me dar uma olhada em você. Meu Deus, alguém já viu essas sardas? E cabelos ruivos como cenouras! Venha aqui, criança.

Anne veio, mas não exatamente como a Sra. Rachel esperava. Com um salto, ela cruzou o chão da cozinha e parou diante da Sra. Rachel, o rosto vermelho de raiva, os lábios tremendo e toda a sua forma esguia tremendo da cabeça aos pés.

— Eu te odeio; você é cruel e má! — ela gritou com uma voz meio sufocada e pisoteando o chão. — Como você ousa me chamar de magra e feia? Afinal, não posso fazer nada a respeito. Como se atreve a falar que sou sardenta e meu cabelo é ruivo? Você é rude e desprovida de bons sentimentos!

— Anne! — exclamou Marilla em total consternação.

Mas Anne ficou parada com a cabeça erguida e os olhos flamejantes fixos na Sra. Rachel. Suas mãos estavam cerradas em punhos, e ela irradiava uma atmosfera de amargura.

— Como você se atreve a dizer essas coisas para mim? — repetiu. — Como você se sentiria se dissessem isso sobre você? O que você acharia se lhe dissessem diretamente na frente de seu rosto que você é gorda e desajeitada e provavelmente desprovida de qualquer imaginação? Sim, em primeiro lugar, não me importo se magoei seus sentimentos. Pelo contrário, espero que sim. Ninguém nunca foi tão rude comigo, nem o marido da Sra. Thomas, e eu *nunca* vou perdoá-la!

Mais dois passos! Pum! Pum!

— Alguém já viu um temperamento desse? — exclamou a horrorizada Sra. Rachel.

— Anne, vá para o seu quarto e fique lá até eu subir — disse Marilla, recuperando a capacidade de falar.

Anne começou a chorar, e bateu a porta do corredor com tanta força, que as tampas das panelas chacoalharam. Uma batida vinda do andar superior indicou que a porta do sótão foi fechada com a mesma violência.

— Bem, eu não invejo o seu trabalho de educar *isso*, Marilla — disse a Sra. Rachel num tom mordaz.

Marilla abriu a boca para proferir algumas palavras de desculpas e censuras. Mas o que ela disse foi uma surpresa para si mesma naquele momento.

— Você não deveria ter tocado na aparência dela, Rachel.

— Marilla Cuthbert, você está defendendo uma demonstração de temperamento terrível, está? — exigiu a Sra. Rachel indignada.

— Não — disse Marilla — não vou tentar defendê-la. Ela foi muito malcriada, vou ter que conversar com ela sobre isso. Mas devemos fazer concessões a ela. A ela nunca foi ensinado o que é certo. E você foi muito dura com ela, Rachel.

Marilla não pôde evitar a última frase, embora estivesse novamente surpresa consigo mesma. A Sra. Rachel levantou-se com um ar de dignidade ferida.

— Acho que a partir de agora tenho que ter muito cuidado nas minhas falas, Marilla, porque, acima de tudo, tenho que levar em conta os sentimentos sensíveis de sua filha adotiva, que só Deus sabe de onde vem. Na verdade, sinto muito, sinceramente, por você. Quando for atacada por aquela garota, lembre-se do que eu disse. Mas se você quiser seguir meu conselho, o que provavelmente você não quer, embora eu tenha dez filhos já crescidos e no túmulo dois deles; você fará isso *conversando* com uma vara de marmelo de tamanho razoável. Eu penso que é a linguagem mais eficaz para esse tipo de criança. Seu temperamento combina com seu cabelo, eu acho. Bem, boa tarde, Marilla. Espero que você venha me ver com frequência, como de costume. Mas você não pode esperar que eu a visite tão cedo, se corro o risco de ser insultada dessa forma. É algo novo na minha experiência.

Depois disso, a Sra. Rachel, muito constrangida, endireitou seu corpo gordo e, gingando, foi saindo. E Marilla saiu com um olhar muito sério para o quarto do sótão.

Subindo as escadas, ela se sentiu incomodada e sem saber o que fazer. Que pena Anne ter mostrado tal temperamento, porém justo, diante da Sra. Rachel Lynde. De repente, Marilla percebeu que se sentia mais envergonhada do que triste pela descoberta de um defeito tão sério no temperamento de Anne. E como ela iria puni-la? A afável sugestão da vara de marmelo, cuja eficiência todos os próprios filhos da Sra. Rachel poderiam ter dado testemunho vivo, não agradou Marilla. Ela não acreditava que poderia bater numa criança. Não, Marilla encontrou Anne deitada de bruços, na cama, chorando amargamente e esquecendo-se completamente de que os sapatos sujos deixam marcas no cobertor branco puro.

— Anne — ela disse, não rudemente.

Sem resposta.

— Vamos — mais severamente — levante-se imediatamente da cama para ouvir o que tenho a lhe dizer.

Anne arrastou-se da cama e sentou-se rigidamente em uma cadeira ao lado dela. Seu rosto estava inchado e olhava firmemente para o chão.

— Sim, esta é uma boa maneira de você se comportar. Anne, você não tem vergonha?

— Ela não tinha o direito de me chamar de feia e ruiva — Anne respondeu teimosamente.

— Você também não tinha o direito de ficar com raiva e falar com ela do jeito que fez, Anne. Eu estou com vergonha de você. Eu esperava que você parecesse gentil e educada com a Sra. Lynde e, em vez disso, você me envergonhou... Eu não entendo por que você se ressentiu tanto com a Sra. Lynde, porque ela a chamou de magra e ruiva. Se você mesma falou isso tantas vezes, que é magra e ruiva.

— Sim, mas há uma grande diferença entre você dizer uma coisa ou ouvir outras pessoas dizerem isso — disse Anne chorando. — Você pode saber que uma coisa é assim, mas não pode evitar que outras pessoas não pensem assim também. Penso que você ache que tenho um temperamento terrível, mas não pude evitar. Quando ela disse aquelas coisas, algo simplesmente surgiu dentro de mim e me sufocou. Eu *tive* que voar nela.

— Bem, você deu uma bela demonstração, devo dizer. A Sra. Lynde tem uma ótima história para contar sobre você em todos os lugares... e ela contará. Foi horrível que você tenha perdido o seu autocontrole, Anne.

— Mas pense só em como você se sentiria se alguém lhe dissesse bem na sua cara que você é magra e feia — suplicou Anne chorando.

Uma velha memória da infância de repente surgiu na mente de Marilla. Ela era bem pequena quando uma vez ouviu sua tia dizer a outra: "Que pena que ela é tão feia e tão pálida!" Marilla, depois de cinquenta anos, ainda sentia a dor da rejeição.

— Não quero dizer que acho que a senhora Lynde estava certa ao dizer o que ela disse a você, Anne — admitiu com uma voz mais calma. — Rachel é muito franca. Mas isso não é desculpa para tal comportamento. Ela era uma estranha e uma pessoa idosa e minha visitante, as três boas razões pelas quais você deveria ter sido respeitosa com ela. Você foi rude e atrevida — Marilla teve uma salvadora inspiração. — Você deve ir até ela e dizer que você sente muito por seu mau humor e pedir a ela que a perdoe.

— Eu nunca poderei fazer isso — disse Anne com uma voz severa e determinada. — Você pode me punir do jeito que quiser, Marilla. Você pode me trancar em uma masmorra escura e úmida onde habitam lagartos e cobras, e apenas me dar água e pão para comer, e eu não vou reclamar... Mas não posso me desculpar com a Sra. Lynde.

— Não temos o costume de prender as pessoas em masmorras escuras e úmidas — disse Marilla secamente — especialmente quando há poucas delas em Avonlea. Mas você tem que se desculpar com a Sra. Lynde, ou ficará no andar de cima, em seu quarto, até que me diga que está disposta a fazê-lo.

— Terei que ficar aqui para sempre — disse Anne tristemente, porque não posso dizer à Sra. Lynde que sinto muito ter dito essas coisas a ela. Como posso? Eu *não* lamento. Lamento ter irritado você; mas estou *feliz por* ter dito a ela exatamente o que disse. Foi uma grande satisfação. Não posso dizer que lamento quando não lamento, posso? Não consigo nem *imaginar* que lamento.

Marilla se levantou para sair.

— Sim, então só posso acrescentar que você tem uma noite inteira para pensar sobre seu comportamento e ficar em um estado de espírito melhor. Você prometeu tentar ser uma garota comportada se pudesse ficar aqui em Green Gables, mas nesta tarde eu não vi uma menina bem-comportada.

Depois de atirar essa flecha, Marilla desceu para a cozinha, gravemente perturbada na mente e aborrecida na alma. Ela estava tão zangada consigo mesma quanto com Anne, mas sempre que se lembrava do semblante pasmo da Sra. Rachel, seus lábios se contorciam de diversão e ela sentia um desejo repreensível de rir.

# X
# O PEDIDO DE DESCULPAS

Marilla não disse nada a Matthew sobre o incidente naquela noite, mas quando Anne se mostrou teimosa ainda na manhã seguinte, ela teve que dar uma explicação para sua ausência na mesa do café da manhã. Marilla contou toda a história a Matthew, esforçando-se para impressioná-lo com o devido senso da gravidade do comportamento de Anne.

— Foi uma boa coisa que Rachel Lynde tenha recebido uma lição; ela é uma velha fofoqueira intrometida — foi a réplica consoladora de Matthew.

— Matthew Cuthbert, estou realmente pasmada... Você sabe que o comportamento de Anne foi reprovável, e você a defende. Depois disso, imagino que você vai dizer que ela não deveria ser punida.

— Oh... nem tanto — disse Matthew com uma voz preocupada. — Acho que ela deveria ser punida um pouco, acho... Mas não seja dura com ela, Marilla. Lembre-se de que nunca ninguém lhe ensinou o que é certo. Você vai.... eu acho que você deve dar algo para ela comer de qualquer maneira, não é?

— Quando você já ouviu falar que deixo as pessoas passarem fome até que tenham bom comportamento? — perguntou Marilla indignada. — Ela fará suas refeições regularmente, e eu mesmo as levarei para ela. Mas ela vai ficar lá até que esteja disposta a se desculpar com a Sra. Lynde, e ponto-final, Matthew.

O café da manhã, o almoço e o jantar foram desfrutados em silêncio, pois Anne ainda permanecia obstinada. Depois de cada refeição, Marilla carregava uma bandeja bem cheia para o sótão e trazia-a mais tarde intocada. Matthew observou sua última descida com olhos preocupados. — Anne, ao menos, tocou na comida?

Quando Marilla saiu naquela noite para resgatar as vacas do desafio, Matthew, que havia ficado de olho nela, furtivamente entrou em casa como um ladrão e subiu as escadas com as pontas dos pés. Geralmente, Matthew gravitava entre a cozinha e o quartinho ao lado do corredor onde ele dormia; de vez em quando, ele se aventurava desconfortavelmente na sala de estar quando o pastor vinha para o chá. Mas ele não havia subido ao andar de cima, desde a primavera em que ajudou Marilla a forrar o quarto de hóspedes, e isso foi há quatro anos.

Ele gentilmente passou pelo corredor do andar de cima e parou por vários minutos atrás da porta do quarto do sótão, antes de ter coragem suficiente para bater com os nós dos dedos e abrir a porta para espiar dentro.

Anne estava sentada na cadeira amarela perto da janela, olhando tristemente para o jardim. Ela parecia muito pequena e infeliz, e o coração de Matthew foi atingindo em cheio. Ele fechou a porta suavemente e foi nas pontas dos pés até ela.

— Anne, como você está? — ele sussurrou.

Anne sorriu fracamente.

— Oh, muito bem. Eu imagino boas coisas, e isso ajuda a passar o tempo. Claro, é bastante solitário. Mas, eu posso muito bem me acostumar com isso.

Anne sorriu de novo com seu sorriso pálido, enquanto pensava nos longos anos que deveria passar trancada solitariamente.

Matthew lembrou-se de que precisava dizer o que viera dizer sem perda de tempo, para que Marilla não voltasse prematuramente.

— Escute, Anne, não acha que seria bom fazer isso para sair dessa? — ele sussurrou. — Mais cedo ou mais tarde, você tem que fazer, Anne, porque Marilla sabe o que ela quer, e ela nunca desiste quando decide alguma coisa... Acabe logo com isso.

— Quer dizer que tenho que me desculpar com a Sra. Lynde?

— Sim... desculpas... essa é a palavra certa — disse Matthew. — Por favor, depois, tudo ficará bem de novo; é o que eu queria lhe pedir, entende?

— Claro que eu poderia fazer isso para lhe agradar — disse Anne pensativa. — E agora eu posso, em sã consciência, dizer que *sinto* muito. Mas eu não podia ontem à noite. Eu estava com tanta raiva... e durou a noite toda. Mas pela manhã acabou. Eu não estava mais com raiva, estava com uma espécie de fraqueza terrível... Eu estava com vergonha de mim mesma. Mas eu não poderia ir falar sobre isso com a Sra. Lynde. Teria sido muito humilhante. Então eu decidi preferir sentar aqui toda a minha vida... a fazer isso... Mas, no entanto, eu faria qualquer coisa por você... se você quisesse.

— Bem, eu quero... É tão terrivelmente solitário lá embaixo sem você. Agora desça e peça desculpas.... seja uma boa menina.

— Muito bem — disse Anne humildemente. — Assim que Marilla entrar, diga a ela que eu fui.

— Que bom... Mas não diga a Marilla que estou envolvido em um assunto que não me pertence...

— Nem cavalos selvagens vão tirar esse segredo de mim — prometeu Anne solenemente. — De que forma os cavalos selvagens iriam tirar um segredo de alguém?

Mas Matthew se foi, com medo de seu próprio sucesso. Ele fugiu apressado para o canto mais remoto do pasto dos cavalos, para que Marilla não suspeitasse do que ele andava fazendo. Quando Marilla voltou para casa, ela teve uma surpresa agradável ao ouvir uma voz *gemendo* sobre o corrimão: — Marilla.

— Sim? — disse e foi para o corredor.

— Lamento por ter ficado com raiva e me comportado de forma tão rude, e gostaria de ir pedir perdão à senhora Lynde.

— Muito bem! — A voz sombria de Marilla não indicava o alívio que ela sentia. Ela pensava o que iria fazer se Anne não cedesse. — Eu a acompanharei até lá embaixo, depois que terminar a ordenha.

Assim, após a ordenha, Marilla foi vista caminhando pela estrada com sua menina, a primeira reta e triunfante, a outra deprimida e miserável. Mas depois de um momento, a dor de Anne desapareceu como mágica. Ela ergueu a cabeça e avançou com passos leves; seu olhar estava voltado para o pôr do sol, e todo o seu ser continha uma espécie de alegria.

Marilla percebeu a mudança com um olhar de reprovação. Esta não é a penitente arrependida que ela queria levar para a Sra. Lynde.

— O que você está pensando agora, Anne? — perguntou severamente.

— Acho que estou imaginando o que vou dizer para a dona Lynde — Anne respondeu.

Aquilo era satisfatório... ou pelo menos deveria ser. Mas Marilla não conseguia se livrar da impressão de que algo em seu plano de punição estava errado... Anne realmente não precisava parecer tão afetuosa e feliz.

E Anne parecia encantada e satisfeita o tempo todo, até estarem na presença da Sra. Lynde, que estava sentada tricotando perto da janela da cozinha. Então o brilho desapareceu. Uma contrição apareceu em seu semblante. Antes que uma palavra fosse dita, Anne repentinamente ajoelhou-se diante da surpresa Sra. Rachel e estendeu as mãos suplicante.

— Oh, senhora Lynde, sinto muitíssimo — disse ela com a voz trêmula. — Não consigo expressar tudo que sinto, não, mesmo que usasse todo o dicionário para isso. A Sra. pode imaginar isso. Meu comportamento foi horrível e como eu constrangi os meus amáveis amigos Matthew e Marilla, que me permitiram ficar em Green Gables, embora eu não fosse um menino. Eu fui terrivelmente desagradável e ingrata, e eu mereço ser punida e banida para sempre pelas pessoas honestas... Eu fui muito má, não me importo pelo fato de você ter me dito a verdade. Afinal, era verdade, cada palavra que dizia era verdade... Meu cabelo é ruivo e sou sardenta e magra e feia. O que eu disse a você também era verdade, mas não deveria ter dito. Ah querida, gentil Sra. Lynde, me perdoe! Se você recusar, sofrerei pelo resto da minha vida. E sei que não teria coragem de produzir esse tipo de dor numa menina órfã, afinal, mesmo que ela tivesse uma natureza terrivelmente difícil... Ah não, provavelmente não quereria isso. Por favor, seja gentil e diga que vai me perdoar, Sra. Lynde!

Anne cruzou os braços, abaixou a cabeça e esperou que o julgamento fosse pronunciado.

Não havia como duvidar de sua sinceridade; estava lá em cada tom de sua voz. Tanto Marilla como a Sra. Lynde reconheceram o tom da inconfundível franqueza. Mas a primeira entendeu, consternada, que Anne estava realmente gostando de seu vale de humilhação, estava se deleitando com a eficácia de sua mortificação. Onde estava o castigo salutar que ela, Marilla, lhe havia aplicado? Anne o transformou em uma espécie de prazer positivo.

A Sra. Lynde, uma mulher de boa índole, não estando sobrecarregada com a percepção, não viu isso. Ela só percebeu que Anne tinha feito um pedido de desculpas muito completo e todo o ressentimento desapareceu de seu coração gentil, embora um tanto oficioso.

— Olha, levante-se! — disse muito gentilmente. — Claro que vou perdoá-la. Acho que também disse um pouco mais do que deveria. Mas agora sou de uma vez por todas o tipo de natureza franca, fui realmente ríspida com você... Não se pode negar que seu cabelo é horrivelmente ruivo, mas eu conheci uma garota uma vez, uma colega de escola, cujo cabelo era tão ruivo quanto o seu, quando era muito jovem; mas quando cresceu escureceu, se tornou um lindo marrom. Eu não ficaria surpresa se a mesma coisa acontecesse com seu cabelo, não, nem um minuto!

— Oh, Sra. Lynde! — Anne respirou fundo ao se levantar. — Você me deu esperança. Sempre sentirei que você é uma benfeitora. Oh, eu poderia suportar qualquer coisa se eu achasse que meu cabelo pode ficar acastanhado quando eu crescer. Seria muito mais fácil ser boa se o cabelo fosse escuro. E agora posso sair para o seu jardim e me sentar naquele banco sob as macieiras enquanto você e Marilla conversam? Há muito mais espaço para a imaginação lá fora.

— Querida, corra, criança. E você pode escolher um buquê de lírios brancos de junho naquele canto.

Quando a porta se fechou atrás de Anne, a Sra. Lynde rapidamente se levantou para acender a luminária.

— Uma criança tão desajeitada! Pegue esta cadeira, Marilla, esta é mais confortável do que aquela em que você está sentada. Sim, ela certamente é uma criança estranha, mas há algo encantador nela, afinal. Não me sinto tão surpresa por você e Matthew ficarem com ela... nem sinto tanto por você. Tudo pode acabar bem. Claro, ela tem uma maneira esquisita de se expressar, um pouco demais... bem... um pouco forçada demais, você sabe; mas ela provavelmente vai superar isso agora que veio viver entre pessoas civilizadas. E seu temperamento é muito explosivo, eu acho; mas há um consolo, uma criança que tem um temperamento explosivo, e se acalma, provavelmente não será ardilosa ou enganadora. Poupe-me de uma criança ardilosa, é o que digo. No geral, Marilla, eu até que gosto dela.

Quando Marilla foi para casa, Anne saiu do crepúsculo perfumado do jardim com um buquê branco na mão.

— Pedi desculpas muito bem, não foi? — ela perguntou orgulhosa enquanto caminhavam ao longo do caminho. — Eu ponderei que quando tivesse que fazer aquilo, eu teria que fazer totalmente.

— Sim, você fez isso perfeitamente — disse Marilla.

Marilla ficou consternada ao se descobrir inclinada a rir da lembrança. Ela também tinha a sensação desagradável de que deveria repreender Anne por se desculpar tão bem; mas isso era ridículo! Ela fechou um acordo com sua consciência ao dizer severamente:

— Espero que você não tenha que pedir mais desculpas como essa... Você tem que controlar seu temperamento, Anne.

— Isso não seria tão difícil se as pessoas não comentassem sobre minha aparência — disse Anne com um suspiro. — Eu não fico zangada com outras coisas; mas estou *tão* cansada de ouvir comentários sobre o meu cabelo, e isso me faz explodir. Você acha que meu cabelo será realmente um castanho-avermelhado bonito quando eu crescer?

— Você não deve pensar muito sobre sua aparência, Anne. Você provavelmente está muito vaidosa!

— Como posso ser vaidosa quando sei que sou feia? — apontou Anne. — Eu amo coisas bonitas; e odeio me olhar no espelho e ver algo que não é bonito. Isso me faz ficar muito triste, assim como me sinto quando olho para qualquer coisa feia. Tenho pena do que não é bonito.

— A beleza desaparece, mas a bondade permanece; você tem que pensar um pouco mais sobre isso.

— Eu já ouvi isso antes, mas tenho minhas dúvidas — comentou a cética Anne, farejando seus narcisos. — Oh, essas flores não são adoráveis? Foi amável da parte da Sra. Lynde tê-las dado para mim. Não tenho ressentimentos da Sra. Lynde agora. Dá uma sensação adorável e confortável pedir desculpas e ser perdoada, não é? As estrelas estão brilhantes esta noite. Se você pudesse viver em uma estrela, qual escolheria? Eu gostaria daquela linda e clara ali acima daquela colina escura.

— Anne, tente manter sua língua sob controle — disse Marilla, completamente exausta de tentar seguir o ciclo pensante de Anne.

Anne não disse mais nada até elas entrarem no caminho de casa. Um leve vento desceu ao encontro delas, carregado com o perfume de jovens samambaias úmidas de orvalho. No alto, em meio às sombras, uma luz alegre brilhava por entre as árvores da cozinha em Green Gables. Anne, de repente, aproximou-se de Marilla e colocou a mão na palma dura da mulher mais velha.

— Como é divertido estar voltando para casa e saber que se trata de um lar — disse ela. — Eu já amo Green Gables, e nunca amei nenhum lugar antes. Nenhum lugar jamais me pareceu um lar. Oh, Marilla, estou tão feliz! Eu poderia rezar agora e não acharia nada difícil!

Algo quente e agradável explodiu no coração de Marilla quando ela sentiu essa mãozinha magricela na sua, talvez fosse sua veia da maternidade cuja alegria ela nunca havia experimentado. A atmosfera era tão estranha e doce que a deixou bastante confusa. Ela se apressou em amortecer suas emoções ao grau usual de calor, afiando um pequeno ensinamento na mente de Anne:

— Se você for sempre gentil, Anne, também será feliz. E você nunca deve achar difícil dizer suas orações.

— Dizer orações não é exatamente o mesmo que orar — disse Anne pensativamente. — Prefiro imaginar que sou o vento soprando ali na copa das árvores. Quando me canso das árvores, fico quieta nas samambaias, então voo para o jardim da Sra. Lynde e faço suas flores dançarem, calma e lindamente... Depois, vou para o fresco prado de trevos. Oh, quanta diversão o vento pode trazer!... Mas agora não vou mais tagarelar, Marilla.

— Bem, graças a Deus por isso — disse Marilla com um suspiro de alívio.

## XI
## A ESCOLA DOMINICAL

— Bem, que acha deles? — disse Marilla.

Anne estava lá em cima, no quarto do sótão, olhando solenemente para três vestidos novos que estavam estendidos sobre sua cama. Um era de tecido rústico e desbotado que Marilla se sentira tentada a comprar de um mascate no verão anterior porque parecia muito útil; um era de cetim xadrez preto e branco que ela comprara em um balcão de pechinchas no inverno; e outro era uma estampa de um tom de azul feio que ela comprara naquela semana na loja em Carmody.

Marilla havia costurado, e todos eram feitos com o mesmo padrão, uma saia reta e lisa, costurada em uma blusa reta e lisa da qual saíam duas mangas, tão apertadas quanto um par de mangas pode ser.

— Imaginarei que gosto deles — disse Anne com muita calma.

— Eu não quero que imagine! — disse Marilla com raiva. — Vejo que você não gostou deles. O que há de errado, eu posso perguntar? Eles não são limpos, bonitos e novos?

— Sim.

— Bem, então por que você não gosta deles?

— Eles... eles... não são bonitos — disse Anne com relutância.

— Eu não me preocupei em conseguir vestidos bonitos para você. Não acredito em mimar a vaidade, Anne, quero deixar claro. Esses vestidos são bons, sensatos, úteis, sem babados sobre eles, e são tudo o que você vai conseguir neste verão. O marrom e o de estampa azul são para você ir à escola quando as aulas começarem. O cetim é para a igreja e a escola dominical. Espero que você os mantenha arrumados e limpos e não os rasgue. Eu achei que você ficaria agradecida por ganhá-los, depois de só usar essas roupas apertadas de flanela.

— Ah, *estou* agradecida — garantiu Anne. — Mas eu teria ficado muito mais agradecida se... se você tivesse colocado mangas bufantes e pequenos punhos em um deles.

— Bem, você terá que ficar sem essa emoção. Eu não tinha material para desperdiçar com mangas bufantes. Acho que são coisas ridículas de qualquer maneira. Eu prefiro os simples e sensatos.

— Mas eu prefiro parecer ridícula quando todo mundo também está ridículo, do que simples e sensata sozinha — persistiu Anne tristemente.

— Bem, pendure esses vestidos cuidadosamente em seu armário e depois se sente e aprenda a lição da escola dominical. Peguei a lição com o Sr. Bell para que você vá à escola dominical amanhã — disse Marilla, desaparecendo escada abaixo, bastante ofendida.

Anne entrelaçou suas mãos e olhou para as roupas.

— Eu esperava tanto que um deles fosse branco e com mangas bufantes— sussurrou desconsolada. — Eu orei por um, mas não esperava muito por isso. Achei que Deus não teria tempo para se preocupar com o vestido de uma menina órfã. Eu sabia que teria que depender de Marilla para isso. Bem, felizmente, posso imaginar que um deles é de musselina branca como a neve com lindos babados de renda e mangas bufantes...

Na manhã seguinte, Marilla sentiu que uma forte dor de cabeça estava chegando e, portanto, não foi à escola dominical com Anne.

— Você pode ir com a Sra. Lynde, Anne — disse ele. — Ela vai mostrar a você qual é a classe certa. Lembre-se de se comportar e ser gentil. Fique para ouvir o sermão e peça à Sra. Lynde para lhe mostrar nosso banco. Aqui está um centavo pela coleta. Não olhe para as pessoas e não se inquiete. Espero que você me diga a mensagem quando voltar para casa.

Anne partiu impecável com o vestido de cetim preto e branco, que, embora decente o suficiente, no que diz respeito ao comprimento, conseguiu enfatizar cada canto e ângulo de sua figura magra. Seu chapéu de marinheiro, achatado e brilhante, tinha uma simplicidade que decepcionou a menina, que se permitira imaginar nele fitas e flores. As últimas, no entanto, foram providenciadas quando alcançou a estrada principal, pois deparou-se, no meio do caminho, com um frenesi dourado de botões de dentes-de-leão agitados pelo vento e gloriosas rosas selvagens. Anne, pronta e generosamente, enfeitou seu chapéu com uma grinalda pesada. As opiniões sobre o resultado do trabalho poderiam ser divididas, mas Anne estava satisfeita, e assim correu alegremente pela estrada.

Quando ela chegou à casa da Sra. Lynde, esta já havia partido. Anne, com entusiasmo, continuou seu caminho sozinha para a igreja. No pórtico, ela encontrou uma multidão de garotinhas, todas alegremente vestidas de branco, azul e rosa, e todas olharam com olhos curiosos para aquela estranha, com seu extraordinário adorno na cabeça. As garotinhas de Avonlea já tinham ouvido histórias estranhas sobre Anne. A Sra. Lynde disse que ela tinha um temperamento terrível; Jerry

Buote, o garoto contratado de Green Gables, disse que ela falava sozinha o tempo todo ou com as árvores e flores, que parecia uma maluca. Elas olharam para ela e cochicharam umas com as outras. Ninguém fez um movimento amigável, nem na hora ou mais tarde, assim, quando os exercícios de abertura terminaram, Anne se viu na classe de Srta. Rogerson, que era uma mulher de meia-idade que lecionara na escola dominical por vinte anos. Seu jeito de ensino era fazer as perguntas impressas no livro da lição e olhar sobre a capa para a menina que ela escolheu para responder à pergunta. Ela olhava para Anne com frequência e, graças às instruções de Marilla, Anne respondia de maneira inteligente. Pode-se, entretanto, questionar se ela entendia as perguntas e suas respostas.

A propósito, ela não gostou da Srta. Rogerson e se sentia completamente infeliz; porque todas as garotas da classe usavam mangas bufantes. Anne achava que não valia a pena viver sem as mangas bufantes.

— Bem, o que achou da escola dominical? — perguntou Marilla quando Anne voltou para casa.

Como a coroa de flores havia murchado, Anne a jogou no caminho de volta, então Marilla não soube de sua existência, por um tempo.

— Eu não gostei nem um pouco. Foi terrível.

— Pare com isso, Anne! — exclamou Marilla com reprovação.

Anne sentou-se na cadeira de balanço com um longo suspiro, beijou um dos botões de Bonny e acenou para o gerânio em flor.

— Minhas florzinhas devem ter sentido minha falta enquanto eu estava fora — ela explicou. — E agora sobre a escola dominical. Eu me comportei bem, como você me disse. A Sra. Lynde já tinha ido, aí fui sozinha para a igreja. Entrei na igreja com muitas outras meninas e sentei-me no canto de um banco perto da janela enquanto os exercícios de abertura eram feitos. O Sr. Bell fez uma oração terrivelmente longa. Eu teria ficado extremamente cansada se não estivesse sentada perto da janela. Mas ela dava para o Lago das Águas Brilhantes, então eu apenas olhei para ela e imaginei coisas esplêndidas.

— Você deveria ter prestado atenção no Sr.Bell.

— Mas, em primeiro lugar, ele não estava falando comigo — disse Anne. — Ele falava com Deus, e não me pareceu interessado nisso. Creio que ele achou que Deus estava longe demais para valer o esforço... Havia uma longa fila de bétulas brancas pairando sobre o lago, e o sol caía no meio delas e cintilava na água... Oh, Marilla, foi como um lindo sonho, e eu disse: "Obrigada por isso, meu bom Deus!", duas ou três vezes.

— Não em voz alta, espero? — disse Marilla inquieta.

— Não, não... sussurrei... Então o Sr. Bell finalmente terminou, e eles disseram que eu deveria ir para a sala de aula da Srta. Rogerson. Havia outras dez meninas além de mim. Todas elas tinham mangas bufantes. Tentei imaginar que minhas mangas também eram bufantes, mas não consegui. Por que não consegui? Foi tão fácil quanto estava no sótão e pensei que eram bufantes, mas foi terrivelmente difícil lá entre todas que tinham, de fato, vestidos de mangas bufantes.

— Não é apropriado ficar pensando em mangas bufantes quando se está na escola dominical. Você deveria ter prestado atenção em sua lição. Eu espero que tenha respondido as questões.

— Claro, dei várias respostas às perguntas. Miss Rogerson me perguntou muitas vezes. Não acho que seja justo que só ela possa fazer perguntas. Havia muitas coisas que eu queria perguntar, mas não senti que ela fosse uma alma irmã. Então todas as outras meninas recitaram uma lição do catecismo. Ela me perguntou se eu conhecia alguma. Eu disse a ela que não, mas poderia recitar "O cão no túmulo de seu professor", se ela quisesse. Isso está no Terceiro Livro de Leitura. Não é uma poesia verdadeiramente religiosa, mas é tão triste e melancólica que poderia muito bem ser. Ela disse que não serviria e me disse para aprender a décima nona lição para o próximo domingo. Eu li na igreja depois e é esplêndida. Existem duas linhas em particular que me emocionam...

*"Rápido enquanto os esquadrões abatidos caíam*
*No perverso dia de Midiã."*

— Não sei o que significa "esquadrões", e nem o que é "Midiã", mas soa tão trágico... Mal posso esperar para o próximo domingo santo. Eu vou ler isso a semana toda. Depois, pedi à senhorita Rogerson, porque a senhora Lynde estava muito longe, que me mostrasse seu banco. Sentei-me o mais silenciosamente que pude, e o texto era o terceiro capítulo do Apocalipse, o segundo e o terceiro versículos. Foi um texto terrivelmente longo. Se eu fosse pastora, escolheria textos pequenos e agradáveis. O sermão também foi extraordinariamente longo. Acho que se referia ao texto. Mas ele não era divertido. Acho que a culpa é porque ele não tem nenhuma imaginação. Eu não prestei atenção. Deixei meu pensamento voar em coisas novas e maravilhosas...

Marilla sentiu-se impotente e achou que tudo isso deveria ser severamente reprovado, mas foi prejudicada pelo fato inegável de que algumas das coisas que Anne havia dito, especialmente sobre os sermões do ministro e as orações do Sr. Bell, era o que ela mesma pensava bem no íntimo por anos, mas que jamais expressara. Parecia que seus pensamentos mais secretos, nunca pronunciados, de repente haviam assumido uma forma visível e acusadora na pessoa desse fragmento franco de humanidade negligenciada.

## XII
## UMA PROMESSA SOLENE

Só na sexta-feira seguinte Marilla soube da história do chapéu florido. Ela voltou da Sra. Lynde e imediatamente chamou Anne para se explicar.

— Anne, a senhora Lynde afirmou que você esteve na igreja no domingo passado com um chapéu decorado de maneira ridícula com rosas e dentes-de-leão escravos. De onde tirou essa ideia? Você devia estar parecendo um espantalho.

— Sim, eu sei que amarelo e vermelho vivo não me caem bem... — começou Anne.

— Não lhe caem bem?! Que bobagem... As flores no seu chapéu deviam estar ridículas, não importa a cor. Você é uma criança excessivamente irritante.

— Não consigo entender por que é mais ridículo carregar flores em um chapéu do que em um vestido — Anne ressaltou. — Várias garotinhas lá tinham buquês de flores presos ao vestido com alfinetes. Qual é a diferença?

No entanto, Marilla não estava disposta a permitir que aquelas comparações a enganassem.

— Você não deveria me responder assim, Anne. De qualquer modo, você agiu de forma muito tola; nunca mais faça nada parecido! A Sra. Lynde pensou que iria afundar no chão quando a viu chegando fantasiada daquele jeito. Ela não conseguiu chegar perto de você para que pudesse ter lhe dito para tirar as flores antes que fosse tarde demais. Disse que as pessoas comentavam assombradas... É claro que pensaram que eu tinha enlouquecido em deixar você sair enfeitada daquela maneira.

— Ah, sinto muito — disse Anne com lágrimas nos olhos. — Jamais pensei que você se importaria... Rosas e dentes-de-leão são tão adoráveis que achei que ficariam fofos no meu chapéu. Outras meninas tinham flores artificiais em seus chapéus. Tenho medo de lhe causar muita preocupação e problemas. É melhor me mandar de volta para o orfanato. Isso seria horrível, acho que não aguentaria, provavelmente pegaria uma doença pulmonar de tão magra... Mas bem, seria melhor do que ser uma provação em sua vida...

— Bobagem — disse Marilla, irritada consigo mesma por ter feito a criança chorar. — Eu não quero mandar você de volta para o orfanato, tenho certeza. Tudo o que quero é que você se comporte como as outras meninas e não se torne ridícula. Não chore mais. Eu tenho algumas novidades para você. Diana Barry voltou para casa esta tarde. Vou subir para ver se posso pegar emprestado um molde de saia com a Sra. Barry e, se quiser, pode vir comigo e conhecer Diana.

Anne se levantou com os braços cruzados e as lágrimas ainda brilhando em seu rosto; o pano de prato, que estava costurando, caiu no chão sem que ela percebesse.

— Ah, Marilla, isso me assusta tanto! Agora que chegou, estou realmente com medo. E se ela não gostar de mim? Seria a decepção mais trágica da minha vida.

— Ora, não fique nervosa. E eu gostaria que você não usasse palavras tão longas. Parecem tão estranhas em uma garotinha. Acho que Diana vai gostar bastante de você. É com a mãe dela que você tem que se preocupar. Se ela não gostar de você, não importa o quanto Diana goste. Se ela souber de sua explosão com a Sra. Lynde e de ir à igreja com botões de flor em volta do chapéu, não sei o que vai ser de você. Você deve ser educada e bem comportada, e não faça nenhum de seus discursos surpreendentes. Pelo amor de Deus, você está tremendo de verdade!

Anne *estava* tremendo, de fato. Seu rosto estava pálido e tenso.

— Oh, Marilla, você também ficaria nervosa se fosse conhecer uma garotinha que espera que seja sua amiga do peito e cuja mãe talvez não goste de você — disse ela enquanto se apressava em pegar o chapéu.

Elas foram para Orchard Slope pelo atalho que cruzava o riacho e subiram o bosque de abetos. A Sra. Barry apareceu na porta da cozinha em resposta à batida de Marilla. Ela era uma mulher alta, de olhos e cabelos negros, com uma boca muito determinada. Ela tinha a reputação de ser muito rígida com os filhos.

— Boa tarde, Marilla — disse ela cordialmente. — Entre! Eu devo adivinhar, esta é a menininha que você adotou?

— Sim, esta é Anne Shirley — disse Marilla.

— Escrito com E no final — sussurrou Anne, trêmula e excitada, pois estava determinada que não houvesse dúvida sobre esse ponto importante.

A Sra. Barry, que não conseguia ouvir nem entender, apenas pegou-a pela mão e disse gentilmente:

— Como você está?

— Fisicamente estou bem, embora minha alma esteja muito confusa, obrigada, por perguntar — disse Anne seriamente. Em seguida, disse para Marilla em um sussurro: — Não há nada de surpreendente nesta frase, né, Marilla?

Diana estava sentada no sofá, lendo um livro que deixou cair quando as visitantes entraram. Era uma menina muito bonita, com os olhos e cabelos negros da mãe, as faces rosadas e a expressão alegre que herdara do pai.

— Esta é minha filha, Diana — disse a sra. Barry. — Diana, você pode levar Anne com você ao jardim e mostrar suas flores? Será muito melhor do que ficar sentada atrás daquele livro. Ela lê demais — falou para Marilla enquanto as meninas saíam. — E eu não posso impedi-la, pois seu pai a estimula. Ela está sempre lendo um livro. Estou feliz que ela tenha uma companheira de brincadeiras; talvez isso a leve mais para fora de casa.

Lá fora, no jardim, no brilho suave do pôr do sol que fluía entre as velhas e escuras árvores que sombreavam o outro lado do jardim, estavam Anne e Diana, olhando-se timidamente por cima do grupo mais brilhante de lírios amarelos flamejantes.

O jardim dos Barry era um refúgio sombreado e perfumado, tão repleto de flores que teria encantado o coração de Anne em todos os outros momentos menos importantes. Era cercado por enormes salgueiros velhos e altos abetos, sob os quais floresciam flores que amavam a sombra. Caminhos em ângulo reto, perfeitamente orlados com conchas, cruzavam-se como fitas vermelhas úmidas e nos canteiros entre flores antiquadas onde reinava o caos. Havia corações rosados e sangrentos e grandes peônias carmesins esplêndidas; narcisos perfumados e rosas escocesas doces e espinhosas; rosas colombianas, azuis e brancas e moitas de madeira do sul, grama e hortelã; orquídeas Adão-e-Eva, narcisos e massas de doces trevos brancos com seus talos delicados e perfumados; luzes escarlates que dispararam suas lanças de fogo sobre flores brancas almiscaradas; um jardim era onde o sol perdurava e as abelhas zumbiam, e os ventos ronronavam e sussurravam.

— Ah, Diana! — disse Anne, por fim, e baixou a voz quase a um sussurro — Você acha que pode gostar um pouco de mim... a ponto de se tornar minha amiga?

Diana riu. Diana sempre ria antes de dizer qualquer coisa.

— Acho que sim — disse ela sem hesitar. — Estou muito feliz que você tenha vindo morar em Green Gables. Será uma alegria ter alguém com quem brincar.

Não há nenhuma outra garota que more perto o suficiente para brincar, e só tenho irmãs pequenas.

— Você vai jurar ser minha amiga para todo o sempre? — perguntou Anne ansiosamente.

Diana parecia chocada.

— Mas jurar é uma coisa terrível de se fazer — disse ela em tom de censura.

— Oh, não, não é esse tipo de jura que quero dizer. Pode haver dois tipos de jura, como você sabe.

— Nunca ouvi falar de outro... apenas um tipo — disse Diana em dúvida.

— Existe realmente outro. Oh, e não é nenhum pouco ruim. Significa apenas fazer um voto e uma promessa solenemente.

— Bem, não me importo de fazer, então — disse Diana, bastante aliviada. — Como se faz?

— Devemos dar as mãos, então — disse Anne gravemente —, e deve ser sobre a água corrente. Vamos apenas imaginar que esse caminho é água corrente. Vou falar o juramento primeiro: Juro solenemente ser fiel à minha amiga do peito, Diana Barry, enquanto o Sol e a Lua durarem. Agora diga e coloque meu nome.

Diana repetiu o juramento, rindo. Então ela disse:

— Você é mesmo uma menina estranha, Anne. Já tinham me tido isso... Mas acho que vou gostar muito de você.

Quando Marilla e Anne voltaram para casa, Diana acompanhou-as até a ponte. As duas meninas caminhavam de braços dados.

No riacho, elas se despediram muitas vezes e de maneira comovente, depois de prometerem se encontrar na tarde seguinte para brincar.

— Bem, você encontrou uma alma irmã em Diana? — perguntou Marilla enquanto caminhavam pelo jardim de Green Gables.

— Oh, sim — suspirou Anne, felizmente sem saber do sarcasmo na pergunta de Marilla. — Oh, Marilla, eu sou, no momento, a garota mais feliz da Ilha do Príncipe Eduardo. Garanto-lhe que farei minha oração esta noite com o coração mais sincero. Diana e eu vamos construir uma casa de brinquedos no bosque de bétulas do Sr. William Bell amanhã. Posso ficar com os pedaços de porcelana quebrados que estão no depósito de lenha? O aniversário de Diana é em fevereiro e o meu em março. Você não acha que é uma grande coincidência? Diana vai me emprestar um livro para ler. Ela diz que é perfeitamente esplêndido e tremendamente excitante. Ela vai me mostrar um lugar na floresta onde crescem os lírios de arroz. Você não acha que Diana tem olhos muito comoventes? Eu gostaria de ter olhos comoventes. Diana vai me ensinar a cantar uma música chamada "Nelly no vale das aveleiras". Ela vai me dar um retrato para colocar no meu quarto; é um retrato perfeitamente bonito, diz ela; de uma senhora adorável em um vestido de seda azul-claro. Um vendedor de máquina de costura deu a ela. Eu gostaria de ter algo para dar a Diana. Sou um centímetro mais alta do que Diana, mas ela está bem mais gorda; ela diz que gostaria de ser magra porque é muito mais elegante, mas infelizmente ela só disse isso para me agradar. Algum dia iremos ao litoral para colher conchas. Concordamos em chamar a nascente da ponte de toras de Bolha da

Dríade. Não é um nome perfeitamente elegante? Eu li uma história uma vez sobre uma fonte chamada assim. Uma dríade é uma espécie de fada adulta, eu acho.

— Sim, contanto que você não mate Diana de tanto falar — disse Marilla. — Mas lembre-se disso em todo seu planejamento, Anne. Você não vai brincar o tempo todo, nem a maior parte dele. Você tem seu trabalho a fazer e este terá que ser feito primeiro.

A taça de felicidade de Anne estava cheia e Matthew a fez transbordar. Ele acabara de voltar de uma viagem à loja da Carmody e, timidamente, tirou um pequeno pacote do bolso e o entregou a Anne, com um olhar desconfiado para Marilla.

— Ouvi você dizer que gostava de balas de chocolate, então comprei algumas — disse ele.

— Hum... — fungou Marilla. — Isso vai arruinar seus dentes e estômago. Calma, calma, criança, não faça essa cara...Você pode comer isso, já que Matthew os comprou. É melhor ele ter trazido balas de hortelã para você. Elas são saudáveis. Não se enjoe comendo todas de uma vez.

— Ah não, certamente não — disse Anne ansiosa. — Só vou comer uma esta noite, Marilla. E posso dar a Diana metade delas, não posso? A outra metade terá um gosto duas vezes mais doce para mim se eu der um pouco para ela. É maravilhoso pensar que tenho algo para dar a ela.

— Tenho de admitir — disse Marilla quando Anne foi para o sótão. — Ela não é egoísta. Fico feliz, pois, de todos os defeitos, detesto mesquinhez em criança. Meu Deus, faz apenas três semanas que ela veio, e parece que ela sempre esteve aqui. Não consigo imaginar o lugar sem ela. Agora, não fique me olhando com cara de quem diz "eu avisei", Matthew. Isso é ruim o suficiente em uma mulher, para ser tolerado em um homem. Estou perfeitamente disposta a admitir que estou feliz por ter consentido em ficar com a criança e que estou começando a gostar dela, mas não me esfregue isso, Matthew Cuthbert.

# XIII
# FELICIDADES

— Anne já devia estar costurando... — disse Marilla, olhando para o relógio e saindo sob o sol da tarde, no calor do verão. Ela ficou brincando com Diana e já estava meia hora atrasada, e agora pulou na pilha de lenha conversando com Matthew. E é claro que ele a está ouvindo como um idiota perfeito. Nunca vi um homem tão apaixonado. Quanto mais ela fala e quanto mais são estranhas as coisas que diz, mais ele fica evidentemente encantado. — Anne Shirley, venha aqui neste minuto, está me ouvindo?

Uma série de batidas curtas e fortes na janela Oeste, e Anne veio voando do quintal com olhos felizes, um leve rubor em suas bochechas e o cabelo poderoso esvoaçando atrás dela como uma tocha vermelha dourada.

— Oh, Marilla — ela exclamou sem fôlego — na próxima semana haverá um piquenique na escola dominical... será feito no campo do Sr. Andrew, muito perto do Lago das Águas Brilhantes! O diretor Bell e a Sra. Lynde vão fazer sorvete, pense, Marilla, sorvete! Ah, querida Marilla, posso ir?

— Por favor, olhe para o relógio, Anne. A que horas eu disse para você entrar?

— Duas horas... imagine como vai ser divertido um piquenique, Marilla! Eu posso ir ? Nunca fui a uma excursão... só sonhei com isso.

— Sim, eu disse para você estar aqui às duas horas, e agora são quinze para as três. Gostaria de saber por que você não me obedeceu, Anne?

— Ah, sim, essa não era a minha intenção... Mas nos divertimos muito, amo este ócio agreste... E então eu tive que contar a Matthew sobre o piquenique. Matthew fica tão feliz em me ouvir, ele é um ouvinte tão solidário… Oh, posso ir?

— Você vai ter que aprender a resistir ao fascínio do ócio de não sei o quê... Quando digo para você entrar em um determinado horário, quero dizer aquele horário e não meia hora depois. E você também não precisa parar para conversar com bons ouvintes solidários em seu caminho. Quanto ao piquenique, claro que você pode ir. Você é uma aluna da escola dominical e eu vou deixá-la ir, já que todas as outras meninas estão indo.

— Mas... mas... — hesitou Anne. — Diana disse que todo mundo deveria levar uma cesta de coisas para comer. Não sei cozinhar, como você sabe, Marilla, e... eu não me importo de ir a um piquenique sem as mangas bufantes, mas me sentiria terrivelmente humilhada se tivesse que ir sem uma cesta. Isso está me atormentando desde que Diana me contou.

— Não precisa mais sofrer. Vou providenciar a cesta para você.

— Ah, querida, querida Marilla! Oh, como você é gentil comigo! Oh, como sou grata a você!

Após essas exclamações de ahs e ohs, Anne se jogou em volta do pescoço de Marilla e beijou suas bochechas pálidas. Pela primeira vez em toda a vida de Marilla, os lábios de uma criança tocaram seu rosto voluntariamente. Mais uma vez, aquela sensação repentina de doçura surpreendente a emocionou. Ela, secretamente, ficou muito satisfeita com a carícia impulsiva de Anne, que provavelmente foi a razão pela qual ela disse bruscamente:

— Calma, já é o suficiente... Eu preferiria ver você fazendo estritamente o que lhe foi mandado. Quanto a cozinhar, pretendo começar a lhe dar aulas. Mas você é tão cabeça dura, Anne, que estou esperando para ver se você se acalma um pouco e aprende a se controlar para começarmos. Você tem que manter seu juízo na cozinha e não pode parar no meio das coisas para deixar seus pensamentos vagarem por toda a criação. Agora, pegue sua colcha de retalho e faça um quadrado antes da hora do chá.

— *Não* gosto da colcha de retalhos — disse Anne severamente, pegando sua cesta de trabalho e sentando-se, suspirando na frente de uma pilha de panos vermelhos e brancos. — Talvez algum tipo de costura possa ser divertido, mas este é terrivelmente monótono. É só uma linha atrás da outra, e parece que você nunca vai chegar a lugar algum. É claro que prefiro ser Anne de Green Gables costurando colchas do que Anne de qualquer outro lugar sem nada para fazer a não ser brincar. Eu gostaria que o tempo passasse tão rápido costurando remendos, quanto quando estou brincando com Diana. Oh, nós temos tempos tão elegantes, Marilla. Tenho que fornecer a maior parte da imaginação, mas sou bastante capaz para fazer isso. Diana é simplesmente perfeita em todos os outros aspectos. Você sabe aquele pequeno pedaço de terra do outro lado do riacho que corre entre nossa fazenda e a do Sr. Barry? Ele pertence ao Sr. William Bell, e bem no canto há uma pequena roda de bétulas brancas... é um local muito romântico, Marilla. Diana e eu fizemos nossa casa de brinquedos lá. Nós a chamamos de Ócio Agreste. Não é um nome poético? Garanto que demorei algum tempo para pensar. Fiquei acordada quase uma noite inteira antes de inventá-lo. Então, quando eu estava caindo no sono, tive uma inspiração. Diana ficou *fascinada* com a minha inspiração. Nós arrumamos nossa casa com muita elegância. Você precisa ir ver, Marilla. Temos grandes pedras, todas cobertas de musgo, para assentos, e tábuas de árvore para prateleiras. Temos todos os nossos pratos expostos ali. Verdade, eles estão todos quebrados, mas é a coisa mais fácil do mundo imaginar que eles estão inteiros. Há um pedaço de prato com uma pintura de hera vermelha e amarela que é especialmente bonito. Nós o conservamos na sala de estar, como também o vidro das fadas. O vidro das fadas é tão lindo quanto um sonho. Diana o descobriu atrás do galinheiro. Ele é cheio de crianças e arco-íris, a mãe de Diana disse a ela que é um abajur quebrado. Mas é melhor imaginar que foram as fadas que o perderam numa noite quando deram um baile, por isso o chamamos de vidro das fadas. Matthew vai fazer uma mesa para nós. Oh, nós nomeamos aquela pequena piscina redonda no campo do Sr. Barry de Willowmere. Eu tirei esse nome do livro que Diana me emprestou. Foi um livro emocionante, Marilla. A heroína tinha cinco amantes. Eu ficaria satisfeita com um, não é? Ela era muito bonita e passou por grandes tribulações. Ela desmaiava facilmente com qualquer coisa. É muito romântico desmaiar, não é Marilla? Mas estou muito saudável, apesar de ser muito magra. Mas acredito que estou engordando. Você não acha que eu estou? Eu olho para os meus cotovelos todas as manhãs quando me levanto para ver se alguma covinha está aparecendo. Diana vai comprar um vestido novo feito com mangas até o cotovelo. Ela vai usá-lo no piquenique. Oh, espero que esteja tudo bem na próxima quarta-feira. Não acho que poderia suportar a decepção se algo acontecesse que me impedisse de ir ao piquenique. Acho que sobreviveria, mas tenho certeza de que seria uma tristeza para toda a vida. Não importaria se eu chegasse a cem piqueniques nos próximos anos; eles não iriam compensar a perda deste. Vai ter barcos no Lago das Águas Brilhantes, e sorvete, como eu disse a você. Nunca provei sorvete. Diana tentou explicar como era, mas acho que sorvete é uma daquelas coisas que estão além da imaginação.

— Anne, você falou sem parar por dez minutos — disse Marilla. — Agora, apenas por curiosidade, veja se consegue segurar sua língua pelo mesmo período de tempo.

Anne segurou sua língua como desejado. Mas, pelo resto da semana, ela falou em piquenique, pensou em piquenique e sonhou com piquenique. No sábado choveu e ela ficou em um estado tão frenético para que não continuasse chovendo até a quarta-feira e Marilla a obrigou a costurar um retalho extra para acalmar seus nervos.

Ao voltar da igreja no domingo, Anne confidenciou a Marilla que sentiu um calafrio quando o pastor anunciou o piquenique do púlpito.

— Senti um arrepio na minha espinha, Marilla! Até então, eu realmente não estava acreditando que o piquenique realmente se tornaria realidade. Eu estava com tanto medo de que fosse só imaginação. Mas quando o pastor fala aquilo no púlpito, tem que ser verdade.

— Você se preocupa demais com as coisas, Anne — disse Marilla, com um suspiro. — Temo que muitos de seus desejos sejam destruídos ao longo de sua vida.

— Oh, Marilla, ansiar pelas coisas é metade do prazer proporcionado por elas — exclamou Anne. — Você pode não conseguir as coisas; mas nada pode impedir você de se divertir esperando por elas. A Sra. Lynde diz: "Bem-aventurados os que nada esperam, pois não ficarão desapontados." Mas acho que seria pior não esperar nada do que ficar desapontado.

Marilla usava, como sempre, seu broche de ametista na igreja. Ela teria considerado uma espécie de sacrilégio deixá-lo em casa, tão imperdoável como se tivesse esquecido o Novo Testamento ou o dinheiro das coletas.

Este broche de ametista era o bem mais valioso de Marilla. Um tio marinheiro o doou à sua mãe, que por sua vez o doou a Marilla. Era um broche alongado e antigo que continha um cacho emoldurado por lindas ametistas do cabelo da sua mãe. Marilla tinha pouco conhecimento sobre pedras preciosas para entender como as ametistas eram valiosas, mas ela as considerava muito bonitas e sabia bem como seu tom roxo se destacava em seu pescoço e sobre o seu vestido de seda marrom, embora ela mesma não pudesse ver seu brilho.

Anne ficara encantada ao ver o ornamento pela primeira vez.

— Ah, Marilla, é um broche perfeitamente elegante. Não entendo como você consegue acompanhar o sermão e as orações quando o tem no peito. Eu não poderia... isso é certo. Eu acho ametistas simplesmente adoráveis. Elas são o que eu costumava pensar que eram os diamantes. Há muito tempo, antes de ter visto um diamante, li sobre eles e tentei imaginar como seriam. Achei que seriam lindas pedras roxas cintilantes. Certo dia, quando vi um diamante de verdade no anel de uma senhora, fiquei tão desapontada que chorei. Claro, era muito lindo, mas não era a minha ideia de diamante. Você vai me deixar segurar o broche por um minuto, Marilla? Você acha que as ametistas podem ser as almas de bondosas violetas?

## XIV
## A CONFISSÃO

Na noite da segunda-feira anterior ao piquenique, Marilla desceu do quarto parecendo muito ansiosa.

— Anne — disse ela à menina, que desfiava as ervilhas em uma mesa cantando Nelly no Vale das Aveleiras com tanto entusiasmo e expressão que valeram os ensinamentos de Diana — Você viu meu broche de ametista? Achei que tinha enfiado na almofada de alfinetes quando voltei da igreja ontem à noite, mas não consigo encontrar em lugar algum.

— Eu o vi nesta tarde quando você estava na Associação de Caridade — disse Anne, espreguiçando-se um pouco. — Passei pela sua porta e então vi a almofada de alfinetes, então, entrei lá para olhar para ele.

— Você tocou nele? — perguntou Marilla severamente.

— Sim — admitiu Anne —, eu o peguei e coloquei no meu peito só para ver como ficaria.

— Você não deveria ter feito isso... as meninas não deveriam tocar nas coisas das outras pessoas. Você não deveria ter tocado em um broche que não pertencia a você. Onde é que o pôs?

— Ah, coloquei de volta na cômoda! Não ficou nem meio minuto no meu peito. Sinceramente, não era minha intenção fazer nada errado. Não achei que pudesse haver algo de errado ao entrar e experimentar o broche, mas agora vejo que não era o caso e nunca mais farei isso. Nunca faço o mesmo mal duas vezes.

— Você não o colocou de volta na cômoda — disse Marilla. — Esse broche não está em lugar algum da cômoda. Você o tirou ou algo assim, Anne.

— Eu o coloquei de volta — disse Anne rapidamente, um pouco atrevida na mente de Marilla. — Não me lembro se coloquei na almofada de alfinetes ou na bandeja de porcelana. Mas estou perfeitamente certa de que o coloquei de volta.

— Vou procurar de novo — disse Marilla, decidindo ser justa. — Se você colocou aquele broche de volta, ele ainda estará lá. Se não estiver, eu saberei que você não o devolveu, simples assim!

Marilla foi até o quarto e olhou bem, não apenas sobre a cômoda, mas em todos os outros lugares onde ela poderia supor que o broche estaria. Não o encontrou e voltou para a cozinha.

— Anne, o broche sumiu. Você mesmo admitiu que foi a última pessoa que pegou nele. O que você fez com ele? Diga-me a verdade agora mesmo! Você tirou e o perdeu?

— Não, eu não fiz isso — disse Anne solenemente, encarando abertamente o olhar zangado de Marilla. — Eu não saí do seu quarto com o broche, e essa é a verdade, caso eu seja colocada no patíbulo por isso... apesar de não saber o que é um patíbulo... É isso, Marilla.

O “é isso” de Anne pretendia apenas enfatizar uma afirmação, mas Marilla interpretou isso como uma demonstração de desafio.

— Acho que você está zombando de mim, Anne — disse ela bruscamente. — Tenho certeza disso. Não diga mais nada até que esteja pronta para me contar toda a verdade. Suba para o seu quarto e fique lá até que esteja disposta a confessar.

— Devo levar as ervilhas comigo? — Anne perguntou humildemente.

— Não, eu mesma descasco as ervilhas. Faça o que eu disse!

Depois que Anne se foi, Marilla cumpriu as tarefas noturnas num estado de espírito muito perturbado. Ela estava preocupada com seu valioso broche. E se Anne o tivesse perdido? E que maldade da menina negar tê-lo pegado, quando qualquer um podia ver que fez isso! E fazendo cara de inocente!

— Não sei o que preferiria que tivesse acontecido — pensou Marilla, descascando nervosamente as ervilhas. — Claro, eu não acho que ela pretendia roubá-lo ou algo parecido. Ela apenas o pegou para brincar ou ajudar sua imaginação. Ela deve ter pegado, claro, porque não entrou ninguém naquele quarto depois dela. E o broche sumiu, não há nada mais certo. Suponho que ela o tenha perdido e está com medo de ser punida. É horrível pensar que ela mente. Isso é muito pior do que seu temperamento descontrolado. É muita responsabilidade ter um filho em sua casa em quem você não pode confiar. Astúcia e falsidade... isso é o que ela demonstrou. Confesso que me sinto pior com isso do que com o broche. Se ela tivesse contado a verdade, eu não me importaria.

Marilla foi ao quarto diversas vezes procurar o broche, mas sem sucesso. Uma visita ao sótão antes de dormir não deu resultado. Anne insistia em negar que sabia alguma coisa sobre o broche, mas Marilla estava ainda mais firmemente convencida de que ela sabia.

Na manhã seguinte, ela contou a Matthew sobre isso. Este ficou ressentido e espantado; ele não podia acreditar que Anne fizesse isso, mas admitia que os fatos pareciam estar contra ela.

— Tem certeza de que não caiu atrás da cômoda? — foi a única sugestão que ele poderia dar.

— Afastei a cômoda da parede, puxei as gavetas e procurei em cada canto da cômoda — respondeu Marilla com alto grau de certeza. — O broche sumiu, e a menina o pegou e mentiu sobre isso. Essa é a verdade, Matthew, nua e crua, porém, feia. Encaremos os fatos.

— Bem, como você vai proceder agora? — Matthew perguntou desamparado.

Secretamente, ele estava aliviado que o trabalho seria de Marilla, e não dele. Ele não sentiu o menor desejo de se intrometer no assunto.

— Ela vai ficar em seu quarto até que confesse — disse Marilla com raiva, pensando no resultado favorável do método. — Então, veremos. Talvez possamos encontrar o broche se ela contar para onde o levou; mas de qualquer maneira, ela terá que ser severamente punida, Matthew.

— Sim, você pode cuidar disso — disse Matthew, pegando o chapéu. — Lembre-se de que estou lá fora. Você mesmo pediu que não me metesse nos seus métodos de educação.

Marilla se sentiu abandonada por todos. Ela não podia nem mesmo ir até a Sra. Lynde para pedir seu conselho.

Ela subiu no sótão com o rosto muito sério e desceu com o rosto ainda mais sério. Anne ainda estava endurecida. Ela reafirmou que não havia pegado o broche. A menina aparentemente chorou e Marilla sentiu um pouco de pena, a qual, no entanto, sufocou imediatamente.

— Você ficará sentada aí até confessar... saiba disso — disse.

— Mas o piquenique é amanhã, Marilla — exclamou Anne. — Você não vai me impedir de ir, vai? Você vai me deixar sair à tarde, não é? Depois eu vou ficar aqui o tempo que quiser. Mas eu preciso ir ao piquenique...

— Você não irá a piquenique nem a qualquer outro lugar até que tenha confessado, Anne.

— Oh, Marilla — Anne ofegou.

Mas Marilla seguiu seu caminho e fechou a porta.

A manhã de quarta-feira veio tão ensolarada e brilhante, como se tivesse sido reservada especificamente para um piquenique. Os pássaros cantaram ao redor de Green Gables; lírios brancos altos ao ar livre no jardim exalavam no ar com seu cheiro que soprava pelas portas e janelas. Enquanto as bétulas gesticulavam e balançavam, como se esperassem pela saudação matinal de Anne da janela do quarto do sótão.

Mas Anne não estava na janela. Enquanto Marilla carregava a bandeja do café da manhã, ela encontrou a garota sentada em sua cama muito solene, pálida e determinada, com os lábios comprimidos e os olhos febris.

— Marilla, eu confesso.

— Bem, finalmente! — Seu método de castigo foi bem-sucedido novamente, mas isso não lhe trouxe alegria. — Bem, vamos ouvir o que você tem a confessar, Anne?

— Eu peguei o broche de ametista — disse Anne como se repetisse uma lição que aprendera. — Peguei exatamente como você disse. Não tive a intenção de pegá-lo quando entrei. Mas ficou tão lindo, Marilla, quando o coloquei no peito, que fui dominada por uma tentação irresistível. Eu imaginei o quão perfeitamente emocionante seria levá-lo para o Ócio Agreste e imaginar que eu era Lady Cordélia Fitzgerald. Seria muito mais fácil imaginar que eu era Lady Cordélia se eu tivesse um broche de ametista de verdade. Diana e eu fazemos colares de brotos de rosa, mas o que são brotos de rosas comparados às ametistas? Então, peguei o broche. Achei que poderia colocá-lo de volta antes de você voltar para casa. Dei a volta na estrada para aumentar o tempo. Quando estava atravessando a ponte sobre o Lago das Águas Brilhantes, tirei o broche para dar uma olhada nele. Oh, como brilhava ao sol! E então, quando eu estava inclinada sobre a ponte, ela simplesmente escorregou por entre meus dedos... e desceu... desceu... desceu... todo colorido e magnífico, e afundou para sempre sob o Lago das Águas Brilhantes. E isso é a melhor confissão que eu posso fazer, Marilla.

Marilla sentiu uma raiva borbulhando dentro dela novamente. Aquela menina havia pegado e perdido seu precioso broche de ametista, e agora estava sentada ali, recitando seus detalhes, sem o menor escrúpulo ou arrependimento aparente.

— Anne, isso é terrível — disse ela, tentando falar com calma. — Você é a garota mais malvada de que já ouvi falar.

— Acho que sim — Anne admitiu calmamente. — E eu sei que seria punida. Este é o seu dever, Marilla... Não quer terminar logo com isso? Eu gostaria de ir ao piquenique.

— Piquenique? Você não vai a nenhum piquenique hoje, Anne Shirley. Essa será a sua punição. E é um castigo leve para o que você fez!

— Não posso ir ao piquenique? — Anne se apressou e agarrou a mão de Marilla com força. — Mas você me prometeu. Oh, Marilla, deixe-me ir ao piquenique. Foi por isso que confessei. Puna-me da maneira que quiser, menos dessa. Oh, Marilla, por favor, por favor, deixe-me ir ao piquenique. Pense no sorvete! Você sabe que posso não ter nunca mais a chance de provar sorvete novamente?

Marilla desvencilhou-se das mãos suplicantes de Anne.

— Não adianta implorar, Anne. Você ficará fora do piquenique e ponto. Nem mais uma palavra!

Anne entendeu que Marilla estava irredutível. Ela juntou as mãos, deu um grito agudo e, em seguida, atirou-se com o rosto afundado na cama, chorando e se contorcendo em um sentimento de total abandono, de decepção e desespero.

— Pelo amor de Deus! — exclamou Marilla, saindo apressada do quarto. — Eu acredito que a criança está enlouquecendo. Nenhuma criança normal se comportaria como ela. Se ela não é louca, é totalmente perversa. Temo que Rachel estivesse certa desde o início. Mas coloquei minha mão no arado e não vou olhar para trás.

Foi uma manhã muito triste. Marilla trabalhou arduamente e esfregou o chão da varanda e as prateleiras dos laticínios. Quando não encontrou mais nada para fazer, ela saiu e varreu o quintal. Quando o almoço ficou pronto, ela subiu e chamou Anne.

Um rosto manchado de lágrimas apareceu, olhando tragicamente por cima do corrimão.

— Não quero almoçar, Marilla — disse Anne, soluçando. — Eu não conseguiria comer nada. Meu coração está despedaçado. Você sentirá remorso por quebrá-lo, Marilla, mas eu a perdoo. Lembre-se disso quando chegar a hora de eu perdoá-la. Mas, por favor, não me peça para comer nada, especialmente porco cozido e verduras. Carne de porco cozida e verduras são tão pouco românticas quando se está em apuros.

Exasperada, Marilla voltou à cozinha e contou sua triste história a Matthew que, dividido entre seu senso de justiça e sua simpatia por Anne, sentia-se um homem miserável.

— Bem, ela não deveria ter pegado o broche, Marilla, ou contado histórias sobre ele — admitiu ele, olhando pesarosamente seu prato de carne de porco e verduras pouco romântico, como se ele, como Anne, achasse que era um alimento impróprio para crises de sentimento. — Mas ela é uma garotinha, uma garotinha tão interessante. Você não acha que é muito difícil não deixá-la ir ao piquenique quando ela está tão desejosa de fazer isso?... ela é apenas uma criança, se você pensar bem!

— Matthew Cuthbert, estou abismada com você. Acho que apliquei o castigo que merecia. E ela não parece perceber o quão errada está... isso é o que mais me preocupa. Se ela realmente tivesse sentido arrependimento, não seria tão grave. E você também não parece se dar conta disso; você está inventando desculpas para ela o tempo todo... eu posso ver isso.

— Ela é apenas uma criança — repetiu Matthew em voz baixa. — E lembre-se, ela nunca teve qualquer educação.

— Mas está tendo agora — respondeu Marilla.

A resposta fez Matthew calar a boca, embora não o tenha convencido. O almoço foi em clima de tristeza. O único que estava de bom humor era Jerry Buote, o menino ajudante, e Marilla entendeu seu largo sorriso e olhar feliz como um insulto pessoal.

Quando os pratos foram lavados, a massa do pão pronta e as galinhas alimentadas, Marilla lembrou-se de que notara um pequeno rasgo em seu melhor xale de renda. Ela iria consertá-lo. O xale estava em uma caixa em seu baú. Quando Marilla o ergueu, a luz do sol, caindo através das videiras que se aglomeravam densamente em volta da janela, refletiu em algo preso no xale, algo que cintilou em facetas de luz violeta. Marilla agarrou-o com um suspiro. Era o broche de ametista, pendurado em um fio da renda pelo fecho!

— Minha nossa — disse Marilla inexpressivamente — o que isso significa? Aqui está meu broche são e salvo, que pensei estar no fundo do lago de Barry. O que aquela garota quis dizer com "peguei e perdi?" Eu juro que acredito que Green Gables está enfeitiçado. Lembro agora que quando tirei meu xale na tarde de segunda-feira, coloquei-o sobre a cômoda por um minuto. Suponho que o broche tenha ficado preso de alguma forma.

Marilla dirigiu-se para o quarto no sótão com o broche na mão. Anne chorara tanto que não tinha mais lágrimas e estava sentada tristemente perto da janela.

— Anne Shirley — disse Marilla solenemente. — Acabei de encontrar meu broche pendurado no meu xale de renda preta. Agora eu quero saber o que significa aquela besteira que você me disse esta manhã.

— Ora! Você disse que eu deveria ficar sentada aqui até me confessar — disse Anne, cansada. — Foi quando decidi lhe contar algo para poder ir ao piquenique. E à noite, na cama, pensei numa confissão e fiz o melhor que pude. Li muitas vezes para não esquecer. Mas você não me deixou ir ao piquenique, de modo que todo o meu esforço foi inútil.

Marilla teve que rir contra sua vontade. Mas sua consciência pesou.

— Anne, você é incomparável!... Mas eu estava errada... eu vejo isso agora. Eu não deveria ter duvidado de sua palavra... É claro que não foi certo você confessar algo que não tinha feito... você estava errada em fazer isso. Mas eu fui responsável por isso. Então, se você me perdoar, Anne, eu vou perdoá-la e começaremos de novo. E agora, prepare-se para o piquenique.

Anne voou como um foguete.

— Oh, Marilla, não é tarde demais?

— Claro que não, são apenas duas horas. Eles ainda devem estar reunidos e levará uma hora antes que eles tomem o chá. Lave o rosto, penteie o cabelo e ponha o vestido. Vou encher uma cesta para você. Há muita comida na casa. E vou pedir a Jerry para preparar a carroça e vou levá-la até o piquenique.

— Oh, Marilla — Anne gritou e correu para lavabo. — Cinco minutos atrás eu estava tão infeliz que desejei nunca ter nascido, e agora não trocaria de lugar com um anjo.

Naquela noite, Anne estava completamente exausta, mas indescritivelmente feliz, quando voltou para Green Gables.

— Oh, Marilla, eu tive uma tarde perfeitamente aprazível. Aprazível é uma palavra nova que aprendi hoje. Ouvi Mary Alice Bell usá-la. Não é muito expressiva? Tudo era lindo. Tomamos um chá esplêndido e, em seguida, o Sr. Harmon Andrews nos levou para remar no Lago das Águas Brilhantes, seis de cada vez. E

Jane Andrews quase caiu. Ela estava se inclinando para pegar flores e se o Sr. Andrews não a tivesse segurado pela faixa bem na hora, ela teria caído e provavelmente se afogado. Eu gostaria que tivesse sido eu. Teria sido uma experiência tão romântica quase me afogar. Seria uma história tão emocionante de contar. E nós tomamos o sorvete. Faltam palavras para descrever aquele sorvete. Marilla, garanto-lhe que foi sublime.

Naquela noite, Marilla contou toda a história a Matthew por cima de sua cesta de meias.

— Estou disposta a admitir que cometi um erro — concluiu ela com franqueza — mas aprendi uma lição. Tenho vontade de rir quando penso na "confissão" de Anne, embora suponha que não deveria ter feito, pois isso era realmente uma mentira. Mas não me parece tão ruim, de alguma forma, sou responsável por isso. Essa criança é difícil de entender em alguns aspectos. Mas eu acho que ela vai ficar bem. E uma coisa é certa, nenhuma casa será tediosa com ela.

## XV
## UMA TEMPESTADE EM UM COPO D'ÁGUA

—Oh, que dia maravilhoso! — disse Anne, respirando fundo o ar. — Não é bom estar vivo em um dia como este? Tenho pena das pessoas que ainda não nasceram. Elas poderão ter ótimos dias, é claro, mas nunca poderão ter este dia. E é mais esplêndido ainda ter uma estrada adorável para ir à escola, não é?

— É muito mais bonito do que dar a volta pela estrada; aquele caminho é tão empoeirado e quente — disse Diana, espiando em sua cesta de almoço e calculando mentalmente como as três tortas suculentas e saborosas de framboesa, que repousavam ali, seriam divididas entre dez garotas e quantas mordidas cada garota daria.

As pequenas colegiais de Avonlea sempre compartilhavam os almoços que preparavam, e se alguém ousasse saborear três tortas de uva sozinha ou apenas com sua melhor amiga, teria para sempre a reputação *ruim*. Ah... mas três tortinhas para dez garotas... isso daria apenas um pedaço para cada...

O caminho que Anne e Diana seguiam para ir à escola *era* realmente lindo. Nem mesmo em sua imaginação Anne poderia ter criado algo mais bonito!

O Caminho dos Amantes se abria abaixo do pomar em Green Gables e se estendia por dentro da floresta até o final da fazenda dos Cuthbert. Era a estrada pela qual as vacas eram levadas para o pasto e a lenha transportada para casa no inverno. Anne a havia batizado de Caminho dos Amantes depois de um mês em Green Gables.

— Não que os amantes realmente andem por lá — ela explicou a Marilla — mas Diana e eu estamos lendo um livro perfeitamente magnífico e há um Caminho dos Amantes nele. Então, também queremos ter um. E é um nome muito bonito, não acha? Tão romântico! Eu gosto desse caminho porque lá você pode sonhar em voz alta e ninguém vai achar que é maluca.

Anne saía sozinha pela manhã e descia o Caminho dos Amantes até o riacho. Ali Diana a esperava e as duas meninas subiam a trilha sob o arco frondoso de bordos... bordos são árvores tão sociáveis, dizia Anne. — Eles estão sempre farfalhando e sussurrando para você — até que chegavam a uma ponte rústica. Em seguida, elas deixavam a trilha e caminhavam pelo campo do Sr. Barry e passaram por Willowmere. Depois, passavam pelo Vale das Violetas, um pequeno vale verde na sombra do grande bosque do Sr. Andrew Bell.

— É claro que não há violetas lá — disse Anne a Marilla — mas Diana diz que há milhões delas na primavera. Oh, Marilla, você não é capaz de simplesmente imaginar que os vê? Na verdade, isso me tira o fôlego. Eu chamei de Vale das Violetas. Diana diz que nunca viu ninguém para dar nomes tão elegantes para os lugares. É bom ser inteligente em alguma coisa, não é? Mas Diana nomeou o Vale das Violetas. Ela queria, então, eu deixei, mas tenho certeza de que poderia ter encontrado algo mais poético. Qualquer pessoa pode pensar em um nome assim. Mas o Vale das Violetas é um dos lugares mais bonitos do mundo, Marilla.

E de fato era. Outras pessoas além de Anne pensavam assim quando topavam com ele. Era um caminho estreito e sinuoso, descendo por uma longa colina em linha reta através da floresta do Sr. Bell, onde a luz descia filtrada por tantas esmeraldas que era tão perfeito quanto o coração de um diamante. Era rodeado em todo o seu comprimento por bétulas jovens e esguias, de caule branco e galhos flexíveis; samambaias, flores estreladas, lírios-do-vale selvagens e tufos escarlates de mirtilos que cresciam ao longo dela; e sempre havia um perfume delicioso no ar, no canto dos pássaros e no murmúrio, e risos dos ventos nos ramos das árvores acima. De vez em quando, você podia ver um coelho saltando pela estrada se ficasse quieto... o que, com Anne e Diana, acontecia raramente. No vale, o caminho era acompanhado por uma grande estrada principal, e depois havia apenas uma colina para chegar à escola.

A escola Avonlea era um edifício caiado de branco, baixo no beiral e largo nas janelas, mobiliado por dentro com confortáveis carteiras antigas que abriam e fechavam, e eram esculpidas em todas as suas tampas com as iniciais e garranchos de três gerações de alunos. A escola ficava afastada da estrada e atrás dela havia um bosque de abetos escuros, além de um riacho onde todas as crianças colocavam suas garrafas para que o leite se mantivesse fresco até a hora do almoço.

Marilla vira Anne ir para a escola no primeiro dia de setembro com muitas dúvidas secretas. Anne era uma garota tão diferente. Como ela se daria com as outras crianças? E como ela conseguiria segurar a língua durante o horário escolar?

Mas tudo correu melhor do que Marilla ousara esperar. Anne voltou para casa à noite de ótimo humor.

— Acho que vou gostar da escola — anunciou ela. — Eu não gostei muito do professor, completou. Ele está o tempo todo torcendo o bigode e olhando para Prissy Andrews. Prissy já é crescida, você sabe. Ela tem dezesseis anos e está estudando para o exame de admissão na Queen's Academy, em Charlottetown no próximo ano. Tillie Boulter diz que o professor está *caidinho* por ela. Ela tem uma pele bonita e cabelos castanhos encaracolados, e os arruma tão elegantemente. Ela se senta na cadeira no fundo da sala, e ele também, fica lá a maior parte do tempo, para explicar as lições a ela. Mas Ruby Gillis diz que o viu escrevendo algo em sua lousa e quando Prissy leu, ela ficou vermelha como uma beterraba e deu uma risadinha; e Ruby Gillis diz que não acredita que isso tenha algo a ver com a lição da aula.

— Anne, nunca mais ouse falar de seu professor nesse tom de voz — disse Marilla bruscamente. — Acho que ele pode *lhe* ensinar algo, e é sua função aprender. E quero que você entenda desde já que não deve voltar para casa contando histórias sobre ele. Isso é algo que não vou encorajar. Espero que você tenha sido uma boa menina.

— Claro — disse Anne com uma voz satisfeita. — Aliás, não foi tão difícil quanto pensei. Eu me sento ao lado de Diana. Nossa carteira fica bem perto da janela, e posso olhar para o Lago das Águas Brilhantes. A escola está cheia de garotas divertidas e tivemos um almoço terrivelmente caprichoso. É muito divertido brincar com tantas garotas gentis. Mas é claro que gosto mais de Diana e sempre gostarei dela. Eu *adoro* Diana. Eu estou muito atrás dos outros. Eles estão todos no quinto livro, e eu só estou no quarto. Eu sinto muita vergonha. Mas nenhum deles tem tanta imaginação como eu, e descobri isso logo. Tivemos aula de leitura, geografia, história canadense e ditado. O Sr. Phillips disse que minha ortografia era vergonhosa e ele ergueu minha lousa para que todos pudessem ver. Eu me senti tão mortificada, Marilla; ele poderia ter sido mais educado com uma desconhecida, eu acho. Ruby Gillis me deu uma maçã e Sophia Sloane me entregou um lindo cartão rosa com: "Posso lhe fazer uma visita?" Devo devolvê-lo amanhã. E Tillie Boulter me deixou usar seu anel de contas a tarde toda. Posso pegar algumas daquelas madrepérolas da velha almofada de alfinetes do sótão para fazer um anel para mim? E oh, Marilla, Jane Andrews me disse que Minnie MacPherson ouviu Prissy Andrews dizer a Sara Gillis que eu tinha um nariz muito bonito. Marilla, esse é o primeiro elogio que recebo na vida e você não pode imaginar que sensação estranha isso me deu. Marilla, tenho mesmo um nariz bonito? Eu sei que você vai me dizer a verdade.

— Seu nariz é normal — Marilla respondeu brevemente.

Secretamente, ela achava que o nariz de Anne era extraordinariamente bem feito, mas nunca teria ocorrido a ela dizer isso.

Isso foi há três semanas e até agora tudo tinha corrido bem. E, naquela manhã fresca de setembro, Anne e Diana cochichavam alegremente ao longo do Caminho das Bétulas, eram as duas meninas mais felizes de Avonlea.

— Acho que Gilbert Blythe vai à escola hoje — disse Diana. — Ele esteve com seus primos em New Brunswick durante todo o verão e só voltou para casa no sábado à noite. Ele é *muito* bonito, mas provoca terrivelmente as meninas. Ele nos atormenta...

O tom de voz de Diana indicava que ela gostava de ser *atormentada* por ele.

— Gilbert Blythe? — disse Anne. — Não é exatamente o nome dele que está escrito na parede da entrada junto do de Julia Bell?

— Sim! — disse Diana, e balançou a cabeça. — Mas acho que ele não está nem um pouco apaixonado pela Julia Bell. Já o ouvi dizer que aprendeu a tabuada nas sardas dela.

— Não fale comigo sobre sardas — disse Anne — é uma indelicadeza quando tenho tantas. Eu acho que é muito bobo rabiscar os nomes de meninos e meninas nas paredes. Eu gostaria de ver alguém que tivesse a ousadia de colocar meu nome junto de algum menino. Mas é claro, ninguém faria isso, apressou-se em acrescentar.

Anne suspirou. Ela não queria seu nome escrito na parede. Mas era um pouco humilhante saber que não haveria perigo disso acontecer.

— Que bobagem! — disse Diana, cujos olhos negros e cachos lustrosos já tinham mexido com os corações dos meninos de Avonlea, teve seu nome, provavelmente, escrito nas paredes da escola uma meia dúzia de vezes. — E não pense que você estará livre! Charlie Sloane está completamente apaixonado por você. Ele disse para a mãe dele; para a *mãe* dele, preste atenção... que você é a garota mais inteligente da escola. Provavelmente é melhor do que ser bonita, é claro.

— Não é não — Anne disse, feminina até o âmago. — Prefiro ser bonita do que inteligente. E eu odeio Charlie Sloane, não suporto um menino com olhos arregalados. Se alguém escrevesse meu nome junto ao dele, não sei o que faria, mas é divertido ser a primeira da classe.

— Gilbert estará na sua sala — disse Diana — e ele, geralmente, sempre é o primeiro aluno da classe, apesar de estar na quarta série, embora tenha quase quatorze anos. Quatro anos atrás, seu pai esteve doente e teve que ir para Alberta cuidar de sua saúde, e Gilbert teve permissão para acompanhá-lo. Eles ficaram lá por quase três anos, e Gil quase não frequentou a escola até que voltaram. De agora em diante, você provavelmente terá dificuldade em se manter no topo, Anne.

— Melhor assim — disse Anne rapidamente. — Eu não poderia realmente me sentir orgulhosa de ser a melhor entre meninos e meninas de apenas nove ou dez anos. Ontem me levantei para soletrar "ebulição". Josie Pye estava indo melhor no exercício, mas, veja bem, ela estava espiando em seu livro. O Sr. Phillips não viu, ele estava olhando para Prissy Andrews, mas eu vi. Eu apenas lancei para ela um olhar de desprezo congelante e ela ficou vermelha como uma beterraba e soletrou errado no fim das contas.

— Aquelas garotas Pye são umas trapaceiras — disse Diana com raiva, enquanto desciam para a estrada principal. — Você acredita que ontem Gertie Pye colocou sua garrafinha de leite no meu lugar no riacho. Fiquei de mal com ela, depois disso.

Quando o Sr. Phillips estava no fundo da sala ouvindo o latim de Prissy Andrews, Diana sussurrou para Anne:

— Aquele é Gilbert Blythe sentado do outro lado do corredor, Anne. Basta olhar para ele e ver o quanto é bonito.

Anne olhou. Ela teve uma boa chance de fazê-lo, pois o dito Gilbert Blythe estava absorvido em prender a longa trança de Ruby Gillis, que estava sentada à sua frente, no encosto de seu assento. Ele era um menino alto, com cabelo castanho cacheado, olhos castanhos esverdeados e uma boca torcida em um sorriso provocador. Quando Ruby levantou para levar o exercício para o professor; ela caiu para trás em seu assento com um pequeno grito, acreditando que seu cabelo havia sido arrancado pela raiz. Todos olharam para ela e o Sr. Phillips lançou um olhar tão severo que Ruby começou a chorar. Gilbert já havia soltado a trança e estava estudando sua lição como se nada houvesse acontecido. Quando a comoção diminuiu, ele olhou para Anne e piscou o olho com uma brincadeira indescritível.

— Acho que seu Gilbert Blythe *é* bonito — Anne disse a Diana. — Mas ele é terrivelmente ousado. Não é certo piscar os olhos para uma garota que não conhece.

Mas foi só à tarde que as coisas começaram a acontecer.

O Sr. Phillips sentou-se de novo em um canto e ajudou Prissy Andrews num problema de álgebra. Os outros alunos estavam fazendo o que queriam, comendo maçãs verdes, sussurrando, desenhando em suas lousas e brincando com grilos presos a cordas. Gilbert Blythe estava tentando fazer Anne Shirley olhar para ele sem sucesso, porque Anne estava naquele momento totalmente alheia não apenas à própria existência de Gilbert Blythe, mas de todos os outros alunos da escola de Avonlea. Com o queixo apoiado nas mãos e os olhos fixos no vislumbre azul do Lago das Águas Brilhantes que a janela Oeste permitia, ela estava longe, em uma linda terra de sonhos, ouvindo e vendo nada, exceto suas próprias visões maravilhosas.

Gilbert Blythe não estava acostumado a se dar ao trabalho de fazer uma garota olhar para ele. Ela *deveria* olhar para ele, a tal de Shirley com o queixo pequeno e pontudo e os olhos grandes que não eram como os de qualquer outra garota da escola Avonlea.

Gilbert cruzou o corredor entre as mesas, pegou a longa trança vermelha de Anne, segurou-a bem alto e sussurrou:

— Cenouras! Cenouras!

Então Anne olhou para ele com um olhar de vingança!

Ela fez mais do que olhar. Ela ficou de pé de um salto, suas fantasias brilhantes caíram em ruínas. Ela lançou um olhar de raiva para Gilbert, mas foi rapidamente apagado por lágrimas igualmente raivosas.

— Seu menino perverso e desagradável! — exclamou ferozmente. — Como você ousa?

E — pow!... Ela bateu sua lousa na cabeça de Gilbert de forma que esta, não a cabeça, se quebrasse ao meio.

A escola Avonlea sempre gostou de um escândalo. E isso era especialmente divertido. Cada criança disse — oh! — tanto de horror quanto de deleite. Diana estava arquejando. Ruby Gillis, que tinha nervos sensíveis, começou a chorar. Tommy Sloane deixou seu grilo escapar, olhando para Anne com a boca aberta.

O Sr. Phillips caminhou pelo corredor e colocou a mão pesadamente no ombro de Anne.

— Anne Shirley, o que isso significa? — perguntou com raiva.

Anne não respondeu. Era pedir demais a um ser humano que repetisse na frente de toda a escola que um menino a havia chamado de "cenoura".

Mas Gilbert interveio destemidamente.

— A culpa foi minha, Sr. Phillips. Eu a provoquei.

O Sr. Phillips não deu ouvidos a Gilbert.

— Lamento ver um de meus alunos mostrar uma qualidade de caráter tão forte e tão maliciosa — disse ele em uma voz solene, como se a mera vantagem de ser seu discípulo pudesse erradicar todas as paixões malignas dos corações de pequenos seres mortais imperfeitos. — Anne, vá na frente do quadro negro e fique em pé até o final da tarde.

Anne preferiria, infinitamente, mais uma chicotada a este castigo. Com o rosto branco e tenso, ela obedeceu. O Sr. Phillips pegou um giz de cera e escreveu no quadro negro acima de sua cabeça.

"Ann Shirley tem um temperamento muito ruim. Ann Shirley deve aprender a controlar seu temperamento", e então leu em voz alta para que até mesmo as crianças não alfabetizadas pudessem entender.

Anne ficou lá o resto da tarde com aquela legenda acima de sua cabeça. Ela não chorou nem baixou a cabeça. A raiva ainda estava quente demais em seu coração para isso e sustentou-a em meio a toda agonia de sua humilhação. Com olhos ressentidos e bochechas vermelhas de paixão, ela confrontou o olhar solidário de Diana, os acenos indignados de Charlie Sloane e os sorrisos maliciosos de Josie Pye. Quanto a Gilbert Blythe, ela nem mesmo olhava para ele. Ela *nunca mais* olharia para ele! Ela nunca mais falaria com ele!

Quando a escola acabou, Anne saiu com a cabeça erguida. Gilbert Blythe esperava por ela no portão.

— Lamento muitíssimo porque zombei do seu cabelo, Anne — ele sussurrou com uma voz contrita. — Eu realmente sinto muito. Não fique ressentida comigo!

Anne passou por ele sem dar um único olhar ou sinal de que tinha ouvido.

— Oh Anne, como você pôde! — Diana suspirou, meio reprovando, meio admirando, enquanto subiam a colina. Diana sentiu que ela nunca poderia ter resistido ao apelo de Gilbert.

— Eu nunca vou perdoar Gilbert Blythe — Anne disse com toda certeza. — E o Sr. Phillips escreveu meu nome sem "E" no final. Minha alma está martirizada, Diana.

Diana não tinha ideia do que era um mártir, mas percebeu que devia ser algo terrível.

— Você não deve se importar com Gilbert zombando de seu cabelo — ela disse suavemente. — Ele irrita e zomba de todas as meninas. Ele me provoca com o meu cabelo muito preto. Ele já me chamou de corvo pelo menos vinte vezes, mas nunca o ouvi pedir desculpas por nada a ninguém.

— Há uma diferença entre ser chamada de corvo e ser chamada de cenoura — disse Anne. — Gilbert Blythe feriu meus sentimentos de uma forma extremamente constrangedora, Diana.

É possível que a tempestade pudesse ter cessado sem maiores turbulências se nada mais tivesse acontecido. Mas raramente um acidente vem sozinho.

Os alunos de Avonlea costumavam passar o intervalo do almoço pegando resina do abeto do Sr. Bell, que ficava no alto de uma colina do lado de um grande pasto. De lá, eles podiam ficar de olho na casa de Eben Wright, onde o professor se hospedava. Quando viam o Sr. Phillips saindo de lá, corriam para a escola; mesmo sendo a distância cerca de três vezes maior que o caminho do Sr. Wright, sempre chegavam lá, sem fôlego, cerca de três minutos atrasados.

No dia seguinte, o Sr. Phillips foi tomado por um de seus espasmódicos momentos de fúria e anunciou, antes de ir para casa almoçar, que queria esperar encontrar todos os alunos em seus lugares quando voltasse. Qualquer um que chegasse tarde seria punido.

Alguns alunos foram, como de costume, ao abeto do Sr. Bell, com a intenção de ficar lá apenas tempo suficiente para reunir a resina. Mas era adorável ficar sob os abetos, onde as longas tiras de resina amarela brilhavam nos troncos das árvores tão encantadoras quanto o mais belo âmbar. Eles tacavam goma, vadiavam e se espalhavam pelo lugar. Só voltaram à consciência da passagem do tempo quando Jimmy Glover deu um grito:

— O professor está vindo!

As meninas que estavam no chão começaram a correr e conseguiram chegar à escola a tempo, mas sem um segundo de sobra. Os meninos, que tiveram que se esquivar rapidamente das árvores, chegaram mais tarde; e Anne, que vagava feliz na outra extremidade do bosque, entre as samambaias, cantando baixinho para si mesma, com uma coroa de lírios no cabelo, como se fosse uma divindade selvagem do lugar, foi a última de todos. Anne poderia correr como um cervo; e ela correu... mas o resultado de sua travessura foi chegar junto aos meninos na porta e ser arrastada para a escola com eles, no momento em que o Sr. Phillips estava pendurando o chapéu.

A intenção do Sr. Phillips em trazer reformas úteis havia sofrido uma derrota, e ele realmente não queria o incômodo de ter que punir uma dúzia de alunos. Mas ele certamente tinha que, de alguma forma, manter sua palavra. Ele olhou em volta para encontrar o bode expiatório e imediatamente encontrou um em Anne, que havia se jogado no seu assento, sem fôlego, e com uma coroa esquecida pendendo na sua cabeça, o que lhe dava uma aparência particularmente libertina e desgrenhada.

— Anne Shirley, parece que você gosta muito da companhia dos meninos, então vou realizar seus desejos. Tire as flores do seu cabelo e vá sentar ao lado do Gilbert Blythe!

Os outros meninos deram risadinhas. Diana empalideceu de pena, removeu a coroa do cabelo de Anne e apertou sua mão com força. Anne olhou para seu professor como se tivesse se transformado em uma estátua de pedra.

— Você ouviu o que eu disse, Anne? — O Sr. Philips perguntou asperamente.

— Ouvi sim — Anne respondeu lentamente — mas não pude acreditar que estivesse falando sério.

— Posso garantir que sim — disse o professor com aquele tom de voz estranho que todas as crianças, em especial Anne, detestavam. — Obedeça-me agora.

Por um momento, Anne pareceu querer desobedecer. Então, percebendo que não havia como evitar, ela se levantou com altivez, cruzou o corredor, sentou-se ao lado de Gilbert Blythe e enterrou o rosto nos braços sobre a mesa. Ruby Gillis disse para os outros na volta da escola que "realmente nunca tinha visto nada parecido antes, ela era branca demais e com terríveis manchas vermelhas."

Para Anne, isso era o fim de todas as coisas. Já era ruim o suficiente ser escolhida para punição entre uma dúzia de igualmente culpados; era pior ainda ser enviada para sentar-se com um menino, mas que esse menino fosse, justamente, Gilbert Blythe era um insulto totalmente intolerável. Anne sentiu que não conseguiria suportar e que não adiantaria tentar. Todo o seu ser fervilhava de vergonha, raiva e humilhação.

No início, todos olharam, sussurraram, riram e cutucaram. Mas como Anne nunca levantou a cabeça e como Gilbert trabalhava as frações como se toda a sua alma estivesse absorvida nelas e somente nelas, eles logo retornaram às suas próprias tarefas e Anne foi esquecida. Quando o Sr. Phillips terminou a aula de história, Anne deveria ter ido embora, mas não se moveu, e o Sr. Phillips, que estava escrevendo alguns versos "Para Prissy" não percebeu sua presença. E aproveitando que ninguém estava olhando, Gilbert tirou de sua mesa um pequeno coração de doce rosa com um escrito dourado nele: "Você é doce", e o colocou sob a curva do braço de Anne. Em seguida, Anne se levantou, pegou o coração rosa cuidadosamente entre as pontas dos dedos e jogou-o no chão, reduzindo-o a pó sob os calcanhares, e voltou à sua posição curvada novamente, sem olhar para Gilbert.

Quando a escola acabou, Anne marchou para sua mesa, ostensivamente tirou tudo o que havia nela, livros e prancheta, caneta e tinta, testamento e aritmética, e empilhou-os ordenadamente em sua lousa rachada.

— Por que você está levando tudo isso para casa, Anne? — Diana se perguntou assim que elas pegaram a estrada.

— Não vou mais voltar para a escola — disse Anne.

Diana estava prestes a engasgar de espanto e olhou para Anne para ver se ela realmente tinha dito isso.

— E Marilla vai deixar você ficar em casa? — perguntou.

— Ela vai ter que deixar — disse Anne. — Eu nunca mais vou para a escola daquele homem.

— Oh, Anne! — Diana estava prestes a começar a chorar. — Você é realmente muito malvada, afinal! O que eu vou fazer? Agora o Sr. Phillips vai me sentar ao lado de Gertie Pye, eu sei que vai, porque Gertie Pye se senta sozinha. Volte, eu imploro, por favor, querida Anne!

— Eu faria praticamente qualquer coisa no mundo por você, Diana — disse Anne tristemente. — Eu me permitiria ser mutilada se tivesse que lhe fazer um bem. Mas eu não posso voltar, não me peça isso. Você está me destroçando.

— Mas pense em toda a diversão — queixou-se Diana. — Estamos construindo uma nova casa de brinquedos divertida no riacho, e na próxima semana vamos jogar bola. Você nunca brincou de bola, Anne, é tão emocionante! E temos que aprender uma nova música, Jane Andrews já está ensaiando. E Alice Andrews prometeu nos emprestar um novo livro para lermos em voz alta enquanto estivermos lá fora, no coração da natureza, você é tão apaixonada por ler em voz alta, Anne.

Nada poderia dobrar Anne. Sua decisão estava tomada. Ela não queria voltar para a escola ou para o Sr. Phillips, e foi o que disse a Marilla quando voltou para casa.

— Que absurdo, Anne! — disse Marilla.

— Isso não é nada absurdo —, disse Anne, olhando para Marilla com olhos solenes e reprovadores. — Marilla, você não entende que ele me ofendeu?

— Que ofendeu que nada! Você vai para a escola amanhã, como de costume.

— Não vou voltar lá, Marilla — Anne balançou a cabeça. — Vou aprender as lições em casa e serei mais comportada do que nunca, e ficarei sentada quieta o tempo todo se for necessário... Mas não volto para a escola, posso garantir.

Marilla viu algo obstinado aparecendo no rostinho de Anne. Ela percebeu que seria muito difícil dobrá-la e, sabiamente, decidiu deixar o assunto de lado por enquanto. "Vou à casa de Rachel para discutir isso com ela", pensou. "Não vale a pena discutir com Anne agora. Ela está perturbada e agitada demais, e creio que ela pode ser assustadoramente teimosa para mudar de ideia... Mas pelo que me contou, o Sr. Phillips se comportou de forma bastante injusta. Mas de nada adiantaria falar isso com ela... Vou conversar com Rachel sobre isso. Ela teve dez filhos, então acho que deve ter experiência. A propósito, ela já deve estar sabendo disso tudo."

Marilla encontrou a Sra. Lynde sentada ao lado de suas costuras, tão alegre e trabalhadora como sempre.

— Acho que você já sabe por que vim — disse Marilla, um pouco envergonhada.

A Sra. Rachel assentiu.

— Acho que é sobre a confusão que Anne causou na escola — disse ela. — Tillie Boulter estava vindo da escola e me contou tudo.

— Não sei o que fazer — disse Marilla. — Ela disse que não vai voltar para a escola. Nunca vi uma criança tão perturbada. Mas eu já estava esperando problemas quando ela começou a estudar. Percebi que essa serenidade não poderia durar muito. Ela tem uma natureza extraordinariamente sensível e exagerada. O que você acha que eu devo fazer, Rachel?

— Sim, acho que você está me pedindo conselho, Marilla — disse a Sra. Lynde, que, admiravelmente, adorava ser uma conselheira. — Eu apenas a agradaria um pouco no começo, é o que eu faria. É minha convicção que o Sr. Phillips estava errado. Claro, não vale a pena falar para as crianças, sabe. E é claro que ele fez bem em puni-la ontem por ceder ao temperamento. Mas hoje foi diferente. Os outros que estavam atrasados deveriam ter sido punidos tanto quanto Anne. E eu não acho certo fazer as meninas se sentarem com os meninos para serem castigadas. Não é decente. Tillie Boulter estava realmente indignada. Ela tomou o partido de Anne e disse que todos os alunos também. Anne parece muito popular entre eles, de alguma forma. Nunca pensei que ela se daria tão bem.

— Então você acha que eu realmente deveria deixá-la ficar em casa? — disse Marilla espantada.

— Sim! Quer dizer, eu a deixaria ficar em casa. Uma semana depois ela já estará mais calma e pronta para voltar à escola por vontade própria. Mas se você a forçar, só Deus sabe o que ela fará. Quanto menos alarido fizermos sobre isso, melhor, eu acho. Mesmo que ela seja preguiçosa por uma semana, não vai perder muito com isso. O Sr. Phillips é um péssimo professor. A ordem que ele mantém em sala de aula é escandalosa, isso sim, e ele negligencia os mais novos e dedica todo o seu tempo aos maiores que estão se preparando para o Queen's. Ele nunca teria conseguido lecionar mais de um ano se seu tio não fosse um membro do conselho. Eu afirmo, não sei para que tipo de educação está caminhando esta Ilha.

A Sra. Rachel balançou a cabeça como se quisesse anunciar que, se ela acabasse de conseguir uma cadeira e o direito de votar no conselho escolar, logo poderiam ver as coisas acontecendo de uma forma diferente.

Marilla seguiu o conselho da Sra. Rachel, e não tocou mais no assunto sobre Anne voltar para a escola. Ela fazia as lições em casa, cuidava das suas tarefas domésticas e brincava com Diana no crepúsculo roxo e frio do outono. Mas quando ela encontrava Gilbert Blythe no caminho ou na escola dominical, passava por ele com um desprezo gelado, que não foi derretido pelas tentativas óbvias dele em reparar suas transgressões. Nem mesmo Diana conseguiu convencê-la. Anne aparentemente decidiu odiar Gilbert pelo resto de sua vida.

Mas por mais que odiasse Gilbert, por mais que amasse Diana com todo o amor que vivia em seu coraçãozinho apaixonado, gostava de um na mesma proporção que tinha aversão pelo outro.

Uma noite, quando Marilla voltou da horta da cozinha com uma cesta de maçãs, ela encontrou Anne sentada sozinha ao pé da janela, chorando amargamente.

— Qual é o problema agora, Anne? — ela perguntou.

— Ah, é sobre Diana — Anne soluçou. — Eu gosto tanto de Diana, Marilla. Eu não posso viver sem ela. Mas eu sei muito bem que, quando crescermos, Diana se casará, seguirá seu próprio caminho e me deixará sozinha. Oh, o que eu faço então? Eu odeio o marido dela... eu o odeio tanto... Eu imaginei tudo minuciosamente... o casamento e tudo mais. Diana, vestida de vestido branco, o véu, tão linda e gloriosa como uma rainha... E eu, a madrinha, usando um lindo vestido com mangas bufantes, mas um coração partido por trás do rosto sorridente. E então eu digo à Diana: adeeeeuuuussss... — a voz de Anne sumiu, e ela explodiu em soluços amargos.

Marilla se virou apressadamente para esconder seu rosto. Mas era tarde demais, ela caiu na cadeira mais próxima e desatou a rir com tanta intensidade e incomum que Matthew, que passava no quintal, parou espantado. Alguém tinha ouvido Marilla rindo daquele jeito?

— Bem, Anne! — suspirou Marilla assim que conseguiu falar — então, se você quer arrumar problemas, arranje um mais próximo de casa!... Mas talvez por uma questão de dúvida, valeria a pena você voltar à escola novamente, assim terá mais tempo para estar com ela antes que ela se case, e você comece a odiar seu marido. O que você diz sobre a minha proposta?

# XVI
# A FESTA DO CHÁ E SUA CONSEQUÊNCIAS

Outubro era um mês maravilhoso em Green Gables. As bétulas lá embaixo no vale ficaram amarelo-ouro como o próprio Sol, e os bordos atrás do pomar brilhavam com o roxo mais brilhante; as cerejeiras da floresta ao longo do atalho vestiam-se nos mais belos tons de vermelho-escuro e verde-bronze, enquanto a vegetação nova e exuberante cobria os campos e prados.

Anne se deleitava com o mundo de cores ao seu redor.

— Oh, Marilla — exclamou ela numa manhã de sábado, entrando na casa com os braços cheios de ramos magníficos — como estou feliz por ter a oportunidade de viver no mundo que tenha outubros! Pense bem, se você pulasse direto de setembro para novembro, seria horrível! Olhe para esses galhos de bordo! São tão bonitos que me deixam emocionada... Agora estou decorando meu quarto com eles.

— Eu os chamo de sujeira — disse Marilla, cujo senso de beleza não havia se desenvolvido de forma significativa. — Você enche seu quarto com essas flores, Anne. O quarto foi feito para dormir.

— É para sonhar, Marilla. Mas pode-se sonhar muito mais facilmente em um quarto onde há coisas bonitas. Colocarei esses ramos em uma jarra azul sobre minha mesa.

— Não espalhe folhas pela escada inteira! Vou a uma reunião da Sociedade para a Caridade em Carmody esta tarde, Anne, e definitivamente não volto para casa antes de escurecer. Você deve arrumar a mesa de jantar para Matthew e Jerry, e não se esqueça de fazer o chá, como esqueceu outro dia.

— Sim, foi horrível ter me esquecido — disse Anne em uma voz de desculpas. — Mas aconteceu justamente naquela tarde, quando estava pensando em dar um nome para o Vale das Violetas, e isso me impediu de pensar em outra coisa. Matthew foi muito gentil. Ele mesmo colocou o chá em uma jarra e disse que colocaria a água para ferver... Eu contei a ele uma bela história de fadas enquanto esperávamos, e ele nem sentiu o tempo passar. Foi um conto de fadas extraordinariamente lindo, Marilla. Eu tinha esquecido o final, então eu mesmo inventei um final, e Matthew disse que não percebeu que o final não era o da história original.

— Na opinião de Mateus, não haveria qualquer problema, se você decidisse se levantar e pedir para jantar no meio da madrugada. Mas agora mantenha seus pensamentos sob controle... esteja atenta! Eu realmente não sei se estou fazendo a coisa certa... você poderia pedir a Diana para ficar aqui com você.

— Oh, Marilla! — Anne apertou as mãos. — Que adorável! Afinal de contas, você é capaz de imaginar coisas ou nunca teria entendido o quanto anseio por isso. Vai parecer tão bom, coisa de gente grande. Não corro o risco de esquecer-me de preparar o chá quando tenho companhia. Oh, Marilla, posso usar o conjunto de chá pintado de botão de rosa?

— Claro que não! Você sabe que nunca uso, exceto quando o pastor ou a Associação de Conservação vêm aqui. As velhas xícaras marrons estão ótimas. Mas você pode abrir uma pequena tigela de geleia de cereja... acho que está começando a ficar boa... Então você pode partir um pouco de bolo de frutas e pegar um pouco do pão de gengibre.

— Já posso me ver na ponta da mesa servindo o chá — Anne disse, fechando os olhos deliciada. — E aí eu pergunto a Diana se ela aceita açúcar no chá... Eu sei que ela não toma, mas vou perguntar. E então empurro para ela outro pedaço de bolo de frutas e um pouco mais de geleia no prato... Oh, Marilla, como é maravilhoso pensar nisso! Posso levá-la comigo para o quarto de hóspedes para deixar o chapéu quando vier? E posso levá-la à sala de visitas?

— Ah não, não é necessário... a sala comum basta para você e sua convidada. Mas eu tenho meia garrafa de suco de framboesa que sobrou da reunião da Sociedade Religiosa. Está na segunda prateleira no armário da sala, e você e Diana podem dar um gole, se quiserem, acompanhado de biscoitos que farei para vocês, pois acho que Matthew chegará mais tarde para jantar porque ele foi levar batatas para o porto.

Anne voou até o vale, passando pela Bolha da Dríade e subindo o caminho de abetos para Orchard Slope, para convidar Diana para um chá. Logo depois que Marilla partiu para Carmody, Diana apareceu, vestida com seu segundo melhor vestido e parecendo exatamente como deve ser quando convidada para um chá. Outras vezes, costumava correr para a cozinha sem bater; mas agora ela bateu afetadamente na porta da frente. E quando Anne, vestida em sua segunda melhor roupa, abriu a porta, as duas meninas apertaram as mãos tão gravemente como se nunca tivessem se visto antes. Essa solenidade antinatural durou até depois que Diana foi levada para o sótão para tirar o chapéu e depois ficou dez minutos sentada na sala de estar, nas pontas dos pés.

— Como está a sua mãe? — perguntou Anne educadamente, como se ela não tivesse encontrado com a Sra. Barry em seu melhor humor colhendo maçãs naquela manhã.

— Obrigada, ela está bem. E o Sr. Cuthbert? Acho que está levando batatas para *lily sands* esta tarde? — disse Diana, que poucas horas antes havia pegado uma carona com ele na carroça.

— Sim. Nossa safra de batatas foi muito boa este ano. Espero que a safra de seu pai também tenha sido boa.

— Sim, obrigada por perguntar. Você já colheu muitas maçãs?

— Oh, muitas — disse Anne esquecendo-se de ser digna e se levantando rapidamente. — Vamos até o pomar pegar algumas, Diana. Marilla disse que podemos ficar com todas as que restam na árvore. Marilla é uma mulher muito generosa. Ela disse que poderíamos comer bolo de frutas e compotas de cereja para o chá. Mas não é educado dizer à sua convidada o que você vai servir, então não vou dizer o que ela disse que poderíamos beber. Só que começa com um "S" e um "F" e é de cor vermelha brilhante. Eu adoro bebidas vermelhas brilhantes, você não? Eles têm um gosto duas vezes melhor do que qualquer outra cor.

O pomar, com seus grandes galhos extensos que se curvavam ao chão com frutas, mostrou-se tão delicioso que as meninas passaram a maior parte da tarde nele, sentadas em um canto gramado onde a geada havia poupado o verde e o suave sol de outono perdurava calorosamente, comendo maçãs e falando o máximo que podiam. Diana tinha muito a contar a Anne sobre o que acontecia na escola. Ela teve que se sentar com Gertie Pye, e ela odiava; Gertie escreve fazendo barulho e isso irrita muito Diana. Ruby Gillis havia removido todas as suas verrugas, com uma pedra mágica que a velha Mary Joe do Creek lhe deu. Você tem que esfregar a pedra nas verrugas e depois jogá-la fora por cima do ombro esquerdo, na lua nova, e as verrugas caem. O nome de Charlie Sloane tinha sido escrito junto com de Em White na parede da escola e ela tinha ficado *terrivelmente brava* com isso; Sam Boulter tinha "respondido" o Sr. Phillips na aula e o professor o chicoteara. O pai de Sam desceu para a escola e desafiou o Sr. Phillips a colocar a mão em um de seus filhos novamente; e Mattie Andrews tinha um capuz vermelho novo e um xale azul com borlas e os ares que ela os exibia eram perfeitamente repugnantes; e Lizzie Wright estava de mal de Mamie Wilson porque a irmã de Mamie Wilson tinha feito a irmã de Lizzie Wright brigar com seu namorado; e todos sentiam muito a falta de Anne e desejavam que ela voltasse à escola; e Gilbert Blythe...

Mas Anne não queria ouvir falar de Gilbert Blythe. Ela levantou-se da grama e disse que precisavam entrar para provar a geleia de cereja.

Anne espiou na segunda prateleira do armário de parede na sala, mas não havia garrafa de suco lá. Ela encontrou a garrafa de suco na prateleira de cima. Ela o colocou em uma bandeja sobre a mesa e pegou um copo grande.

— Sirva-se, Diana — disse ela educadamente. — Acho que não vou comer agora, não posso me dar ao luxo de comer mais nada depois de tantas maçãs.

Diana serviu-se de um grande copo, olhou para ele com admiração por sua cor vermelha brilhante e começou a sorver a bebida com alegria.

— Este suco de framboesa é muito bom, Anne — disse ela. — Nunca pensei que o suco pudesse ser tão bom.

— Estou muito feliz que você tenha gostado. Pegue o quanto quiser. Vou sair e atiçar o fogo. Há tantas responsabilidades para uma pessoa quando ela está cuidando da casa, não é?

Quando Anne voltou da cozinha, Diana já havia bebido outro copo de suco e, quando Anne insistiu, novamente após um tempo, ela se serviu de um terceiro copo. Os copos estavam bem cheios e o suco estava realmente excelente.

— É a melhor coisa que já bebi — disse Diana. — É muito melhor do que o suco da Sra. Lynde, embora ela se gabe muito disso. Não tem gosto de nada parecido com isso.

— Eu devia imaginar que o suco de Marilla é muito melhor do que o da Sra. Lynde — disse Anne muito lealmente. — Marilla é perfeita na cozinha, pode acreditar. Agora ela está tentando me ensinar a cozinhar, mas será um grande problema para ela, infelizmente. Cozinhar é tão complicado, você tem que seguir as regras do livro de receitas com cuidado, e eu gosto de imaginar sozinha... A última vez que eu fiz foi um bolo, esqueci de colocar a farinha. Mas foi porque fiquei imaginando uma história mais linda entre mim e você, Diana. Imaginei que você estava terrivelmente doente de varíola e todo mundo a rejeitava, mas eu não tive medo, fiquei no seu quarto cuidando de você. Mas então eu também peguei varíola e morri e fui enterrada sob os álamos no cemitério, e você plantou uma roseira no meu túmulo e regou com suas lágrimas, e você nunca esqueceu sua amiga jovem que sacrificou a vida por você... Oh, foi tão comovente e lindo, Diana! Lágrimas escorreram pelo meu rosto enquanto eu misturava o açúcar e as gemas no bolo. Mas esqueci a farinha, e ele ficou meio estranho. A farinha é um ingrediente importante da receita, você tem que acreditar. Marilla ficou com muita raiva e não estou surpresa. Ela sempre está terrivelmente chateada comigo. Eu sou uma grande provação para ela. Ela estava terrivelmente mortificada com a calda de pudim na semana passada. Nós fizemos um pudim de ameixa para o almoço na terça-feira e sobrou metade do pudim e um jarro de calda. Marilla disse que havia o suficiente para outro almoço e me disse para colocá-lo na prateleira da despensa. Eu pretendia cobri-lo, Diana, mas quando o levei para a despensa imaginei que era uma freira, claro que sou protestante, mas imaginei que era católica, pegando o véu para enterrar um coração partido na reclusão enclausurada; e eu esqueci completamente de cobrir a calda do pudim. Pensei nisso na manhã seguinte e corri para a despensa. Diana, imagine o meu horror extremo ao encontrar um rato afogado naquela calda! Peguei o rato com uma colher, joguei-o no quintal e depois lavei a colher três vezes. Marilla estava fora ordenhando e eu pretendia contar a ela quando entrasse; mas quando entrei estava imaginando que era uma fada do gelo atravessando a floresta, deixando as árvores vermelhas e amarelas, o que quer que elas quisessem ser, então não pensei mais sobre a calda de pudim e Marilla me mandou colher maçãs. Bem, o Sr. e a Sra. Chester Ross de Spencervale vieram nos visitar naquela manhã. Você sabe que eles são pessoas muito elegantes, especialmente a Sra. Chester Ross. Quando Marilla me chamou, o almoço estava pronto e todos estavam à mesa. Tentei ser o mais educada e digna que pude, pois queria que a Sra. Chester Ross pensasse que eu era uma garotinha elegante, mesmo que não fosse bonita. Tudo deu certo até que vi Marilla chegando com o pudim de ameixa na mão e a jarra de calda de pudim. Diana, aquele foi um momento terrível. Lembrei-me de tudo e apenas me levantei do meu lugar e gritei "Marilla, você não deve usar essa calda de pudim. Havia um rato afogado nela. Eu esqueci de lhe contar." Oh, Diana, nunca esquecerei aquele momento terrível se viver até os cem anos. A Sra. Chester Ross apenas *olhou* para mim e pensei que iria afundar no chão de vergonha. Ela é uma dona de casa perfeita e imagine o que deve ter pensado de nós. Marilla ficou vermelha como fogo, mas não disse uma palavra. Ela apenas carregou a calda e o pudim e trouxe algumas conservas de morango. Ela até me ofereceu um pouco, mas não consegui comer nada. Depois que a Sra. Chester Ross foi embora, Marilla me deu uma bronca terrível. Querida, Diana, o que a está incomodando?

Diana havia se levantado com pernas muito incertas. Então ela se sentou novamente e colocou as mãos na cabeça.

— Eu... eu estou terrivelmente doente — disse ela em uma voz rouca. — Eu provavelmente tenho que ir para casa agora.

— Ah, como você pode pensar em ir para casa sem tomar o chá — exclamou Anne muito deprimida. — Vou servi-lo neste momento. Vou pegar a água quente na hora.

— Eu tenho que ir — disse Diana calmamente, mas com uma voz muito certa.

— Deixe-me então servir um lanche — Anne implorou. — Posso lhe dar um pedaço de bolo e um pouco de geleia de cereja? Vá para o sofá e você ficará melhor. Como você está?

— Eu tenho que ir para casa — disse Diana, e isso foi tudo o que ela conseguiu dizer.

Anne implorou em vão.

— Nunca ouvi ninguém dizer que os convidados foram embora sem tomar chá — reclamou. — Oh, Diana, você acha que é possível que eu realmente esteja com varíola? Se for assim, então vou segui-la e cuidar de você, pode confiar em mim. Eu nunca vou abandoná-la, mas fique aqui e beba chá! O que você está sentindo?

— Minha cabeça está terrivelmente tonta — disse Diana.

Ela estava realmente andando meio bamba.

Anne, com lágrimas de decepção nos olhos, pegou o chapéu de Diana e foi com ela até a cerca do pátio de Barry. Então ela chorou todo o caminho de volta para Green Gables, onde, tristemente, colocou o resto do suco de framboesa de volta na despensa e preparou o chá para Matthew e Jerry, sem qualquer entusiasmo da apresentação.

O dia seguinte era domingo e, como a chuva caía da manhã para a noite, Anne não saiu de Green Gables. Na tarde de segunda-feira, Marilla a enviou à Sra. Lynde para uma incumbência. Depois de um curto período de tempo, Anne correu de volta no atalho, com lágrimas escorrendo pelo rosto. Ela entrou pela cozinha e se jogou no sofá em desespero.

— O que foi dessa vez, Anne? — perguntou Marilla — Espero que você não tenha sido malcriada com a Sra. Lynde novamente.

Não houve resposta, a não ser uma nova torrente de lágrimas e soluços ainda mais violentos.

— Responda-me quando eu lhe fizer uma pergunta. Levante-se pelo menos como uma pessoa normal e me diga por que você está chorando.

Anne levantou-se e era a tragédia em pessoa.

— Sra. Lynde foi ver a Sra. Barry hoje e a Sra. Barry estava em um estado terrível — ela lamentou. — Ela diz que deixei Diana *bêbada* no sábado e a mandei para casa em uma condição vergonhosa. E ela diz que devo ser uma menina totalmente má e perversa e ela nunca, nunca mais vai deixar Diana brincar comigo novamente. Oh, Marilla, estou acabada de tanto sofrer.

Marilla ficou olhando espantada.

— Bêbada? Diana bêbada? — disse ela, depois de recuperar sua capacidade de falar. — Anne, você ou a Sra. Barry estão loucas? O que você ofereceu a ela para beber?

— Nada além de suco de framboesa — soluçou Anne. — Eu nunca pensei que suco de framboesa deixaria as pessoas bêbadas, Marilla, nem mesmo se elas bebessem três copos grandes como Diana. Oh, parece tanto... tanto como o marido da Sra. Thomas! Mas eu não queria deixá-la bêbada.

— Bêbada nada! Do quê está falando? — disse Marilla e foi direto para o armário da sala. Na prateleira estava uma garrafa que ela imediatamente reconheceu como contendo um pouco de seu licor de groselha feito há três anos, pelo qual era famosa em Avonlea, embora algumas pessoas, como a Sra. Barry, desaprovasse fortemente. E ao mesmo tempo Marilla se lembrou de que havia colocado a garrafa de suco de framboesa no porão em vez da despensa, como dissera a Anne.

Ela voltou para a cozinha com a garrafa de licor na mão. Seu rosto se contorcia.

— Anne, você certamente tem um talento para se meter em encrencas. Você deu a Diana licor de groselha em vez de suco de framboesa. Você não percebeu a diferença?

— Não provei — disse Anne — estava tão farta de maçã... pensei que era suco. E queria ser hospitaleira... ter boas maneiras, então pedi a ela que tomasse o suco. No meio de tudo isso, ela começou a se sentir mal e foi forçada a voltar para casa. A Sra. Barry disse à Sra. Lynde que ela estava bêbada como... como um gambá... Ela riu muito quando sua mãe a perguntou o que estava sentindo, e então ela foi para a cama e dormiu por muitas horas. Sua mãe sentiu pelo hálito dela que estivera bebendo... E ontem, ela ficou o dia todo com uma dor de cabeça terrível. A Sra. Barry está muito zangada e tem absoluta certeza de que fiz isso de propósito.

— Acho que seria melhor ela punir Diana por ser tão gananciosa a ponto de beber três copos de qualquer coisa — disse Marilla. — Ora, três daqueles copos grandes a teriam deixado enjoada, mesmo que fosse apenas suco. Bem, esta história vai ser um bom exemplo para aquelas pessoas que me julgavam mal por fazer licor de groselha, embora eu já tenha parado com isso há três anos, desde que descobri que o pastor não aprovava. Só guardei aquela garrafa para o caso de alguma doença. Calma, calma, criança, não chore. Não acho que você seja culpada, embora lamente que isso tenha acontecido.

— Tenho que chorar — disse Anne. — Meu coração está despedaçado. As estrelas do meu destino estão contra mim, vejo isso claramente... Diana e eu seremos separadas para sempre. Oh, Marilla, eu não poderia imaginar que isso aconteceria quando juramos uma à outra promessas eternas de fidelidade...

— Não seja boba, Anne. A Sra. Barry pensará melhor quando descobrir que você não é a culpada. Suponho que ela pense que você fez isso para pregar uma peça boba ou algo assim. É melhor você ir à casa dela e explicar como foi.

— Como ouso aparecer na frente da mãe de Diana? — suspirou Anne. — Eu gostaria que você fosse, Marilla. Você é muito mais digna do que eu. Provavelmente ela ouviria você, mas não a mim.

— Bem, eu vou — disse Marilla, refletindo que provavelmente seria o caminho mais sábio. — Não chore mais, Anne. Tudo ficará bem.

Marilla havia mudado de ideia sobre tudo ficar bem quando voltou de Orchard Slope. Anne estava esperando sua chegada e voou até a porta da varanda para recebê-la.

— Ah, Marilla, li na sua cara que tudo foi em vão — disse com tristeza. — A Sra. Barry não quer me perdoar?

— Sra. Barry, disse isso mesmo — disse Marilla. — De todas as mulheres irracionais que eu já conheci, ela é a pior. Eu disse a ela que era tudo um engano, que você não teve culpa, mas ela simplesmente não acreditou em mim. E ela esfregou bem na minha cara meu licor de groselha e o fato de eu sempre dizer que ele não faria o menor efeito em ninguém. Eu disse a ela claramente que o licor de groselha não era para ser bebido em três copos grandes e que a filha dela era gulosa demais, ela sim merecia uma boa surra.

Marilla entrou rapidamente na cozinha, gravemente perturbada, deixando uma pequena alma muito distraída na varanda atrás dela. De repente, Anne saiu com a cabeça descoberta no frio de outono; com muita determinação e firmeza, ela desceu através do campo de trevo seco, cruzou a ponte de toras e subiu através do bosque de abetos, iluminado por uma pequena lua pálida pairando baixa sobre a floresta. A Sra. Barry, vindo para a porta em resposta a uma batida tímida, encontrou uma suplicante de lábios roxos e olhos ansiosos na soleira da porta.

Seu rosto ficou sério. A Sra. Barry era uma mulher com fortes preconceitos e antipatias, e sua raiva era fria e taciturna, difícil de superar. Ela realmente acreditava que Anne tinha embriagado Diana por pura malícia, e ela estava ansiosa por preservar sua filhinha de tal criança...

— O que você quer? — disse rigidamente.

Anne cruzou as mãos.

— Oh, Sra. Barry, por favor me perdoe! Não era minha intenção embebedar Diana!... Como poderia? Imagine que você é uma pequena órfã adotada por pessoas boas, se você tivesse apenas uma amiga do peito em todo o mundo, você acha que a embriagaria de propósito? Achei que fosse apenas suco de framboesa. Eu estava firmemente convencida de que era suco de framboesa. Oh, por favor, não diga que não vai mais deixar Diana brincar comigo. Se fizer isso, vai cobrir minha vida com uma nuvem negra de dor.

Este discurso, que teria suavizado imediatamente a bondosa Sra. Lynde, não teve outro efeito além de irritar a Sra. Barry ainda mais. Ela desconfiava das palavras difíceis e dos gestos dramáticos de Anne e imaginava que a criança estava zombando dela. Então ela disse, fria e cruelmente:

— Eu não acho que você é o tipo de garota adequada para andar com minha Diana. Vá para casa e se comporte como gente.

Os lábios de Anne tremeram.

— Não poderia encontrar Diana apenas uma última vez para me despedir dela? — implorou.

— Diana foi para Carmody com o pai — disse a Sra. Barry, que entrou e fechou a porta na cara de Anne.

Anne voltou para Green Gables desalentada.

— Minha última esperança se foi — disse para Marilla. — Na verdade, tive uma conversa com a Sra. Barry, e ela me tratou muito mal. Marilla, não acho que ela seja uma mulher bem-educada... Agora não tenho nada a fazer além de orar, e tenho pouca esperança de que isso ajude, não acho que o próprio Deus possa ter muita influência sobre uma pessoa irredutível como a Sra. Barry.

— Anne, você não devia dizer isso — repreendeu Marilla, lutando em seu coração contra o desejo de explodir na risada. E quando mais tarde ela contou a Matthew todo o incidente, os dois riram muito das atribulações de Anne.

Mas quando ela, silenciosamente, foi até o quarto de Anne, descobriu que ela havia chorado até dormir, e sentiu um afeto grande se espalhar em seu rosto.

— Pobrezinha — ela murmurou, erguendo uma mecha solta de cabelo do rosto manchado de lágrimas da menina. Então se abaixou e beijou a bochecha ruborizada no travesseiro.

## XVII
## UM NOVO INTERESSE NA VIDA

Na tarde seguinte, Anne, debruçada sobre sua colcha de retalhos na janela da cozinha, por acaso olhou para fora e viu Diana perto da Bolha da Dríade acenando misteriosamente. Em um instante, Anne estava fora de casa e voando para o vale, com surpresa e esperança, em seus olhos expressivos. Mas a esperança se desvaneceu quando viu o semblante abatido de Diana.

— Sua mãe não cedeu? — perguntou, prendendo a respiração.

Diana balançou a cabeça tristemente.

— Ah não, Anne, ela disse que nunca mais posso brincar com você. Eu chorei tanto... e disse a ela que não foi sua culpa, mas não adiantou. Tive que implorar e pedir até que ela me deixasse vir aqui para me despedir de você. Ela disse que eu só poderia demorar dez minutos e se sentaria na frente do relógio.

— Dez minutos não é muito tempo para dizer adeus — disse Anne chorando. — Oh, Diana, você promete fielmente nunca me esquecer, a amiga de sua infância, não importando quantos amigos queridos possa ter na vida?

— Ah, sim, eu prometo — soluçou Diana — e nunca vou ter outra amiga do peito, não quero ninguém. Eu não poderia gostar de ninguém do jeito que gosto de você.

— Oh, Diana — Anne gritou e cruzou os braços — você *me ama*?

— Sim, com certeza! Você não sabia?

— Não — Anne deu um longo suspiro. — Eu pensei que você *gostava* de mim, é claro, mas nunca pensei que você me *amasse*. Ora, Diana, achei que ninguém pudesse me amar. Ninguém nunca me amou. Oh, isso é maravilhoso! É um raio de luz que brilhará para sempre na escuridão do nosso curto caminho, Diana. Oh, apenas fale mais uma vez.

— Eu te *amo* de coração — repetiu Diana com paciência — e sempre amarei, pode acreditar.

— E sempre amarei você, Diana — disse Anne, solenemente estendendo a mão. — Nos próximos anos, a estrela de sua memória brilhará sobre minha vida solitária, assim como a última história que lemos juntas. Diana, você quer me dar um cacho de seu cabelo para eu guardar como meu tesouro mais precioso?

— Você tem algo para cortá-lo? — perguntou Diana, enxugando as lágrimas com o comovente discurso afetado de Anne.

— Sim, felizmente tenho minha tesourinha no bolso do avental — disse Anne. Silenciosamente e solenemente, ela cortou um dos cachos de Diana. — Adeus, minha querida amiga! De agora em diante, devemos ser estranhas uma para a outra, mesmo morando na casa ao lado... Mas meu coração sempre permanecerá fiel a você.

Anne se levantou e olhou Diana até que ela desaparecesse de vista, acenando sua mão tristemente, sempre que uma amiga virava sua cabeça. Então ela voltou para a casa, nem um pouco consolada com aquela separação romântica.

— Acabou — disse ela a Marilla. — Nunca mais vou ter uma nova amiga. Estou realmente pior do que nunca, pois não tenho mais Katie Maurice e Violetta. E mesmo se tivesse, não seria o mesmo. De alguma forma, as meninas dos sonhos não me satisfazem como uma amiga de verdade. Diana e eu tivemos uma despedida comovente. Será sagrado em minha memória para sempre. Usei a linguagem mais solene que pude pensar. Diana me deu uma mecha de cabelo e vou costurá-la em uma bolsinha e usá-la no pescoço a vida toda. Por favor, quero que seja enterrado comigo, pois não acredito que viverei por muito tempo. Talvez a Sra. Barry, ao me ver deitada fria e morta, se arrependa do que ela fez e deixe Diana vir ao meu funeral.

— Eu não acho que haja muito risco de você morrer de tristeza, enquanto puder falar, Anne — disse Marilla sem compaixão.

Na segunda-feira seguinte, Marilla ficou maravilhada ao ver Anne descer de seu quarto com sua cesta escolar no braço, parecendo o mais determinada possível.

— Vou voltar para a escola — anunciou. — É a única opção que me resta na vida depois que minha amiga foi cruelmente arrancada de mim. Na escola, posso vê-la e pensar nos dias que passamos juntas.

— É melhor você prestar atenção nas lições e somas — disse Marilla, escondendo sua alegria com a situação. — Se você vai voltar para a escola, espero não ouvir mais falar de quebrar lousas na cabeça das pessoas e coisas assim. Comporte-se e faça apenas o que seu professor mandar.

— Eu tentarei me tornar uma aluna modelo — Anne prometeu severamente. — Acho que não vai ser nada divertido... O Sr. Phillips disse que Minnie Andrews é uma aluna modelo, e ela não tem uma centelha de vida. Ela é simplesmente enfadonha e atarracada e nunca parece se divertir. Mas estou tão deprimida que talvez seja fácil para mim ser uma aluna modelo. Vou dar a volta pela estrada. Eu não suportaria passar pelo Vale das Violetas sozinha. Eu poderia chorar lágrimas amargas se o fizesse.

Anne foi recebida de volta à escola de braços abertos. Sentiam muita falta de sua imaginação nos jogos, de sua voz para cantar e de sua habilidade dramática para ler livros em voz alta na hora do almoço. Ruby Gillis deu a ela, escondido, três ameixas; Ella May MacPherson deu a ela um enorme amor-perfeito amarelo cortado das capas de um catálogo de flores. Sophia Sloane ofereceu-se para lhe ensinar um novo padrão perfeitamente elegante de renda de tricô, para enfeitar seus aventais. Katie Boulter deu a ela um frasco de perfume, e Julia Bell copiou cuidadosamente em um pedaço de papel rosa-claro, com recortes nas bordas, a seguinte efusão:

"*Quando o crepúsculo abrir seu manto*
*E o fixar com uma estrela*
*Lembre-se que você tem uma amiga*
*Embora ela possa vagar longe*"

— É muito divertido ser querida — Anne suspirou encantada com Marilla naquela noite.

As meninas da escola não foram as únicas que a receberam bem. Quando Anne foi se sentar, o Sr. Phillips a colocou ao lado da aluna modelo Minnie Andrews, ela encontrou uma grande e suculenta maçã dourada branca em sua carteira. Anne a pegou na mão e estava prestes a mordê-la quando se lembrou de que o único lugar em Avonlea onde havia maçãs de ouro branco era o pomar de Blythe, do outro lado do Lago das Águas Brilhantes. Anne largou a maçã, como se fosse carvão brilhando em brasa, e enxugou os dedos ansiosamente com o lenço. A maçã foi deixada intocada em sua mesa até a manhã seguinte, quando o pequeno Timothy Andrews, que varre o chão e liga a fornalha, agarrou-a como uma recompensa bem merecida... O lápis de ardósia de Charlie Sloane, lindamente enfeitado com papel listrado de vermelho que custou dois centavos, que ele mandou para ela depois da hora do almoço, teve uma recepção mais favorável. Anne ficou graciosamente satisfeita em aceitá-lo e recompensou o doador com um sorriso, que o levou a cometer erros tão terríveis no ditado que o Sr. Phillips o manteve depois da escola para reescrevê-lo.

Mas o desfile de César, sem o busto de Brutus, só a fez lembrar ainda mais do melhor filho de Roma, assim, a ausência de qualquer homenagem ou reconhecimento da parte de Diana Barry, que estava sentada com Gertie Pye, amargurou o pequeno triunfo de Anne.

— Acho que Diana poderia ter sorrido só uma vez — ela lamentou para Marilla naquela noite.

Mas, na manhã seguinte, um bilhete maravilhosamente torcido e dobrado e um pequeno pacote foram passados para Anne.

*"Querida Anne! Mamãe diz que eu não posso nem brincar ou conversar com você na escola. Não posso fazer nada a respeito, e não fique com raiva de mim porque gosto de você tanto quanto antes. Estou sentindo muita falta de não poder lhe contar todos os meus segredos, e não gosto nem um pouco de Gertie Pye. Fiz para você um marcador de página moderno com papel de seda vermelho. Eles estão terrivelmente na moda agora e apenas três meninas na escola sabem como fazer isso. Quando olhar para ele, lembre-se de sua amiga fiel.*
*Diana Barry."*

Anne leu a carta, beijou o marcador e enviou uma resposta para o outro lado da sala de aula o mais rápido possível.

*"Minha querida Diana!*
*Não estou zangada com você porque sei que tem que obedecer a sua mãe. No entanto, nossas almas estão conectadas uma à outra. Guardarei seu presente para sempre. Minnie Andrews é uma garotinha muito simpática, embora não tenha imaginação, mas depois de ter sido amiga do "peitu" de Diana, não posso ser de Minnie. Desculpe os erros porque minha escrita ainda não é muito boa, embora esteja "muinto" melhor.*
*Serei sua até a morte.*
*Ps:vou dormir com a sua carta debaixo do meu travesseiro.*
*A. ou CS."*

Marilla esperava, com pessimismo, mais problemas, já que Anne havia voltado à escola. Mas nada aconteceu. Talvez Anne tenha captado algo do espírito da "aluna modelo" de Minnie Andrews; desde então ela se deu melhor com Sr. Phillips. Ela se entregou aos estudos de coração e alma, determinada a não ser superada por Gilbert Blythe. A rivalidade entre eles logo ficou evidente; pelo menos da parte de Gilbert era totalmente bem-humorada; mas, infelizmente, não se pode dizer o mesmo de Anne, que tinha certamente uma tenacidade inimaginável para guardar rancor. Ela era tão intensa em seus ódios quanto em seus amores. Ela não iria se rebaixar a admitir que estava rivalizando com Gilbert nos trabalhos escolares, porque isso teria sido como reconhecer sua existência, que Anne persistentemente ignorava; mas a rivalidade estava lá e as glórias flutuavam entre eles. Antes Gilbert era o melhor na classe de ortografia; e Anne, jogando de lado suas longas tranças vermelhas, o ultrapassou. Uma manhã, Gilbert acertou todas as suas contas e teve seu nome escrito no quadro negro na lista de honra; na manhã seguinte, Anne, tendo lutado loucamente com decimais na noite anterior, lhe tomou o posto. Em um dia terrível, eles estavam empatados e seus nomes foram escritos um do lado do outro. Era quase tão ruim quanto tomar conhecimento de que seus nomes foram escritos na parede da sala, e para Anne isso era tão terrível quanto era prazeroso para Gilbert. Quando as provas escritas no final de cada mês eram realizadas, o suspense era terrível. No primeiro mês, Gilbert saiu-se bem em três provas. No segundo, Anne o venceu por cinco. Mas seu triunfo foi prejudicado pelo fato de

Gilbert a parabenizar na frente de toda a escola. Ela gostaria que ele sentisse a dor por ter sido derrotado.

O Sr. Phillips podia não ser um bom professor; mas com uma aluna tão inflexivelmente determinada a aprender como Anne, dificilmente ele poderia deixar de progredir. No final do semestre, Anne e Gilbert foram promovidos à quinta turma e tiveram permissão para começar a estudar novas disciplinas no currículo escolar como latim, geometria, francês e álgebra. A geometria tornou-se um tormento para Anne.

— É uma coisa tão horrível, Marilla — ela gemeu. — Tenho certeza de que nunca serei capaz de entender isso. Não há espaço para imaginação nisso. O Sr. Phillips diz que sou a pior cabeça dura que ele já viu. E Gil... quero dizer, alguns dos alunos são tão espertos nisso. Isso é extremamente mortificante para mim, Marilla. Até Diana se dá melhor do que eu. Mas não me importo em ser superada por Diana. Mesmo que nos tratemos como estranhas agora, ainda a amo com um amor *inextinguível*. Às vezes fico muito triste só de pensar nela. Mas, sério, Marilla, não se pode ficar triste por muito tempo em um mundo tão interessante, não é?

# XVIII
## ANNE COMO UM ANJO SALVADOR

Todas as grandes coisas estão intimamente relacionadas às pequenas coisas. À primeira vista, pode parecer que a decisão de um primeiro-ministro canadense de incluir nas suas viagens políticas a Ilha do Príncipe Eduardo teria pouco a ver com o futuro da pequena Anne Shirley em Green Gables. No entanto, tinha.

Era janeiro. O primeiro-ministro, para saudar seus leais apoiadores e não apoiadores, decidiu comparecer a um grande comício em Charlottetown. A maioria dos residentes de Avonlea apoiava o primeiro-ministro; assim, na noite anterior à reunião, quase todos os homens e um grande número de mulheres haviam partido para a cidade, a 50 quilômetros de distância.

A Sra. Rachel Lynde também havia ido. Ela era uma calorosa entusiasta política e vivamente convencida de que, se ela própria não estivesse presente, alguma coisa poderia acontecer. Então foi de carroça até a cidade e levou o marido Thomas podia pelo menos cuidar do cavalo, e, na oportunidade, Marilla Cuthbert foi com eles. Marilla não era particularmente fã de política, mas quando pensou que esta era a única oportunidade, em sua vida, de estar perto do primeiro-ministro, deixou Matthew e Anne cuidando da casa até que voltasse no dia seguinte.

Enquanto Marilla e a Sra. Rachel estavam totalmente envolvidas com o comício político, Anne e Matthew ocupavam a aconchegante cozinha de Green Gables. Um fogo ardia na lareira aberta e cristais de gelo branco-azulados brilhavam nas vidraças. Matthew sentou no sofá com sua revista sob a barriga e cochilava. Anne estava na mesa estudando suas lições, ocasionalmente ela olhava para a estante onde estava o novo livro que Jane Andrews lhe emprestara. Jane garantiu a ela que era tão emocionante que os dedos de Anne coçavam com o desejo de folheá-lo. Mas isso significaria dar vitória a Gilbert Blythe no dia seguinte. Anne deu as costas para a estante e tentou fingir que o livro nem existia.

— Matthew, você estudou geometria quando foi para a escola?

— Não. Eu não estudei — disse Matthew, acordando de seu cochilo.

— Gostaria que você tivesse estudado — Anne suspirou — porque assim você poderia sentir minha aflição. Como você não estudou, não pode realmente entender meu sofrimento. A geometria escurece toda a minha existência. É tão difícil de entender, Matthew.

— Bem, não estou certo disso — disse Matthew, reconfortando-a. — Para mim, você é boa em qualquer coisa. O Sr. Phillips me disse na semana passada na loja de Blair que você é a aluna mais inteligente de toda a classe e que "progredia rapidamente". Essas foram suas palavras. É certo que existem pessoas, como Teddy Phillips, que dizem que ele não é um bom professor, mas eu, por exemplo, o considero excelente.

Matthew achava que qualquer pessoa que elogiasse Anne era *excelente*.

— Tenho certeza de que me daria bem com a geometria se ele não mudasse as letras — reclamou Anne. — Eu memorizo o argumento que está no livro e ele muda tudo quando escreve no quadro... isso me confunde. Não acho que um professor deveria fazer uma maldade dessa, você acha? Estamos estudando geografia e, finalmente, descobri o que torna as estradas vermelhas. Foi um alívio. Pergunto-me se Marilla e a Sra. Lynde estão se divertindo. A Sra. Lynde diz que o Canadá está entregue às moscas, da maneira como as coisas estão sendo administradas em Ottawa e que é um aviso terrível para os eleitores. Ela diz que se as mulheres pudessem votar, em breve veríamos uma mudança abençoada. Em quem votará, Matthew?

— Eu sou um conservador — respondeu Matthew sem hesitar.

Seu ponto de vista conservador fazia parte de sua religião.

— Então, eu sou conservadora também — declarou a voz de Anne. — Fico feliz porque Gil... quero dizer, alguns dos meninos da escola são liberais. O Sr. Phillips provavelmente também é liberal, já que o pai de Prissy Andrews é um deles, e Ruby Gillis disse que quando um jovem corteja uma garota, ele deve sempre seguir a religião da mãe e, na política, a posição do pai. Isso é verdade, Matthew?

— Bem, não sei opinar — disse Matthew.

— Você já gostou de alguma garota?

— Hm... acho que não — disse Matthew, que certamente nunca havia pensado em tal coisa em toda a sua existência.

Anne refletiu com o queixo nas mãos.

— Deve ser bem interessante, não acha, Matthew? Ruby Gillis diz que quando crescer, ela terá muitos pretendentes à sua volta e todos eles serão *loucos* por ela; acho que seria muito emocionante. Mas prefiro ter apenas um em seu juízo perfeito. Mas Ruby Gillis sabe muito sobre esses assuntos porque tem irmãs mais velhas, e a Sra. Lynde diz que as garotas Gillis são um sucesso nesse assunto. O Sr. Phillips vai ver

Prissy Andrews quase todas as noites. Ele diz que é para ajudá-la nas aulas, mas Miranda Sloane está estudando para o Queen's, e eu acho que ela precisava de ajuda muito mais do que Prissy, porque ela é muito mais burra, mas ele nunca vai ajudá-la à noite. Há tanta coisa neste mundo que eu não entendo, Matthew.

— Bem, eu também não sei se entendo — disse Matthew.

— Agora tenho que terminar meu dever de casa. Eu nem mesmo vou me dar permissão para tocar no novo livro que Jane me emprestou até que eu os tenha feito. Mas é uma tentação terrível, Matthew. Mesmo que eu não olhe para o livro, posso vê-lo claramente na minha frente. Jane disse que chorou muito ao lê-lo. Estou obcecada por livros que me fazem chorar... Porém, acho que devo levá-lo para o corredor e trancá-lo na despensa e dar-lhe a chave. E lembre-se, Matthew, você não deve me devolver a chave antes que eu termine minha lição, mesmo que eu pergunte e implore de joelhos... é muito mais fácil resistir à tentação se você não tem acesso à chave. E então vou até o porão para pegar algumas maçãs para nós. Matthew, você vai querer algumas maçãs?

— Bem, não sei se quero — disse Matthew, ele nunca comia maçãs, mas sabia da fraqueza de Anne em relação a elas.

Assim que Anne emergiu triunfante do porão com seu prato cheio de maçãs, ouviu-se o som de passos voando na calçada gelada do lado de fora da casa e, no momento seguinte, a porta da cozinha foi aberta e Diana Barry entrou apressada, pálida e sem fôlego, com um xale embrulhado apressadamente em torno de sua cabeça. Anne prontamente largou a vela e o prato, e as maçãs caíram no chão.

— Qual é o problema, Diana? — gritou Anne. — Sua mãe cedeu finalmente?

— Oh, Anne, venha rápido — implorou Diana nervosamente. — Minnie May está terrivelmente doente, ela tem crupe. A jovem Mary Joe foi quem me disse, e papai e mamãe estão na cidade e não há ninguém para chamar o médico. Minnie May está péssima e Mary Joe não sabe o que fazer. E, oh, Anne, estou com tanto medo!

Matthew estendeu a mão sem dizer uma palavra para tirar o chapéu e o paletó, passou por Diana e desapareceu no quintal escuro.

— Ele foi atrelar a égua para ir até Carmody chamar um médico — disse Anne, que vestia apressadamente um casaco e um chapéu de pele. — Eu sei como se ele tivesse dito isso claramente. Matthew e eu somos almas irmãs... Posso ler seus pensamentos.

— Acho que ele não vai encontrar nenhum médico — soluçou Diana. — Sei que o Doutor Blair foi para a cidade e acho que o Doutor Spencer também foi. Oh, Anne!

— Não chore, Diana — disse Anne encorajadoramente. — Eu sei exatamente o que fazer em caso de crupe. Você esquece que a Sra. Hammond teve gêmeos três vezes? Como babá de três pares de gêmeos, você adquire bastante experiência... Eles tiveram crupe muitas vezes. Espere-me, vou levar o frasco de xarope de ipecacuanha. Vamos!

As duas meninas correram de mãos dadas ao longo do Caminho dos Amantes, a neve estava pesada demais para que elas escolhessem uma estrada mais curta na floresta. Anne, embora sentisse sinceramente por Minnie May, estava longe de ser insensível ao romantismo da situação e à doçura de mais uma vez compartilhar esse momento com uma alma irmã.

A noite estava clara e gélida, toda ébano de sombras e prata da encosta nevada; grandes estrelas brilhavam sobre os campos silenciosos; aqui e ali, os abetos pontiagudos escuros se erguiam com a neve pulverizando seus galhos e o vento assobiando por eles. Anne achou que era realmente uma delícia percorrer todo esse mistério e beleza com sua amiga do peito, que há tanto tempo estava afastada.

A pequena Minnie May, de três anos, estava realmente muito doente. Ela estava deitada no sofá da cozinha, cansada e febril, e sua respiração rouca e barulhenta podia ser ouvida por toda a casa. Mary Joe, uma garota francesa roliça e de rosto largo que a Sra. Barry tinha para cuidar das crianças em sua ausência, estava desamparada e atordoada, totalmente incapaz de pensar em fazer alguma coisa.

Anne imediatamente mostrou habilidade e prontidão.

— Minnie May está mesmo com crupe. Ela está muito mal, mas já vi casos piores. Precisamos ter muita água quente. Diana, você põe a chaleira para ferver e, Mary Joe, você pode colocar um pouco de lenha no fogão. Não quero ferir seus sentimentos, mas me parece que você já deveria ter pensado nisso, se tivesse imaginação. Agora, vou despir Minnie May e colocá-la na cama e você tenta encontrar alguns panos de flanela macios, Diana. Vou dar a ela uma dose de ipecacuanha antes de tudo.

Minnie May não gostou da ipecacuanha, mas não foi à toa que Anne cuidou de três pares de gêmeos. Aquela ipecacuanha desceu goela abaixo, não apenas uma, mas muitas vezes durante a longa e ansiosa noite em que as duas meninas trabalharam pacientemente sobre a sofredora Minnie May, e a jovem Mary Joe, honestamente ansiosa, para fazer tudo o que pudesse, acendeu uma fogueira e aqueceu mais água do que seria necessário. Eram três horas da manhã quando Matthew chegou com o médico, pois ele teve que viajar todo o caminho até Spencervale para encontrá-lo. Mas Minnie May estava muito melhor e dormia tranquilamente.

— Eu estava perto de desistir de desespero — explicou Anne. — Ela foi piorando até que ficou pior que os gêmeos Hammond. Na verdade, pensei que ela fosse morrer sufocada. Dei a ela cada gota de ipecacuanha daquele frasco e quando a última dose desceu, disse a mim mesmo, não a Diana ou à jovem Mary Joe, porque não queria preocupá-las mais do que já estavam preocupadas, mas eu tive que dizer a mim mesma apenas para aliviar meus sentimentos: "Esta é a minha última esperança e temo que seja em vão". Mas três minutos depois, ela tossiu o catarro e começou a melhorar imediatamente. Você deve imaginar meu alívio, doutor, porque não consigo expressar em palavras. Você sabe que há algumas coisas que não podem ser expressas em palavras.

— Sim, eu sei — o médico assentiu.

Ele olhou para Anne, como se tivesse pensado sobre ela, que não conseguia expressar em palavras. Mais tarde, porém, ele falou francamente com o Sr. e a Sra. Barry.

— Aquela garotinha ruiva que mora com os Cuthbert, é uma criatura incomparavelmente esperta. Ela salvou a vida da sua filha; se ela não tivesse feito tudo o que fez, eu não teria chegado a tempo. Ela tem um discernimento e uma habilidade absolutamente incríveis para uma criança de sua idade. Eu nunca tinha visto nada parecido como seus olhos quando ela me explicou em que estado encontrou sua filhinha doente e o que fez para salvá-la.

Anne voltou para casa na manhã seguinte, com as pálpebras pesadas depois de uma noite sem dormir, mas falando incansavelmente com Matthew, enquanto caminhavam por um amplo campo coberto de neve e uma geada de bordo brilhando sobre o Caminho dos Amantes.

— Oh, Matthew, não é uma manhã maravilhosa! O mundo parece simplesmente como se Deus o tivesse inventado para o prazer de Seus próprios olhos... Aquelas árvores ali parecem que você pode derrubá-las num sopro... *puf*! Como estou feliz por viver em um mundo coberto de geada e neve!... Agora também estou feliz que a Sra. Hammond tinha três pares de gêmeos. Se ela não os tivesse talvez não tivesse aprendido com eles, e eu não saberia como ajudar Minnie May. Agora me arrependo por ter reclamado de ter morado na casa com a Sra. Hammond... Mas, oh, Matthew, estou com muito sono! Eu não consigo ir para a escola. Não conseguiria manter os olhos abertos. Mas odeio ficar em casa porque o Gil... os outros alunos vão se tornar os melhores da classe... Mas, com muita relutância, fico em casa.

— Bem, você vai sobreviver — disse Matthew, olhando para o rostinho pálido de Anne com olheiras. — Você realmente tem que ir para a cama e dormir bastante. Eu cuidarei de todas as suas tarefas de casa.

Anne foi para a cama e dormiu tão profundamente e por tanto tempo que, quando acordou, já era o meio de uma tarde branca e rosada de inverno. Indo até a cozinha, encontrou Marilla, que tinha voltado, sentada e costurando.

— Você viu o primeiro-ministro? — Anne exclamou imediatamente. — Como ele é, Marilla?

— Bem, ele não foi eleito primeiro-ministro com base em sua beleza — disse Marilla. — Que tipo de nariz era aquele?... Mas ele sabe falar. Tive orgulho de ser uma conservadora. Mas para Rachel Lynde, que é uma liberal, obviamente ele não valia nada. Seu almoço está no forno, Anne, e você pode pegar um pouco de geleia de ameixa do armário. Acho que você deve estar com fome. Matthew me contou o que aconteceu ontem à noite. Digamos que foi uma sorte você saber como proceder. Pessoalmente, eu não teria ideia, pois nunca vi um caso de crupe. Calma, controle sua vontade de falar até engolir um pouco de comida...Vejo no seu rosto que você tem muitas novidades para contar, as palavras aguentarão mais uns quinze minutos e não irão embora.

Marilla tinha algo a dizer a Anne, mas não o disse naquele momento, pois sabia que, se o fizesse, o espanto e a admiração de Anne subiriam a tal ponto que ela não iria mais dedicar nenhum pensamento a algo tão inferior como a fome ou o almoço. Só depois de Anne ter raspado o fundo de seu pequeno prato de geleia de ameixa, Marilla disse:

— A Sra. Barry esteve aqui esta tarde, Anne. Ela queria vê-la, mas eu não quis acordá-la. Disse que você salvou a vida de Minnie May e que ela lamentava muito por seu comportamento com o licor de groselha. Ela agora disse que entendia que de forma alguma foi sua intenção embebedar Diana e ela espera que você a perdoe e que reate sua amizade com Diana. Você pode ir lá na casa dela esta tarde, se quiser, porque Diana não está podendo sair, ela pegou um resfriado ontem à noite. Agora, por favor, não exploda de alegria. Este aviso era desnecessário. Anne levantou-se de sua cadeira. Seus olhos irradiavam e seu rosto tinha uma aparência quase iluminada.

— Oh, Marilla, posso ir agora, sem lavar a louça? Eu lavo a louça quando voltar, é impossível ficar fazendo algo tão pouco romântico como lavar a louça neste momento emocionante.

— Pois então corra — disse Marilla de maneira bastante amável. — Mas Anne... você está louca? Volte agora mesmo e ponha um casaco!... Hmmm, eu falo com as paredes... Ela correu sem chapéu e sem casaco. Olha, como ela corre pelo jardim! Pelo amor de Deus, não vá morrer de gripe.

Anne voltou para casa no crepúsculo roxo de inverno, passando por caminhos nevados. O farfalhar de passagens no meio dos cumes cobertos de neve brilhava como os sinos das fadas, mas nada era mais doce do que uma canção no coração e lábios de Anne.

— Você vê uma pessoa completamente feliz na sua frente, Marilla — anunciou. — Estou feliz... apesar dos meus cabelos vermelhos. Neste momento, sinto minha alma elevada acima do meu cabelo ruivo. A Sra. Barry me pegou nos braços, chorou e disse que se arrependia tanto e que nunca poderia me recompensar pelo que eu tinha feito... Fiquei terrivelmente envergonhada, Marilla, mas disse o mais educadamente que pude: "Não guardo ressentimento nenhum, senhora Barry. Asseguro-lhe que nunca foi minha intenção embebedar Diana, e assim ponho o manto do esquecimento sobre este assunto". Na minha opinião, essa foi uma forma muito valiosa de expressar meus pensamentos, não foi, Marilla? Eu me senti como se fosse um pequeno carvão brilhante sobre a cabeça da Sra. Barry. Então Diana e eu nos divertimos muito juntas. Diana me mostrou um novo ponto de crochê que aprendera com sua tia em Carmody. Nem uma única pessoa em Avonlea sabe fazê-lo, e nós prometemos solenemente uma à outra nunca ensiná-lo a ninguém. Diana me deu um lindo cartão com uma rosa ao redor, e um verso de poesia: "

"Se você me ama como eu te amo
Nada, além da morte, pode nos separar. "

— E isso é verdade, Marilla. Vamos pedir ao Sr. Phillips que nos deixe sentar juntas na escola novamente, e Gertie Pye pode ficar com Minnie Andrews. Tomamos um chá muito elegante. A Sra. Barry o preparou com a melhor porcelana, Marilla, como se eu fosse uma visita. Eu não posso lhe dizer a emoção que isso me deu. Ninguém nunca usou sua melhor porcelana por minha causa antes. E nós comemos bolo de frutas e bolo inglês e biscoitos e dois tipos de compotas, Marilla. E a Sra. Barry me perguntou se eu aceitaria chá e disse "Diana, por que você não passa os biscoitos para Anne?" Deve ser adorável ser adulta, Marilla, adoro ser tratada assim.

— Oh, não tenho certeza quanto a isso — disse Marilla, suspirando um pouco.

— Bem, de qualquer maneira, quando eu for grande — disse Anne decididamente —, sempre vou falar com as crianças como se elas também fossem, e nunca vou rir quando elas falarem palavras difíceis. Sei por experiência dolorosa como isso fere os sentimentos de alguém. Depois do chá, Diana e eu fizemos caramelo. O caramelo não ficou muito bom, suponho porque nem Diana nem eu tínhamos feito isso antes. Diana deixou-me mexer enquanto passava manteiga nos pratos e esqueci e deixei queimar; e quando o colocamos na forma para esfriar, o gato passou por cima de um prato e ele teve que ser jogado fora. Mas a experiência foi esplêndida. Então, quando saí pra vir para casa, a Sra. Barry me disse para voltar sempre que pudesse e Diana ficou na janela e me jogou beijos por todo o caminho até Caminho dos Amantes.

# XIX
# ENTRE OUTRAS COISAS, UM CONCERTO, UM ACIDENTE E UMA CONFISSÃO

— Marilla, posso ir ver Diana só por um minuto? — perguntou Anne, descendo sem fôlego as escadas do sótão, numa noite de fevereiro.

— Não entendo o que você tem que fazer lá fora no escuro a esta hora do dia — disse Marilla categoricamente. — Você e Diana voltaram da escola para casa juntas e depois ficaram ali na neve por mais meia hora, suas línguas falando o tempo todo... blá-blá-blá. Então, você não pode ter uma coisa tão importante para conversar com ela.

— Mas ela quer me ver — implorou Anne. — Ela tem algo muito importante para me dizer.

— Como você sabe disso?

— Porque ela acabou de me sinalizar de sua janela. Arranjamos uma forma de sinalizar com nossas velas e papelão. Colocamos a vela no parapeito da janela e fazemos flashes passando o papelão para frente e para trás. Foi ideia minha, Marilla.

— Claro que isso foi ideia sua — disse Marilla. — E um belo dia você dará sinais para ela com as cortinas em chamas.

— Ooh! Claro que não, somos muito cuidadosas, Marilla. E é tão divertido. Dois flashes significam: "Você está aí?" Três significam "sim" e quatro, "não". Cinco significam: "Venha aqui assim que puder, porque tenho algo importante para lhe dizer." Diana acaba de postar cinco flashes e estou torturada pela curiosidade de saber o que quer me dizer.

— Bem, então você não precisa mais suportar a tortura — disse Marilla, parecendo estranha. — Você pode ir, mas tem que estar aqui em dez minutos, lembre-se disso.

Anne se lembrou disso e estava de volta no tempo estipulado, embora provavelmente nenhum mortal jamais saberá como custou para ela confinar a discussão sobre importante comunicado de Diana dentro do limite de dez minutos. Mas pelo menos ela fez bom uso deles.

— Oh, Marilla, o que você acha? Você sabe que amanhã é o aniversário de Diana. Bem, sua mãe disse que ela poderia me convidar para ir à sua casa depois da escola e passar a noite toda com ela. E seus primos estão vindo de Newbridge em um grande trenó para ir ao concerto do Clube de Oratória no auditório amanhã à noite. E eles vão nos levar ao concerto, isto é, se você me deixar ir. Você vai, não vai, Marilla? Oh, estou tão animada.

— Trate de se acalmar, porque você não pode ir. Você ficará muito melhor em casa em sua própria cama, e quanto ao show, é um absurdo, e as meninas não deveriam ter permissão de ir a tais lugares.

— Tenho certeza de que o Clube de Oratória é um lugar muito respeitável — suplicou Anne.

— Não estou dizendo que não seja. Mas você não vai começar a vadiar pelos concertos e ficar fora até altas horas da noite. Estou surpresa com a Sra. Barry deixando Diana ir.

— Mas é uma ocasião muito especial — lamentou Anne, à beira das lágrimas. — Diana faz apenas um aniversário por ano. Aniversários não são coisas comuns, Marilla. Prissy Andrews vai recitar "O toque de recolher não deve soar esta noite". Essa é uma peça de bastante moral, Marilla, tenho certeza de que me faria muito bem ouvi-la. E o coro vai cantar quatro lindas canções, que são quase tão boas quanto os hinos. E oh, Marilla, o pastor vai participar; ele vai fazer um discurso. Isso será quase a mesma coisa que um sermão. Por favor, posso ir, Marilla?

— Você não ouviu o que eu disse, Anne? Tire os sapatos e vá dormir! São mais de oito horas.

— Só tem mais uma coisa, Marilla — disse Anne, com ar de quem está tentando seu último argumento — Sra. Barry disse a Diana que poderíamos dormir na cama do quarto de hóspedes. Pense na honra de sua pequena Anne ser colocada na cama do quarto de hóspedes.

— É uma honra que você terá que viver sem ela. Vá para a cama, Anne, e não me deixe ouvir outra palavra sua.

Quando Anne, com lágrimas rolando pelo rosto, subiu as escadas com tristeza, Matthew, que aparentemente estivera profundamente adormecido na sala durante todo o diálogo, abriu os olhos e disse decididamente:

— Bem, Marilla, eu acho que você deveria deixar Anne ir.

— Eu acho que não — respondeu Marilla. — Quem está criando esta criança, Matthew, você ou eu?

— É você — admitiu Matthew.

— Não interfira, então.

— Bem, eu não estou interferindo, mas acho que ainda posso ter minha opinião. E minha opinião é que você deveria deixar Anne ir.

— Sim, você acha que eu deveria deixar Anne ir à Lua, se tal ideia vier à cabeça dela — respondeu a irmã. — Se fosse só dormir com Diana à noite, acho que poderia deixar. Mas aquele concerto noturno, não é do meu gosto. Com certeza vai pegar um resfriado se for lá, aí fica desequilibrada a semana toda. Eu sei, conheço o temperamento dela, Matthew.

— Eu acho que você deveria deixar Anne ir — Matthew repetiu com a mesma voz segura.

Argumentar não era seu ponto forte, mas agarrar-se à sua opinião certamente era. Marilla soltou um suspiro de impotência e refugiou-se no silêncio. Na manhã seguinte, quando Anne estava lavando a louça do café da manhã na despensa, Matthew parou a caminho do celeiro para dizer a Marilla novamente:

— Eu acho que você deveria deixar Anne ir, Marilla.

Por um momento, Marilla pensou em xingá-lo. Então ela cedeu ao inevitável e disse asperamente:

— Muito bem, ela pode ir, já que nada mais vai agradar você.

Anne saiu correndo da pequena despensa com uma toalha molhada nas mãos.

— Oh, Marilla, Marilla, fale de novo!

— Eu acho que uma vez é o suficiente. Isso é obra de Matthew e eu lavo minhas mãos quanto a isso. Se você pegar pneumonia por dormir em uma cama estranha ou saindo daquele concerto no meio da noite, não me culpe, culpe Matthew. Anne Shirley, você está pingando água gordurosa no chão. Nunca vi uma criança tão descuidada.

— Oh, eu sei que sou uma grande provação para você, Marilla — disse Anne com tom de pesar. — Eu cometo tantos erros. Mas, por favor, pense em todos os erros que não cometo, embora possa cometê-los. Vou esfregar as manchas desse chão antes de ir para a escola. Oh, Marilla, meu coração já estava decidido a ir àquele espetáculo. Eu nunca fui a um espetáculo na minha vida, e quando as garotas falam sobre eles na escola, eu me sinto tão deslocada. Você não entendeu exatamente como me sentia em relação a isso, mas Matthew entendeu. Matthew me entende e é tão bom ser entendida, Marilla.

Anne estava animada demais por pensar em toda a diversão que a esperava para prestar atenção na escola. Ela deixou Gilbert Blythe responder a perguntas na classe. No entanto, essas adversidades a teriam incomodado se Anne não estivesse tão comprometida com o concerto e com a cama do quarto de hóspedes. Ela e Diana conversaram tanto sobre isso durante a aula, que se tivessem um professor mais rigoroso do que o Sr. Phillips, teriam sido punidas por indisciplina.

Anne sentiu que não suportaria não ir ao concerto, porque simplesmente não havia outra conversa na escola.

O Clube de Oratória de Avonlea, que se reunia quinzenalmente durante todo o inverno, tinha vários entretenimentos menores gratuitos; mas este seria um grande negócio, com entrada a dez centavos, em prol da biblioteca. Os jovens de Avonlea ensaiaram por semanas, e todos os estudantes se interessaram especialmente por isso por causa de seus irmãos e irmãs mais velhos que iriam participar. Todos na escola com mais de nove anos de idade esperavam ir, exceto Carrie Sloane, cujo pai compartilhava das opiniões de Marilla sobre garotinhas que iam a shows noturnos. Carrie Sloane chorou a tarde toda e sentiu que não valia a pena viver.

Para Anne, a verdadeira empolgação começou com a dispensa da escola e aumentou a partir daí, até atingir um estrondo de êxtase positivo no próprio concerto. Elas tomaram um "chá perfeitamente elegante"; e então veio a deliciosa ocupação de se vestir no quartinho de Diana no andar de cima. Diana arrumou a franja de Anne no novo estilo da última moda e Anne amarrou os laços de Diana com o jeito especial; e experimentaram pelo menos meia dúzia de maneiras diferentes de arrumar o cabelo das costas. Por fim, elas estavam prontas, as bochechas vermelhas e os olhos brilhando de excitação.

Tenho que admitir que Anne sentiu uma leve pontada no coração comparando sua roupa simples feita de tecido grosseiro com o gracioso conjunto de casaco combinado com o chapeuzinho de Diana. Mas ela se lembrou a tempo que tinha imaginação e imediatamente entendeu como tirar proveito dela.

Então os primos de Diana, os Murray de Newbridge, chegaram, e todos se amontoaram em um grande trenó. Anne adorou a viagem até o auditório; o trenó deslizou levemente, ao longo das estradas planas, e a neve rastejou sob os cascos do cavalo. Houve um belo pôr do sol e colinas cobertas de neve. As águas azul-escuras do Golfo brilhavam como uma enorme joia de pérolas e safiras, cheias até a borda de vinho e fogo. O guizo do trenó e as risadas ao longe, pareciam causadas pelas fadas da floresta, eram ouvidos de todos os lados.

— Oh, Diana — sussurrou Anne, pressionando a mão meio coberta de Diana sob o suporte do trenó — isso não parece um sonho maravilhoso? Tenho a mesma aparência de sempre? Eu me sinto tão diferente que acho que dá para perceber na minha aparência.

— Você está muito bonita — disse Diana, que acabara de receber um elogio de um de seus primos e achava que ela deveria seguir em frente. — Você tem uma cor lindíssima.

O programa da noite consistia em uma série de "emoções", pelo menos para uma ouvinte da plateia e, como Anne garantiu a Diana, cada emoção que se seguia era maior do que a anterior. Quando Prissy Andrews chegou, usando um vestido de seda rosa com um colar de pérolas ao redor de seu pescoço liso e branco e flores em seu cabelo, rumores sussurraram que o professor tinha mandado buscá-los na cidade, "escalou a escada suja, sem um raio de luz", Anne estremeceu em luxuosa simpatia; quando o coro cantou "Muito acima das gentis margaridas", Anne olhou para o teto como se ele tivesse afrescos de anjos; quando Sam Sloane passou a explicar e ilustrar "Como Sockery ajeitou sua galinha" Anne riu até que as pessoas sentadas perto dela riram também, mais por simpatia a ela do que por diversão com uma seleção que já era muito conhecida em Avonlea; e quando o Sr. Phillips fez o discurso de Marco Antônio sobre o cadáver de César no tom mais comovente, olhando para Prissy Andrews no final de cada frase... Anne sentiu que poderia se levantar e se amotinar no local caso um cidadão romano saísse na frente.

Apenas um único número de programa não despertou seu interesse. Quando Gilbert Blythe recitou "Bingen no Reno", Anne pegou o livro de empréstimo de Rhoda Murray e o leu até terminar, e ela ficou rígida e imóvel enquanto Diana batia palmas até que elas ficaram ardendo.

Eram onze horas quando voltaram satisfeitos para casa, mas felizes porque ainda se divertiriam conversando sobre tudo o que tinham visto e ouvido. Todos pareciam estar dormindo e a casa estava escura e silenciosa. Anne e Diana entraram nas pontas dos pés na sala, uma sala comprida e estreita da qual se abria o quarto de hóspedes. Estava agradavelmente quente e mal iluminado pelas brasas de um fogo na lareira.

—Vamos trocar de roupa — disse Diana. — Está tão quente aqui.

— Não foi um momento delicioso? — Anne suspirou extasiada. — Deve ser esplêndido levantar-se e recitar ali. Você acha que algum dia seremos solicitadas a fazer isso, Diana?

— Sim, claro, algum dia. Eles estão sempre querendo que os grandes estudiosos recitem. Gilbert Blythe faz isso com frequência e ele é apenas dois anos mais velho que nós. Oh, Anne, como você pôde fingir que não o escutava? Quando ele leu a linha, *"Há outra, não uma irmã",* ele olhou diretamente para você.

— Diana — disse Anne com dignidade — você é minha amiga do peito, mas não posso permitir que nem mesmo você me fale dessa pessoa. Você está pronta para dormir? Vamos correr para ver quem chega à cama primeiro?

A sugestão agradou Diana. As duas pequenas figuras vestidas de branco voaram pelo longo cômodo, pela porta do quarto de hóspedes e pularam na cama ao mesmo tempo. E então, algo se moveu abaixo delas, houve um suspiro e um grito e alguém disse com sotaque abafado:

— O que isso significa?

Anne e Diana não foram capazes de dizer como saíram da cama e do quarto. Elas só sabiam que, após uma corrida frenética, se viram nas pontas dos pés, trêmulas, escada acima.

— Oh, quem era?... *o que foi*? — sussurrou Anne, seus dentes batiam por causa do frio e do medo dos prisioneiros.

— Foi tia Josephine — disse Diana, ofegando de tanto rir. — Oh, Anne, era tia Josephine, não sei como ela foi parar ali. Ela vai ficar furiosa. É terrível... é realmente terrível, mas você já viu algo tão engraçado, Anne?

— Quem é sua tia Josephine?

— Ela é tia do meu pai e mora em Charlottetown. Ela é terrivelmente velha, setenta, pelo menos... e não acredito que ela tenha *sido* uma garotinha. Estávamos esperando ela para uma visita, mas não tão cedo. Ela é terrivelmente afetada e correta e vai nos repreender terrivelmente sobre isso, eu sei. Bem, teremos que dormir com Minnie May, e você não pode imaginar como ela chuta.

A senhorita Josephine Barry não veio para o café da manhã no dia seguinte. A Sra. Barry sorriu gentilmente para as duas meninas.

— Vocês se divertiram ontem à noite? Tentei ficar acordada até vocês voltarem para casa, pois queria contar que tia Josephine tinha chegado e que, afinal, vocês teriam que subir, mas estava tão cansada que adormeci. Espero que você não tenha perturbado sua tia, Diana.

Diana ficou em silêncio por cautela, mas ela e Anne furtivamente trocaram sorrisos. Anne correu para casa depois do café da manhã e foi completamente alheia à perturbação doméstica que logo explodiu na casa dos Barry. Mas à tarde, Marilla lhe enviou, para uma incumbência, à casa da Sra. Lynde.

— Então, você e Diana quase mataram a velha senhorita Barry de susto ontem à noite? — disse Rachel Lynde em uma voz áspera. — Sra. Barry parou aqui assim que ela foi para Carmody. Ela estava preocupada com os acontecimentos. A velha Srta. Barry estava terrivelmente mal-humorada quando se levantou de manhã, e ela se recusou a dirigir a palavra à Diana.

— Não foi culpa de Diana — disse Anne com pesar. — Foi minha. Eu sugeri correr para ver quem iria para a cama primeiro.

— Eu sabia! — disse a Sra. Lynde, com a exultação de uma adivinha. — Eu sabia que essa ideia tinha saído da sua cabeça. Bem, isso causou muitos problemas. A velha senhorita Barry veio para ficar um mês, mas declara que não vai ficar nem mais um dia e vai embora amanhã, domingo. Ela teria ido hoje se pudessem tê-la levado. Ela havia prometido pagar um quarto das aulas de música de Diana, mas agora está decidida a não fazer nada por ela. Os Barry devem estar despedaçados. A velha Srta. Barry é rica e eles gostariam de se manter nas boas graças dela. Claro, a Sra. Barry não disse apenas isso para mim, mas eu sou uma boa observadora da natureza humana.

— Eu sou uma garota tão azarada — lamentou Anne. — Estou sempre me metendo em encrencas e prejudicando meus melhores amigos; pessoas por quem eu derramaria o sangue do meu coração. Você pode me dizer por que isso acontece, Sra. Lynde?

— É porque você é muito descuidada e impulsiva, criança, é isso. Você nunca pensa, o que quer que venha à sua cabeça para dizer ou fazer, você diz ou faz sem um momento de reflexão.

— Oh, mas isso é o melhor de tudo — protestou Anne. — Algo simplesmente surge em sua mente, que acho que você tem que externar. Se você parar para refletir estraga tudo. A Sra. nunca sentiu isso, Sra. Lynde?

Não, a Sra. Lynde nunca tinha sentido isso. Ela balançou a cabeça negativamente.

— Você tem que aprender a pensar um pouco, Anne. O provérbio que você precisa aprender é "Olhe antes de pular"... especialmente nas camas do quarto de hóspedes.

A Sra. Lynde riu confortavelmente de sua piada, mas Anne permaneceu pensativa. Ela não viu motivo para rir da situação, que aos seus olhos parecia muito séria. Ao deixar a casa da Sra. Lynde, ela atravessou os campos com neve até Orchard Slope. Diana encontrou-a na porta da cozinha.

— Sua tia Josephine ficou muito zangada com isso, não foi? — Anne sussurrou.

— Sim — respondeu Diana, reprimindo uma risadinha com um olhar apreensivo por cima do ombro para a porta fechada da sala de estar. — Ela estava pulando de tanta raiva, Anne. Oh, como ela resmungou. Ela disse que eu era a pior garota que ela já conheceu e que meus pais deveriam ter vergonha da maneira como me educaram. Ela diz que não vai ficar e eu não me importo. Mas o meu pai e a minha mãe, sim.

— Por que você não disse a eles que eu tinha causado toda a confusão? — Anne perguntou.

— Até parece que eu faria uma coisa dessas — disse Diana ferida. — Eu não sou uma fofoqueira, e fui tão culpada quanto você.

— Bem, então eu mesma vou contar isso a ela. — disse Anne com firmeza.

Diana olhou fixamente.

— Anne Shirley, não faça isso! Ela vai comer você viva.

— Não me assuste mais do que estou assustada — implorou Anne. — Prefiro caminhar até a boca de um canhão. Mas tenho que fazer isso, Diana. Foi minha culpa e tenho que confessar. Tenho prática em confessar, felizmente.

— Bem, ela está na sala — disse Diana. — Você pode entrar se quiser. Eu não ousaria. E eu não acredito que você melhorará a situação.

Com este encorajamento, Anne enfrentou o leão em sua cova, isto é, caminhou resolutamente até a porta da sala de estar e bateu levemente. Um forte "Entre" foi ouvido.

A senhorita Josephine Barry, magra, afetada e rígida, estava tricotando ferozmente perto do fogo, sua ira não havia passado e seus olhos estalavam através dos óculos de aro dourado. Ela virou-se em sua cadeira, esperando ver Diana, e viu uma garota de rosto branco cujos grandes olhos estavam cheios de uma mistura de coragem desesperada e muito terror.

— Quem é você? — perguntou Miss Josephine Barry, sem cerimônia.

— Sou Anne de Green Gables — disse a pequena visitante, trêmula, apertando as mãos com seu gesto característico.— Eu vim fazer uma confissão.

— Confessar o quê?

— Que foi minha culpa termos pulado em sua cama ontem à noite. A ideia foi minha. Diana nunca teria pensado em algo assim, tenho certeza. Diana é uma dama, Srta. Barry. Portanto, deve perceber o quanto está sendo injusta ao culpá-la por isso.

— Oh, eu devo, hein? Prefiro pensar que Diana também fez sua parte. Onde já se viu coisas assim em uma casa respeitável?

— Mas estamos apenas brincando — Anne disse novamente. — Acho que deve nos perdoar, Srta. Barry, agora que pedimos desculpas. Perdoe pelo menos Diana, por favor, e deixe-a ter aulas de piano. Diana ficou muito feliz em aprender a tocar, e eu sei como é bom se alegrar com algo de antemão e, depois, depois ficar sem isso. Se você tem que ficar chateada com alguém, que seja comigo! Eu estou acostumada com as pessoas sendo hostis comigo, então posso tolerar isso melhor do que Diana.

Os olhos da velha haviam perdido muito de sua aparência aguda e, em vez disso, começaram a piscar, como se ela tiesse se divertindo. Mas disse asperamente:

— Eu não acho que seja desculpa, dizer que vocês estavam apenas se divertindo. Na minha época, as meninas nunca se entregavam a esse tipo de diversão. Você não sabe o que é ser acordada de um sono profundo, depois de uma longa e árdua jornada, por duas garotas saltando sobre você.

— Não sei, mas posso *imaginar* — disse Anne ansiosa. — Tenho certeza que deve ter sido muito perturbador... Mas também há o nosso lado nisso. Você tem imaginação, Srta. Barry? Se sim, coloque-se no nosso lugar. Não sabíamos que havia alguém naquela cama e você quase nos matou de susto. Foi simplesmente terrível a maneira como nos sentíamos. E não pudemos dormir no quarto de hóspedes depois de terem nos prometido. Suponho que a Srta. esteja acostumada a dormir em quartos de hóspedes. Mas imagine como se sentiria se fosse uma menina órfã que nunca teve tal honra.

O olhar penetrante tinha desaparecido completamente desta vez. A senhorita Barry realmente riu, um som que fez com que Diana, esperando em uma ansiedade muda na cozinha do lado de fora, soltasse um grande suspiro de alívio.

— Receio que minha imaginação esteja um pouco enferrujada, faz muito tempo que não a uso — disse ela. — Ouso dizer que sua reivindicação de solidariedade é tão válida quanto a minha. Tudo depende da maneira como o vemos. Sente-se aqui e me fale sobre você.

— Desculpe, mas não posso fazer isso — Anne respondeu com grande certeza. — Eu adoraria fazer isso, porque você parece uma mulher interessante e talvez você até pudesse ser uma alma irmã, mesmo que seja improvável... Mas eu tenho que voltar para a casa. Marilla é uma dama muito boa que me pegou para criar. Ela faz o seu melhor, mas ainda assim dou muito trabalho. Não deve culpá-la por eu ter pulado na cama. Mas antes de partir, gostaria apenas de saber se perdoará Diana e ficará em Avonlea pelo tempo que pretendia.

— Talvez eu fique se você vier aqui me visitar.

Naquela noite, tia Josephine deu a Diana uma pulseira de prata com seus corações de prata pendurados e disse aos seus pais que já havia desfeito sua mala.

— Eu decidi ficar simplesmente para me familiarizar melhor com aquela garota Anne — disse francamente. — Ela me diverte, e na minha fase da vida uma pessoa divertida é uma raridade.

O único pensamento de Marilla ao ouvir a história foi: — O que foi que eu disse?

Mas ninguém, exceto o ouvido de Matthew, ouviu.

Tia Josephine permaneceu por meses e até mais. Ela foi uma convidada mais agradável do que de costume, pois Anne a mantinha de bom humor. Elas se tornaram grandes amigas.

Quando a senhorita Barry se despediu, ela disse:

— Lembre-se, Anne, de que quando vier para a cidade vai me cumprimentar, e vai poder se deitar e dormir na minha melhor cama de hóspedes, eu prometo.

— A Srta. Barry era uma alma gêmea, afinal — Anne confidenciou a Marilla. — Você não pensaria assim ao olhar para ela. Você não descobre logo no início, como no caso de Matthew, mas depois de um tempo você percebe. As almas gêmeas não são tão raras como costumava pensar. É esplêndido descobrir que existem tantas delas pelo mundo.

# XX
# OS CAMINHOS DA IMAGINAÇÃO

A primavera voltou mais uma vez a Green Gables, embora caprichosa e hesitante primavera canadense. Durou abril e maio e ofereceu uma série de dias amenos e temperados, pores do sol rosados, milagres de renascimento e vegetação brotando. Os bordos ao longo do Caminho dos Amantes estavam cheios de botões marrom-avermelhados e pequenas samambaias onduladas surgiam em torno da Bolha de Dríade.

Na floresta atrás da casa do Sr. Sloane, as anêmonas explodiram em flor, balançando os delicados sininhos em suas hastes e espalhando o perfume mais maravilhoso. Todos os meninos e meninas da escola passavam a tarde lá fora e agora voltavam para casa no crepúsculo, onde todos os sons eram ouvidos tão claramente, mãos e cestas cheias de buquês de flores.

— É uma pena que as pessoas vivam em um país onde não há anêmonas — disse Anne. — Diana disse que eles podem ter algo ainda melhor do que anêmonas, não é, Marilla? E Diana disse que se eles não as conhecem, não podem sentir falta. Mas eu acho que é a coisa mais triste. Pense Marilla, não saber que anêmonas existem e não sentir falta delas! Nos divertimos muito hoje, Marilla! Comemos nossos sanduíches em um vale coberto de musgo perto de um velho poço, um lugar tão romântico! Charlie Sloane disse que Arty Gillis não ousaria pular nele, e então Arty Gillis pulou no poço de roupa e tudo. O Sr. Phillips deu todas as anêmonas que encontrou a Prissy Andrews, e eu o ouvi dizer "flores para uma flor." Como ele tirou esta frase de um livro, isso requer um certo grau de imaginação para usá-la no lugar certo... Também me ofereceram algumas anêmonas, mas as rejeitei com desprezo. Não posso dizer o nome da pessoa porque jurei nunca pronunciar este nome. Fizemos coroas de anêmonas e as colocamos em nossos chapéus; e quando chegou a hora de voltar para casa, marchamos em procissão pela estrada, dois a dois, com nossos buquês e coroas de flores, cantando "Minha casa na colina". Oh, foi tão emocionante, Marilla. Toda a família do Sr. Silas Sloane nos viu e nos esperou na estrada. Nós causamos uma verdadeira sensação.

— Não me admira em nada! Quanta bobagem junta! — foi a resposta de Marilla.

Depois das anêmonas vieram os amores-perfeitos, e todo o Vale das Violetas estava coberto de roxo com elas. Anne passava por ele para a escola com passos cuidadosos e olhares ternos, como se tivesse pisando em terra santa.

— É maravilhoso — disse a Diana, enquanto caminhavam pelo Vale das Violetas — não me importo se Gil... se qualquer outra pessoa ficar como o melhor aluno na sala de aula. Mas quando eu entro na sala, aí é outra situação completamente diferente... Sou tantas Annes diferentes. Acho que é por isso que sou tão bagunceira... Se eu fosse apenas uma Anne, seria muito melhor... Mas não teria a metade da minha diversão.

Numa noite de junho, quando os pomares estavam mais uma vez vestidos com sua roupa floral mais brilhante, o coro de sapos brilhava em seus tons como pequenos sinos de prata em um lago acima de uma onda escura e brilhante e o ar estava cheio de prados de trevo, Anne estava sentada perto de sua janela de frontão. Ela estava estudando suas lições, mas estava escuro demais para ver o livro, então ela caiu em devaneios de olhos arregalados, olhando além dos ramos da Rainha Branca, cheia com seus tufos de flores.

Essencialmente, a pequena câmara do sótão permaneceu inalterada. As paredes eram de um branco frio, a almofada de alfinetes tão dura, as cadeiras amarelas tão rígidas e arrancadas como antes. E, no entanto, a natureza da sala em si havia mudado. Estava cheio de uma personalidade viva e fortemente pulsante que parecia permear tudo e ser completamente independente da leitura de livros, fantasias e fitas da colegial, até mesmo um jarro azul quebrado cheio de flores de maçã sobre a mesa. Era como se todos os sonhos, acordada ou dormindo, tivessem assumido uma forma proeminente, embora não material, e envolvesse-o com os mais delicados tecidos brilhantes de arco-íris e luar.

Por fim, Marilla entrou rapidamente com alguns dos aventais escolares de Anne. Ela os pendurou em uma cadeira e se sentou suspirando. Ela estava com uma forte dor de cabeça naquele dia e, embora já tivesse passado um pouco, se sentia "esgotada", como ela mesmo disse. Anne olhou para ela com um olhar brilhante cheio de simpatia.

— Eu de fato gostaria de ter dor de cabeça por você, Marilla.

— Obrigada, mas você fez sua parte no trabalho doméstico e isso já me ajuda muito — disse Marilla. — Você parece estar se saindo muito bem e cometido menos erros do que o normal. Claro que não era exatamente necessário engomar os lenços de Matthew! E a maioria das pessoas, quando colocam uma torta no forno para esquentar para o jantar, tira-a e come quando fica quente, em vez de deixá-la queimar até ficar crocante. Mas agora você tem seu próprio jeito de fazer as coisas.

A forte dor de cabeça de Marilla sempre a deixava com um humor ligeiramente sarcástico.

— Oh, eu sinto muito — disse Anne penitentemente. — Não me lembrei daquela torta desde a hora que a coloquei no forno até agora, embora tenha sentido *instintivamente* que havia algo faltando na mesa do almoço. Eu estava firmemente decidida, quando você me deixou no comando esta manhã, a não imaginar nada, mas manter meus pensamentos atentos. Eu me saí muito bem até colocar a torta, e então uma tentação irresistível veio a mim de imaginar que eu era uma princesa encantada trancada em uma torre solitária com um belo cavaleiro cavalgando para me resgatar em um corcel preto como carvão. Foi assim que esqueci a torta. Não sabia que havia engomado os lenços. O tempo todo em que passava roupa, tentava pensar em um nome para uma nova ilha, que eu Diana e descobrimos no rio acima. É um lugar deslumbrante, Marilla. Há duas árvores de bordo nela e o riacho corre ao seu redor. Por fim, pensei que seria esplêndido chamá-la de Ilha Victoria porque a encontramos no aniversário da Rainha. Diana e eu somos muito leais. Mas sinto muito por aquela torta e os lenços. Eu queria ter sido perfeita hoje porque se completa um aniversário. Você se lembra do que aconteceu neste dia do ano passado, Marilla?

— Não, nada de especial.

— Oh, Marilla, foi o dia que vim aqui Green Gables. Eu nunca esquecerei aquilo! Foi uma virada na minha vida... Mas para você não foi algo tão notável. Já estou aqui há um ano inteiro e fiquei tão feliz!... É claro que já tive lá minhas preocupações, mas posso tentar esquecê-las... Você se arrepende de ter ficado comigo, Marilla?

— Não posso dizer que me arrependo — disse Marilla, que às vezes se perguntava como ela havia conseguido viver antes da chegada de Anne a Green Gables. — Se você terminou o dever de casa, Anne, adoraria que você visitasse a Sra. Barry e pedisse emprestado os moldes de avental de Diana.

— Ah mas está tão escuro — disse Anne.

— Escuro? Estamos no crepúsculo. E Deus sabe que você passeia por aí com bastante frequência depois de escurecer.

— Vou amanhã de manhã cedo — disse Anne ansiosamente. — Eu levanto ao nascer do sol e vou imediatamente, Marilla.

— Que truques novos são esses, Anne? Quero pegar os moldes para cortar seu novo avental ainda esta noite. Vá de uma vez e fique atenta.

— Vou ter que dar a volta pela estrada, então — disse Anne, pegando o chapéu com relutância.

— Ir pela estrada e perder meia hora? Ah se eu lhe pego fazendo isso!

— Eu não posso passar pela floresta assombrada, Marilla! — gritou Anne em total desespero.

Marilla ficou perplexa.

— A floresta assombrada? Você enlouqueceu? Onde no mundo está a floresta assombrada?

— No bosque de abetos atrás do riacho — Anne sussurrou horrorizada.

— Quanta bobagem! Não há floresta assombrada em lugar nenhum aqui! Quem colocou essas bobagens na sua cabeça?

— Ninguém — Anne respondeu. — Diana e eu concluímos que a floresta é assombrada. Todos os lugares nessas regiões são *tão comuns*. Nós inventamos isso para nos divertir. Começamos em abril. Há algo tão romântico na floresta assombrada, Marilla. Escolhemos um abeto porque é muito escuro por dentro. Oh, nós imaginamos coisas tão assustadoras que o cabelo pode ficar de pé... Há uma mulher de branco andando de um lado para o outro no riacho bem nesta hora e torcendo as mãos e iluminando com uma voz brilhante... Ela aparece quando há uma morte na família. E o fantasma de uma criança assassinada assombra a esquina de Ócio Agreste; ele se arrasta atrás de você e pousa seus dedos frios em sua mão, então. Oh, Marilla, fico estremecida só de pensar nisso. E há um homem sem cabeça que anda para cima e para baixo no caminho e esqueletos olham para você entre os galhos. Oh, Marilla, eu não iria passar pela Floresta Assombrada depois de escurecer agora por nada.

— Onde já se viu isso? — exclamou Marilla, que ouvia em silêncio com espanto. — Anne Shirley, você provavelmente não quer me dizer que acredita em todas as coisas estúpidas que você mesma inventou.

— Não *exatamente* — Anne gaguejou. — Pelo menos não penso durante o dia. Mas quando escurece, Marilla, é diferente. É quando os fantasmas estão em movimento... de preferência nas noites de quinta...

— Não existem fantasmas, Anne.

— Sim, claro que existem, Marilla — Anne gritou ansiosa. — Eu conheço muitas pessoas confiáveis que já viram. Charlie Sloane diz que sua avó viu seu avô levando vacas para casa uma noite depois de ele ter sido enterrado há mais de um ano. E a avó de Charlie Sloane, ela não contaria esta história à toa... Ela é religiosa. E uma noite, o pai da Sra. Thomas foi seguido por um cachorro com olhos brilhantes e língua pendurada, e ele percebeu que era o espírito de seu irmão que queria dizer que ele morreria em nove dias. Ele não morreu, só dois anos depois, mas aconteceu de qualquer maneira... E Ruby Gillis disse...

— Não quero ouvir mais nada — interrompeu Marilla bruscamente. — Há muito tempo tenho a opinião de que você deixou sua imaginação correr muito solta, não quero mais ouvir estas histórias... Agora vá para os Barry, como eu disse, e como punição, você só terá que passar pelo Bosque de abetos. E não reclame, e não venha me falar de floresta assombrada.

Anne poderia suplicar e chorar como quisesse, e o fez, pois seu terror era muito real. Sua imaginação tomou conta dela e ela passou a ter pânico do bosque de abetos após o anoitecer. Mas Marilla era inabalável. Ela foi com a vidente de fantasmas até o riacho e ordenou que ela prosseguisse e enfrentasse os retiros crepusculares de mulheres fantasmas chorando e espectros sem cabeça.

— Oh, Marilla, como você pode ser tão cruel! — soluçou Anne. — Como você se sentiria se uma criatura branca me agarrasse e me levasse embora?

— Vou correr este risco — disse Marilla, insensível. — Você sabe que sempre falo sério. Vou curá-la de imaginar fantasmas. Agora, vá!

Anne foi. Isto é, ela tropeçou na ponte e estremeceu pelo horrível caminho escuro. Anne nunca esqueceu aquela caminhada. Ela se arrependeu amargamente da licença que dera à sua imaginação. Os duendes de sua fantasia espreitavam em cada sombra ao redor dela, estendendo suas mãos frias e sem carne para agarrar a garotinha aterrorizada que os chamou à existência. Uma tira branca de casca de bétula explodindo do buraco sobre o chão marrom do bosque fez seu coração parar. O longo gemido de dois galhos velhos se esfregando um contra o outro trouxe o suor em gotas em sua testa. O golpe dos morcegos na escuridão sobre ela era como as asas de criaturas sobrenaturais. Quando ela chegou ao campo do Sr. William Bell, ela correu através dele como se perseguida por um exército de coisas brancas, e chegou à porta da cozinha de Barry tão sem fôlego que ela mal conseguiu fazer seu pedido pelo molde do avental. Diana estava ausente, de modo que não tinha desculpa para se demorar. A terrível jornada de retorno teve que ser enfrentada. Anne voltou a atravessá-lo com os olhos fechados, preferindo correr o risco de atirar o cérebro para fora dos ramos a ver uma coisa branca. Quando ela finalmente chegou na ponte de madeira, ela deu um longo suspiro de alívio.

— Oh, então, ninguém a levou? — disse a insensível Marilla.

— Oh, Mar... Marilla — disse Anne batendo os dentes — de agora em diante, eu vou me contentar com lugares comuns.

# XXI
## UM NOVO TEMPERO

— Meu Deus, não há nada além de encontros e despedidas neste mundo, como diz a Sra. Lynde — comentou Anne tristemente, colocando sua lousa e livros na mesa da cozinha no último dia de junho e enxugando seus olhos vermelhos com um lenço. — Não foi uma sorte, Marilla, eu ter levado um lenço extra para a escola hoje? Tive o pressentimento de que seria necessário.

— Nunca pensei que você gostasse tanto do Sr. Phillips a ponto de precisar de dois lenços para secar as lágrimas só porque ele estava indo embora — disse Marilla.

— Acho que não estava chorando porque gosto muito dele — refletiu Anne. — Eu só chorei porque todos os outros choraram. Foi Ruby Gillis quem começou. Ruby Gillis sempre falou que odiava o Sr. Phillips, mas assim que ele se levantou para fazer seu discurso de despedida, ela começou a chorar. Então todas as meninas começaram a chorar, uma após a outra. Tentei resistir, Marilla. Tentei me lembrar de quando o Sr. Phillips me fez sentar com Gil... com um menino; e a vez em que ele escreveu meu nome sem um "E" no quadro-negro; e como ele disse que eu era a pior idiota que ele já tinha visto em geometria e riu da minha ortografia; e todas as vezes ele tinha sido tão horrível e sarcástico; mas de alguma forma não consegui, Marilla, e simplesmente tive que chorar também. Jane Andrews tem falado há um mês sobre como ela ficaria feliz quando o Sr. Phillips fosse embora e que nunca derramou uma lágrima sequer. Bem, ela ficou pior do que qualquer uma de nós e teve que pedir um lenço emprestado ao irmão. É claro que os meninos não choraram porque ela não trouxe um, pois, não esperava precisar dele. Oh, Marilla, foi de partir o coração. O Sr. Phillips fez um belo discurso de despedida, começando com: "Chegou a hora de nos separarmos." Foi muito comovente. E ele também tinha lágrimas nos olhos, Marilla. Oh, eu me senti terrivelmente triste e com remorso por todas as vezes que conversei na aula na escola e desenhei fotos dele na minha lousa e zombei dele e de Prissy. Posso dizer que desejei ter sido uma aluna modelo como Minnie Andrews. Ela não tinha nada em sua consciência. As meninas choraram todo o caminho da escola para casa. Carrie Sloane dizia a cada minuto: "Chegou a hora de nos separarmos", e isso nos fazia começar de novo. Sinto-me terrivelmente triste, Marilla. Mas não se pode sentir as profundezas do desespero com dois meses de férias pela frente, não é, Marilla? Além disso, conhecemos o novo pastor e sua esposa quando passamos pela estação. Por mais que eu estivesse me sentindo mal com a partida do Sr. Phillips, não pude deixar de me interessar um pouco pelo novo pastor, não é? Sua esposa é muito bonita. Não é exatamente adorável, é claro, não seria adequado, suponho, para um pastor ter uma esposa majestosa, porque isso poderia dar um mau exemplo. A Sra. Lynde diz que a esposa do pastor em Newbridge dá um péssimo exemplo porque se veste de maneira muito elegante. A esposa do nosso novo pastor estava vestida de musselina azul com lindas mangas bufantes e um chapéu enfeitado com rosas. Jane Andrews disse que achava que mangas bufantes eram muito mundanas para a esposa de um pastor, mas eu não faria nenhum comentário tão pouco caridoso, Marilla, porque sei o que é desejar mangas bufantes. Além do mais, ela é esposa de pastor há pouco tempo, então se pode fazer concessões, não é? Eles vão se hospedar com a Sra. Lynde até que a mansão esteja pronta.

Marilla, ao descer para a casa da Sra. Lynde naquela tarde, não foi movida por qualquer outro motivo, além de devolver as armações de acolchoado que ela havia emprestado no inverno anterior. Um novo pastor e, além disso, um pastor com uma esposa, era um objeto legítimo de curiosidade em um pequeno povoado rural onde as sensações eram poucas e distantes entre si.

O velho Sr. Bentley, o pastor que Anne achava sem imaginação, era pastor de Avonlea havia dezoito anos. Ele era viúvo quando veio e assim permaneceu, apesar do fato de que a fofoca regularmente o casava com esta, ou aquela, todos os anos de sua estada. Em fevereiro anterior, ele renunciou ao cargo e partiu em meio ao pesar de seu povo, a maioria dos quais tinha a afeição nascida de longas relações por seu bom e velho pastor, apesar de suas deficiências como orador. Desde então, a igreja de Avonlea desfrutou de uma variedade de dissipação religiosa ao ouvir os muitos e vários candidatos e "suplentes" que vinham domingo após domingo para pregar. Estes resistiram ou caíram pelo julgamento dos pais e mães de Israel; mas, uma certa garotinha ruiva sentada tranquila no velho bando dos Cuthbert também tinha suas opiniões sobre eles, e as discutia com Matthew, enquanto Marilla se recusava a falar de pastores.

— Não acho que o Sr. Smith teria dado certo, Matthew — foi o resumo final de Anne. — Sra. Lynde diz que sua maneira de falar foi muito ruim, mas acho que seu pior defeito foi igual ao do Sr. Bentley; ele não tinha imaginação. E o Sr. Terry já imaginou demais, assim como eu fiz no caso da Floresta Assombrada. Além disso, a Sra. Lynde diz que sua teologia não era sólida. O Sr. Gresham era um homem muito bom e muito religioso, mas contava muitas histórias engraçadas e fazia as pessoas rirem na igreja; era indigno, e você deve ter alguma dignidade como pastor, não é, Matthew? Achei o Sr. Marshall decididamente atraente; mas a Sra. Lynde disse que ele não é casado, nem mesmo noivo, e disse que não seria bom ter um jovem ministro solteiro em Avonlea porque ele poderia se casar na congregação e isso causaria problemas. A Sra. Lynde é uma mulher muito previdente, não é, Matthew? Estou muito feliz por eles terem chamado o Sr. Allan. Eu gostei dele porque seu sermão é interessante e ele ora como se quisesse fazer isso, e não apenas como se o fizesse porque tem o hábito. A Sra. Lynde diz que ele não é perfeito, mas ela acha que não poderíamos esperar um pastor perfeito por setecentos e cinquenta libras por ano, e de qualquer forma sua teologia é sólida porque ela o questionou em todos os pontos da doutrina. E ela conhece a família de sua esposa e são pessoas muito respeitáveis e as mulheres são todas boas donas de casa. E isso são qualidades para a família de um bom pastor.

O novo ministro e sua esposa eram um casal jovem de rosto agradável, ainda em lua de mel, e cheios de todo o bom e belo entusiasmo pelo trabalho que escolheram para a vida. Avonlea abriu seu coração para eles desde o início. Velhos e jovens gostavam do jovem franco e alegre com seus grandes ideais, e da pequena senhora inteligente e gentil que assumiu a casa paroquial. Anne apaixonou-se pronta e sinceramente pela Sra. Allan. Ela havia descoberto mais uma alma gêmea.

— Sra. Allan é perfeitamente adorável — ela anunciou em uma tarde de domingo. — Ela assumiu nossa escola dominical e é uma excelente professora. Ela disse imediatamente que não achava justo o professor fazer todas as perguntas, e você sabe, Marilla, é exatamente isso que eu sempre pensei. Ela disse que poderíamos fazer qualquer pergunta que quiséssemos e eu perguntei muitas. Eu sou boa em fazer perguntas, Marilla.

— Eu acredito em você — foi o comentário enfático de Marilla.

— Ninguém mais fez perguntas, exceto Ruby Gillis, e ela perguntou se haveria um piquenique da escola dominical neste verão. Não achei que fosse uma pergunta muito apropriada porque não tinha nenhuma relação com a aula que era sobre Daniel na cova dos leões, mas a Sra. Allan apenas sorriu e disse que achava que sim. A Sra. Allan tem um sorriso adorável; ela é tão *requintada* e tem covinhas em suas bochechas. Eu gostaria de ter covinhas em minhas bochechas, Marilla. Já não sou tão magra quanto era quando vim aqui, mas ainda não tenho covinhas. Se tivesse, talvez pudesse influenciar as pessoas para o bem. A Sra. Allan disse que devemos sempre tentar influenciar outras pessoas para o bem. Ela fala tão bem sobre tudo. Eu nunca soube antes que religião fosse uma coisa tão alegre. Sempre achei meio melancólico, mas com a Sra. Allan não é, e gostaria de ser cristã se pudesse ser como ela. Eu não gostaria de ser como o Sr. Bell.

— É muito feio da sua parte falar assim sobre o Sr. Bell — disse Marilla severamente. — Sr. Bell é um homem muito bom.

— Oh, claro que ele é bom — concordou Anne — mas ele não parece obter nenhum proveito disso. Se eu pudesse ser boazinha, dançaria e cantaria o dia todo, porque ficaria feliz com isso. Suponho que a Sra. Allan está muito velha para dançar e cantar e é claro que isso não seria digno para a esposa de um pastor. Mas posso sentir que ela está feliz por ser cristã.

— Provavelmente teremos que convidar nosso novo pastor e sua jovem senhora para tomar um chá aqui em breve — disse Marilla pensativamente. — Eles estiveram em quase todos os lugares, exceto aqui. Deixe-me ver! Na próxima quarta-feira daria. Mas escute, Anne, não conte uma palavra para Matthew sobre isso porque se ele souber que há convidados chegando, ele vai inventar uma desculpa para ficar longe. Ele está tão acostumado com nosso antigo pastor que será muito difícil se acostumar com o Sr. e a Sra. Allan, especialmente com a senhora, é claro.

— Vou ficar em silêncio — Anne assegurou. — Oh, Marilla, não posso fazer um bolo? Eu gostaria muito de fazer algo para a querida senhora Allan, e hoje em dia já sou muito habilidosa na confeitaria.

— Você pode fazer um bolo em camadas — prometeu Marilla.

Na segunda e na terça, grandes preparativos aconteceram em Green Gables. Ter o pastor e sua esposa para tomar chá era uma tarefa séria e importante, e Marilla estava decidida a não ser eclipsada por nenhuma dona de casa de Avonlea. Anne estava louca de entusiasmo e deleite. Ela conversou sobre tudo com Diana na terça à tardinha, enquanto elas se sentavam nas grandes pedras vermelhas perto da Bolha da Dríade e faziam arco-íris na água com pequenos galhos mergulhados em bálsamo de abeto.

— Está tudo pronto, Diana, exceto meu bolo que devo fazer de manhã e os biscoitos de fermento que Marilla fará pouco antes da hora do chá. Garanto-lhe, Diana, que Marilla e eu passamos dois dias agitados. É uma grande responsabilidade ter a família de um pastor tomando chá. Nunca passei por tal experiência antes. Você deveria ver nossa despensa. É um espetáculo. Vamos comer frango e língua de vaca fria. Devemos ter dois tipos de geleia, vermelha e amarela, e chantilly e torta de limão, e torta de cereja, e três tipos de biscoitos e bolo de frutas, e as famosas conservas de ameixa amarela de Marilla, que ela guarda especialmente para pastores, e bolo inglês e bolo em camadas e biscoitos, como disse antes. Eu simplesmente sinto frio na barriga quando penso no meu bolo de camadas. Oh, Diana, e se não for bom? Sonhei ontem à noite que era perseguida por um duende assustador com um grande bolo em camadas como cabeça.

— Vai ser bom, você vai ver — garantiu Diana, que era uma espécie de amiga muito agradável. Tenho certeza de que aquela fatia de bolo que você fez e almoçamos em Ócio Agreste, há duas semanas, era perfeitamente elegante.

— Sim, mas os bolos têm o péssimo hábito de estragar quando você quer que eles fiquem bons — suspirou Anne. — No entanto, suponho que terei apenas de confiar na Providência e ter o cuidado de colocar a farinha. Oh, olhe, Diana, que lindo arco-íris! Você acha que a dríade sairá depois que formos embora e pegá-lo para usar como lenço?

— Você sabe muito bem que não existem dríades — disse Diana com uma voz repreensível. A mãe de Diana também descobrira sobre a floresta assombrada e ficou muito zangada. Diana recebera ordens estritas de manter sua imaginação dentro dos limites apropriados e agora decidira desistir de imaginar até mesmo uma inocente dríade.

— Sim, mas é muito fácil imaginar que ela existe — disse Anne. — Todas as noites antes de ir para a cama, eu espreito pela janela e me pergunto se minha dríade não está sentada lá penteando os cachos, no espelho d'água. Às vezes, de manhã, procuro vestígios no orvalho. Oh, Diana, mantenha sua fé na dríade!

Chegou a manhã de quarta-feira. Anne se levantou quando o sol nasceu, pois estava tão ansiosa e inquieta que não conseguiu dormir mais. Ela ficou com o nariz escorrendo, porque ficou com os pés na água na noite anterior, mas só uma pneumonia grave poderia ter prejudicado seu desejo de competir com o padeiro. Depois do café da manhã, ela misturou a massa do bolo e, quando finalmente fechou a boca do forno, soltou um profundo suspiro de alívio.

— Desta vez, tenho certeza de que não me esqueci de nada, Marilla. Mas você acha que vai subir? E se o fermento em pó não estiver bom? Peguei de uma tigela nova. E a Sra. Lynde diz que você nunca pode ter certeza de que obterá um bom fermento em pó, agora que tudo está sendo falsificado... A Sra. Lynde diz que o governo deveria intervir, mas ela provavelmente nunca verá o dia em que os governos conservadores...

— Bem, temos muitos outros quitutes a oferecer — disse Marilla com muita calma e pouca sensibilidade.

Mas o bolo cresceu perfeitamente e saiu do forno em um belo dourado. Anne ficou vermelha de alegria, dividiu-o delicadamente, espalhou uma camada de geleia rubi no meio, salpicou por cima amêndoas e viu na sua imaginação a Sra. Allan comendo-o e possivelmente pedindo um pouco mais.

— Você usará o melhor jogo de chá, é claro, Marilla — disse ela. — Posso enfeitar a mesa com samambaias e rosas silvestres?

— Acho que tudo isso é um disparate — fungou Marilla. — Na minha opinião, só a comida importa, e não essa bobagem de decoração.

— Sra. Barry mandou decorar a mesa *dela* — disse Anne — e o pastor fez um elogio a ela. Ele disse que era um banquete para os olhos e também para o paladar.

— Então faça o que quiser — disse Marilla, que estava determinada a bater na elegância da mesa da Sra. Barry e de qualquer outra pessoa de Avonlea. — Lembre-se de deixar espaço para comida e pratos.

Anne então começou a decorar a mesa com uma riqueza e imaginação que raramente eram vistas. E como tinha à disposição muitas rosas da floresta e samambaias para usar, ela fez a mesa de chá tão charmosa que tanto o pastor quanto a sua esposa, quando se sentaram, exclamaram, do fundo do coração, toda a sua admiração.

— Obra da Anne — disse Marilla, severamente; e Anne sentiu que o sorriso de aprovação da Sra. Allan era quase felicidade demais para este mundo.

Matthew estava lá. Ele sentiu tanta timidez e nervosismo que Marilla quase desistiu de sua presença, mas Anne o segurou pela mão com segurança e ele agora se sentava à mesa com suas melhores roupas e colarinho branco e conversava com o pastor de maneira interessada. Ele não disse uma palavra à Sra. Allan, mas talvez isso não fosse esperado.

Tudo correu de maneira muito alegre, até que o bolo de camadas de Anne foi servido. A Sra. Allan, já tendo comido uma variedade desconcertante de coisas, recusou. Mas Marilla, vendo a decepção no rosto de Anne, disse sorrindo:

— Oh, você deve pegar um pedacinho, Sra. Allan. Anne fez para você.

— Nesse caso, devo prová-lo.

Sra Allan sorriu e pegou uma grossa fatia triangular. O pastor e Marilla também.

A Sra. Allan deu uma mordida e uma expressão muito peculiar cruzou seu rosto; nenhuma palavra ela disse. No entanto, Marilla percebeu a expressão e se apressou em provar o bolo.

— Anne Shirley! — ela exclamou. — O que você colocou neste bolo?

— Fiz exatamente de acordo com as instruções, Marilla — disse Anne angustiada — Oh, não ficou bom?

— É simplesmente horrível. Sra. Allan, não tente comê-lo. Anne, prove você mesma. Que aromatizante você usou?

— Baunilha — disse o rosto de Anne vermelho-escuro, depois de provar o bolo. — Apenas baunilha! Oh, Marilla, a culpa deve estar no fermento.

— No fermento? Oh... certamente não! Vá buscar a baunilha que você usou.

Anne voou para a despensa e voltou com uma pequena garrafa, parcialmente cheia de um líquido marrom e marcada com uma etiqueta amarela com as palavras: "A melhor baunilha".

Marilla pegou, abriu a tampa e cheirou.

— Ai, meu Deus, Anne, você colocou gotas de "elixir" para dor na sua massa de bolo. Eu quebrei uma garrafa de elixir na semana passada e despejei o restante em uma velha garrafa de baunilha vazia. Isso, é claro, é parcialmente minha culpa. Eu deveria tê-la avisado, mas garota, você não cheirou isso?

— Não poderia, estava com o nariz entupido!

Ao mesmo tempo, ela fugiu para seu quarto no sótão, onde se jogou na cama e umedeceu o travesseiro de lágrimas.

Depois de um tempo, passos leves foram ouvidos na escada e alguém entrou na sala.

— Oh, Marilla! — Anne soluçou sem levantar os olhos. — Eu estou desonrada para sempre! Eu nunca vou superar isso. Essa notícia vai se espalhar por Avonlea. Diana vai me perguntar pelo bolo, e eu tenho que contar a ela a verdade. Serei chamada de "garota que coloca gotas de elixir em um bolo" Gil..., quer dizer, os meninos da escola vão rir de mim. Oh, se você tem uma centelha de piedade, então não me deixe descer para lavar a louça agora. Lavo a louça quando o pastor e a senhora forem embora, mas nunca mais poderei olhar a Sra. Allan nos olhos. Ela pode pensar que minha intenção era envenená-la. A Sra. Lynde diz que conhece uma garota do orfanato que tentou envenenar a senhora que a levou para casa. Mas essa droga não é tóxica... Marilla, pode dizer tudo isso à Sra. Allan?

— Por que você não se levanta e diz a ela pessoalmente? — disse uma voz alegre.

Anne levantou-se e lá estava a Sra. Allan, olhando para ela com olhos risonhos.

— Minha querida amiguinha, você não precisar chorar assim — disse ela, bastante surpresa ao ver o rosto vermelho e inchado de Anne. — Esse foi um equívoco que poderia ter acontecido com qualquer pessoa.

— Oh, não, só eu cometo erros assim — Anne disse desamparada. — E minha intenção era fazer um bolo perfeito para a senhora.

— Eu sei disso, querida. E posso assegurar-lhe que valorizo sua bondade e boa intenção. Agora você pode parar de chorar, descer comigo e me mostrar seu jardim. A senhorita Cuthbert me disse que você tem seu próprio jardim. Adoraria ver porque flores me interessam muito.

Anne se deixou ser conduzida para o andar de baixo, refletindo que era realmente providencial que a Sra. Allan fosse uma alma irmã. Nada mais foi dito sobre o bolo e, quando os convidados foram embora, Anne descobriu que tinha gostado da noite mais do que se poderia esperar, considerando aquele terrível incidente. Mesmo assim, ela suspirou profundamente.

— Marilla, não é bom pensar que amanhã é um novo dia? E sem erros?

— Garanto que você cometerá outros ainda — disse Marilla. — Eu nunca vi ninguém cometer erros como você, Anne.

— Sim, eu bem sei disso — admitiu Anne tristemente. — Mas você notou algo que é muito gratificante, Marilla? Nunca faço a mesma travessura duas vezes.

— Não sei se isso é muito bom porque você está sempre inventando outras novas.

— Oh, você não vê, Marilla? Deve haver um limite para os erros, e quando eu chegar ao fim dos meus, vou ficar livre deles. É um pensamento muito reconfortante.

— Bem, é melhor você dar o bolo aos porcos — disse Marilla. — Não é adequado ninguém comer aquilo.

## XXII
## ANNE RECEBE UM CONVITE PARA O CHÁ

— Por que esse olhos estão tão brilhantes? — perguntou Marilla quando Anne acabava de voltar do correio. — Você conheceu alguma nova alma irmã?

A excitação envolveu Anne e brilhava em seus olhos. Ela viera dançando pela alameda, como uma fada ao vento, através do sol suave e das sombras preguiçosas das tardes de agosto.

— Não, Marilla, mas o que você acha? Convidaram-me para um chá na casa paroquial amanhã à tarde! A Sra. Allan deixou esta carta para mim no correio. Olha só, Marilla! "Senhorita Anne Shirley, Green Gables." Esta é a primeira vez que sou chamada de senhorita. Vou guardar esta carta para sempre, entre meus tesouros mais preciosos.

— A Sra. Allan me disse que iria convidar todas as crianças da escola dominical, não exagere — disse Marilla com frieza. — Não fique tão frenética! Fique calma!

Para Anne, levar as coisas com calma seria como mudar sua natureza. Com suas qualidades de caráter sensível e vivo, ela recebia tanto as tristezas quanto as alegrias da vida com tripla intensidade. Marilla compreendeu isso e se sentiu preocupada. Portanto, concebeu ser seu dever educar Anne em um temperamento tranquilo e uniforme. Mas ela não fez muito progresso, como, depois, tristemente admitiu para si mesma. A queda de alguma esperança ou plano querido mergulhava Anne nas "profundezas da aflição". O êxito, no entanto, a levava para reinos vertiginosos de deleite. Marilla quase tinha começado a perder as esperanças de transformar esta criança em sua menininha modelo de maneiras recatadas e comportamento recatado. Nem ela mesma admitiria que gostava de Anne do jeito que ela era.

Naquela noite, Anne foi para a cama muda de dor porque Matthew havia dito que o vento tinha virado para nordeste e ele estava com medo de haver chuva no dia seguinte. A agitação das árvores ao redor da casa a preocupava, agora parecia uma profecia de tempestade e desastre para uma pequena senhorita que desejava particularmente um dia claro. Anne achou que a manhã nunca chegaria.

Mas todas as coisas têm fim, mesmo as noites antes do dia em que você é convidada a tomar chá na casa paroquial. A manhã, apesar das previsões de Matthew, estava boa e o ânimo de Anne atingiu seu ápice.

— Oh, Marilla, hoje tem algo em mim que me faz amar tudo o que vejo — exclamou ela, lavando a louça. — Você não pode imaginar como me sinto bem! Não seria divertido se isso durasse? Acho que poderia me tornar uma garota modelo se me convidassem para tomar chá todos os dias. Mas ah, Marilla, é uma ocasião muito solene; me sinto tão ansiosa. E se eu não me comportar como deve? Você sabe que eu nunca tomei chá na casa paroquial antes, e não estou ciente de todas as regras do que é apropriado e do que não é, embora tenha estudado regras de etiqueta no *Home Journal*. Tenho medo de estar fazendo algo errado ou me esquecendo de fazer o que deveria.

— O problema, Anne, é que você pensa demais sobre si mesma. Você deveria pensar na Sra. Allan e no que acha que seria o melhor e mais agradável para ela — disse Marilla, e desta vez, com toda a simplicidade deu seu conselho sobre um modo de vida saudável e sensato.

— Marilla, você está certa. Vou tentar não pensar em mim mesma.

Anne aparentemente realizou sua visita sem violações das regras da vida social, pois no entardecer, quando o céu noturno brilhava dourado e rosa avermelhado, ela voltou para casa, excessivamente feliz e contente. Ela se sentou do lado de fora da porta da cozinha e abaixou a cansada cabeça no colo de Marilla.

Uma brisa fresca soprava sobre os campos abertos e suaves, vinda da borda do pinheiro, que crescia nas cristas a Oeste, e atravessava as colinas sibilantes. Uma estrela brilhava acima do pomar e vagalumes pairavam no sopé das árvores entre galhos farfalhantes. Anne os seguia com os olhos enquanto falava e, gradualmente, o vento, as estrelas e os vagalumes se fundiram em algo indescritivelmente doce e encantador.

— Oh, Marilla, eu me diverti muito! Dificilmente pode ser descrito em palavras... Quando cheguei à casa paroquial, a Sra. Allan saiu e me recebeu na escada. Ela estava vestindo um traje de musselina rosa com mangas curtas, parecia um anjo. Acho que gostaria de me tornar uma esposa de pastor quando crescer, Marilla. O pastor não se importaria com meu cabelo ruivo, pois ele não pensaria nessas coisas mundanas. Eu teria um temperamento gentil e bom. Para alguns, é tão fácil e natural ser gentil e bom, mas eu não pertenço a este grupo. A Sra. Lynde diz que estou cheia de pecado original. Mas eu sei que estou tentando fazer o meu melhor, e isso também deve contar como algo bom, certo? A Sra. Allan é uma dessas pessoas naturalmente boas. Eu a amo apaixonadamente. Você sabe que existem algumas pessoas, como Matthew e a Sra. Allan, que você pode amar imediatamente, sem problemas. E há outros, como a Sra. Lynde, que você deve tentar muito amar. Outra menina havia sido convidada, da Escola Dominical. O nome dela era Lauretta Bradley, e ela é uma menina muito engraçada. Não é exatamente uma alma irmã, você sabe, mas ainda é muito simpática. Depois do chá, a Sra. Allan tocou e cantou e fez Lauretta e eu cantarmos também. A Sra. Allan disse que tenho uma boa voz e disse que devo cantar no coro da escola dominical. Você não pode imaginar como fiquei emocionada com o mero pensamento. Desejei tanto cantar no coro da escola dominical, como Diana faz, mas temia que fosse uma honra à qual nunca poderia aspirar. Lauretta teve que ir para casa mais cedo porque há um grande concerto esta noite no Hotel White Sands e sua irmã vai recitar. Depois que Lauretta foi embora, a Sra. Allan e eu tivemos uma conversa franca. Contei tudo a ela, sobre a Sra. Thomas e os gêmeos, Katie Maurice e Violetta, minha vinda para Green Gables e meus problemas com geometria. E você acredita, Marilla, que a Sra. Allan me contou que também tinha dificuldades em geometria? Você não sabe como isso me alentou. A Sra. Lynde chegou na casa paroquial pouco antes de eu sair, e o que você acha, Marilla? Os membros do conselho contrataram uma professora. O nome dela é Miss Muriel Stacy. Não é um nome romântico? A Sra. Lynde diz que eles nunca tiveram uma professora em Avonlea antes e ela acha que é uma inovação perigosa. Mas acho que será esplêndido ter uma professora, e realmente não vejo como vou sobreviver as duas semanas antes do início das aulas. Estou tão impaciente para vê-la.

## XXIII
## ANNE É DERROTADA EM UM ASSUNTO DE HONRA

Anne teve que viver por mais de duas semanas, no fim das contas. E agora que um mês inteiro havia passado desde a confusão causada pelo bolo, era hora de ela sofrer outros acidentes. Erros menores, como quando esvaziou um barril de leite desnatado em uma cesta de novelos lã, em vez de despejá-lo no balde dos porcos, ou quando mergulhou em um sonho com os olhos abertos e saiu direto da ponte para dentro do riacho, o que, na realidade, não vale a pena contar.

Uma semana depois da festa do chá na casa paroquial, Diana deu uma bonita festa.

— Um grupo pequeno, mas escolhido — Anne disse a Marilla. — Apenas meninas da nossa classe.

Elas se divertiram deliciosamente, e nada inadequado aconteceu até depois do jantar, quando estavam no jardim de Barry, um pouco cansadas de todos os jogos. Não demorou muito para que elas começassem a desafiar uma à outra.

O "desafio" estava muito em voga naquela época entre as jovens da escola de Avonlea. Tinha se originado entre os meninos, mas logo arrebatou as meninas, e foram tantos desafios naquele verão que daria para encher um livro.

Em primeiro lugar, Carrie Sloane disse que Ruby Gillis não se atreveria a escalar um galho de uma enorme árvore de salgueiro que ficava fora da entrada principal da casa. O que Ruby Gillis fez naturalmente, embora estivesse morrendo de medo, em parte por causa das lagartas que habitavam nela. Então Josie Pye disse que Jane Andrews certamente não pularia com o pé esquerdo em todo o jardim sem parar uma vez. Jane Andrews embarcou na tentativa com grande confiança, mas perdeu o jogo na terceira curva e foi forçada a admitir sua incapacidade.

Anne Shirley desafiou Josie a andar ao longo do topo da cerca de ripas de madeira que cercava o jardim. Andar em uma cerca de ripas pode ser comparado a correr em uma corda e requer habilidade para manter o equilíbrio. Mas Josie Pye, apesar de carecer de algumas das qualidades que tornam as pessoas populares, possuía tendências absolutamente maravilhosas para encontrar um equilíbrio na cerca do jardim. Josie contornou toda a cerca com tanta flexibilidade que ela olhou para todas as garotas com ar de vitória.

Anne jogou suas tranças vermelhas.

— Não acho que seja uma coisa tão maravilhosa andar numa cerca pequena e baixa — disse ela. — Eu conheci uma garota em Marysville que podia andar na viga mestra de um telhado.

— Acho que não — disse Josie na hora. — Acho que ninguém consegue andar ao longo do telhado. Pelo menos você não pode.

— Não posso? — gritou Anne.

— Então mostre que você pode — disse Josie em uma voz instigante. — Eu a desafio a subir lá e caminhar pela viga mestra do telhado da cozinha da Sra. Barry.

Anne ficou pálida, mas havia claramente apenas uma coisa a ser feita. Ela caminhou em direção à casa, onde uma escada estava encostada no telhado da cozinha. Todas as meninas da quinta classe disseram: "Oh!" em parte por excitação, em parte por medo.

— Não faça isso, Anne! — Diana suplicou. — Você vai cair e morrer. Não se importe com Josie Pye. Não é justo desafiar alguém a fazer algo tão perigoso.

— Eu tenho que fazer isso. É minha honra — Anne disse solenemente. — Caminharei pela viga do telhado, Diana, ou morrei tentando. Se eu morrer, fique com meu anel de pérola.

Anne subiu a escada em meio a um silêncio sem fôlego, alcançou a viga mestra, equilibrou-se ereta sobre aquela base precária e começou a caminhar por ela, tonta da consciência de que estava desconfortavelmente no alto do mundo, e neste momento sua imaginação não ajudou em nada. Mesmo assim, ela conseguiu dar vários passos antes que a catástrofe viesse. Então ela oscilou, perdeu o equilíbrio, tropeçou, cambaleou e caiu, deslizando sobre o telhado queimado pelo sol e despencando no emaranhado de trepadeiras de heras, tudo antes do grupo de meninas dar um grito simultâneo de terror.

Se Anne tivesse rolado para baixo do telhado pelo lado de onde subiu, é provável que Diana se tornasse imediatamente a herdeira do anel de pérolas. Mas, felizmente, ela caiu para o lado, onde o telhado se inclinava tanto sobre as escadas do vestíbulo, e cair de lá não era, nem de perto, perigoso. No entanto, quando Diana e as outras garotas correram freneticamente pela casa, exceto Ruby Gillis, que permaneceu como se estivesse enraizada no chão e ficou histérica, elas encontraram Anne deitada, toda branca e mole, entre os destroços e ruínas da trepadeira de heras.

— Anne, você está morta? — berrou Diana se ajoelhando ao lado da amiga. — Oh Anne, minha querida Anne, diga-me apenas uma palavra e diga-me se você está morta.

Para o imenso alívio de todas as meninas, e especialmente de Josie Pye, que, apesar da falta de imaginação, foi tomada por visões horríveis de um futuro rotulado como a garota que foi a causa da morte precoce e trágica de Anne Shirley, Anne sentou-se tonta e respondeu hesitante:

— Não, Diana, não estou morta, mas acho que fiquei inconsciente.

— Onde? — soluçou Carrie Sloane. — Oh, onde, querida pequena Anne? — Antes que Anne pudesse responder, a Sra. Barry apareceu naquela cena. Ao vê-la, Anne tentou se levantar, mas afundou de novo com um grito agudo de dor.

— Qual é o problema? Que ponto você machucou? — Sra. Barry perguntou.

— Meu tornozelo — ofegou Anne. — Oh, Diana, por favor, encontre seu pai e peça a ele para me levar para casa. Eu sei que não poderei andar até lá. E tenho certeza de que não poderia pular tanto com um pé só como Jane não conseguiu no jardim.

Marilla estava do lado de fora entre suas árvores frutíferas, pegando maçãs em uma tigela, quando viu o Sr. Barry cruzando a ponte e subindo a colina; próximo a ele a Sra. Barry, e toda uma procissão de meninas seguindo atrás. Em seus braços ele carregava Anne, cuja cabeça descansava inerte em seu ombro.

Naquele momento, Marilla teve uma revelação. Na súbita pontada de medo que perfurou seu coração, ela percebeu que Anne passou a significar muito para ela. Ela teria admitido que gostava de Anne, não que gostava *tanto* de Anne. Mas agora ela sabia, enquanto descia apressadamente a encosta, que Anne era mais querida para ela do que qualquer outra coisa na Terra.

— Sr. Barry, o que aconteceu com ela? — ela ofegou pálida e agitada como nunca ficara na vida.

Anne levantou a cabeça e respondeu:

— Não se preocupe, Marilla! Subi até a cumeeira do telhado e dei um show. Acho que torci o tornozelo. Mas, Marilla, eu poderia ter quebrado o pescoço. Devemos ver pelo lado bom das coisas.

— Eu devia saber que você faria algo parecido quando eu a deixasse ir à festa — disse Marilla, brusca e mal-humorada, em seu alívio. — Traga-a aqui, Sr. Barry, e deite-a no sofá. Piedade de mim, a criança desmaiou!

Isso era verdade. Tomada pela dor que sentia nas pernas, Anne mergulhou em um feliz estado de inconsciência.

Matthew, convocado às pressas do campo de colheita, foi imediatamente enviado para o médico, que no tempo devido apareceu, para descobrir que o ferimento era mais grave do que eles imaginavam. O tornozelo de Anne estava quebrado.

Quando Marilla subiu para o quarto do sótão no final da tarde, onde uma menina de rosto branco estava deitada, uma voz queixosa a saudou da cama.

— Você não sente muito por mim, Marilla?

— Foi sua própria culpa — disse Marilla, fechando a cortina e acendendo um lampião.

— E é exatamente por isso que você deveria sentir pena de mim — disse Anne, — porque a culpa de tudo é minha, é o que torna tudo mais difícil. Se eu pudesse culpar alguém, me sentiria muito melhor. Mas o que você teria feito, Marilla, se tivesse sido desafiada a andar em uma viga mestra?

— Eu teria ficado em terra firme e deixado que ela se cansasse de esperar. Quanta loucura! — disse Marilla.

Anne suspirou.

— Mas você tem muita força de espírito, Marilla. Eu não tenho. Eu simplesmente senti que não poderia suportar o desprezo de Josie Pye. Ela iria se gabar disso por toda a minha vida. E acho que fui tão punida que você não precisa ficar zangada comigo, Marilla. Afinal, não é nada bom desmaiar. E doeu demais quando o médico estava ajustando meu tornozelo. Não poderei andar por aí por seis ou sete semanas e vou sentir falta da nova professora. Ela não será mais nova quando eu puder ir para a escola. E Gil... quer dizer, todo mundo vai ficar na minha frente na aula. Oh, eu sou uma mortal aflita. Mas tentarei suportar tudo com coragem, se ao menos você não ficar zangada comigo, Marilla.

— Calma, calma, não estou zangada — disse Marilla. — Você é uma criança azarada, não há dúvida, como você mesma diz: você terá que suportar o sofrimento. Agora, experimente comer um pouco.

— Não é uma sorte eu ter essa imaginação? — disse Anne. — Isso vai me ajudar esplendidamente, eu espero. O que as pessoas que não têm imaginação fazem quando quebram os ossos, Marilla?

Anne teve bons motivos para abençoar sua imaginação muitas e muitas vezes durante as tediosas sete semanas que se seguiram. Mas ela não dependia apenas disso. Ela tinha muitas visitas e não passava um dia sem que uma ou mais das colegas aparecessem para lhe trazer flores e livros e lhe contar todos os acontecimentos no mundo juvenil de Avonlea.

— Todo mundo tem sido tão bom e gentil, Marilla — suspirou Anne feliz, no dia em que ela conseguiu andar mancando. — Não é muito agradável ficar deitada; mas há um lado bom nisso, Marilla. Você descobre quantos amigos você tem. Ora, até o diretor Bell veio me ver e ele é realmente um homem muito bom. Não é uma alma gêmea, é claro; mas ainda gosto dele e sinto muito por ter criticado suas orações. Acredito agora que ele ora com sinceridade. Eu dei a ele uma boa dica geral. Eu disse o quanto eu tentava tornar minhas pequenas orações particulares interessantes. Ele me contou tudo sobre quando quebrou o tornozelo quando era menino. Parece tão estranho pensar que o Sr. Bell já foi um menino. Quando tento imaginá-lo como um menino, eu o vejo com bigodes e óculos cinza, exatamente como ele parece na escola dominical, só que pequeno. Agora, é tão fácil imaginar a Sra. Allan como uma garotinha. A Sra. Allan veio me ver catorze vezes. Não é algo para se orgulhar, Marilla? Ela nunca diz que é sua culpa e sim que espera que você seja uma garota melhor por causa disso. A Sra. Lynde sempre me disse isso quando veio me ver; mas ela disse esperar que eu seja uma garota melhor, mas não acredita realmente que isso aconteça. Até Josie Pye veio me ver. Eu a recebi o mais educadamente que pude, porque acho que ela lamentou ter me desafiado a andar na viga mestra. Se eu tivesse morrido, ela teria que carregar um pesado fardo de remorso por toda a vida. Diana foi uma amiga fiel. Ela vem todos os dias para alegrar meu travesseiro solitário. Mas, ah, ficarei tão feliz quando puder ir para a escola, pois ouvi coisas tão interessantes sobre a nova professora. Todas as meninas acham que ela é perfeitamente doce. Diana diz que tem o cabelo louro cacheado mais lindo e olhos tão fascinantes. Ela se veste lindamente e suas mangas bufantes são maiores do que as de qualquer outra pessoa em Avonlea. Duas sextas-feiras por mês ela faz recitações e todos têm que dizer uma parte ou participar de um diálogo. Oh, é simplesmente glorioso pensar nisso. Josie Pye diz que odeia, mas é só porque ela tem tão pouca imaginação. Diana, Ruby Gillis e Jane Andrews estão preparando um diálogo, chamado "A visita matutina", para a próxima sexta-feira. E nessas tardes que eles não têm recitações, Miss Stacy leva todos para a floresta para um dia de "campo" e eles estudam samambaias, flores e pássaros. E eles fazem exercícios físicos todas as manhãs e finais das tardes. A Sra. Lynde diz que nunca ouviu falar de coisas assim. Mas acho que deve ser esplêndido e acredito que descobrirei que Miss Stacy é uma alma gêmea.

— Uma coisa é certa, Anne — disse Marilla — e é que sua língua não sofreu o menor dano enquanto você rolava pelo telhado da Sra. Barry.

## XXIV
## A SENHORITA STACY ORGANIZA UM CONCERTO

Outubro já estava chegando quando Anne pôde ir para a escola novamente; um belo outubro vermelho-dourado com manhãs frias enquanto os vales eram cobertos por brumas translúcidas. O orvalho era tão granulado que lembrava um manto de prata e as folhas secas se acumulavam nos montes entre os troncos densos da floresta, farfalhando sob os pés do caminhante. O corredor de bétula era como um arco amarelo e estreito, e as samambaias pendiam geladas e marrons. Havia um cheiro forte no ar que inspirava os corações das pequenas donzelas que viajavam, ao contrário dos caracóis, com rapidez e boa vontade para a escola; e *foi* uma alegria voltar à pequena escrivaninha marrom ao lado de Diana, com Ruby Gillis acenando com a cabeça do outro lado do corredor e Carrie Sloane enviando bilhetes e Julia Bell passando um pedaço de chiclete para o banco de trás. Anne deu um longo suspiro de felicidade enquanto apontava o lápis e arrumava os cartões com gravuras na mesa. A vida era certamente muito interessante.

Na nova professora, Anne encontrou outra amiga verdadeira e prestativa. Miss Stacy era uma jovem inteligente e simpática, capaz de conquistar e manter o afeto de seus alunos e trazer à tona o que havia de melhor neles, mental e moralmente. Anne se expandiu como uma flor sob essa influência benéfica e contou em casa para o admirador Matthew e a crítica Marilla sobre seus trabalhos escolares e objetivos.

— Estou absolutamente encantada com a senhorita Stacy, Marilla. Ela tem um comportamento e uma fala tão gentis e excelentes, e uma voz tão agradável. Quando ela recita meu nome, posso ouvir claramente que ela o recita com um E no final... Esta tarde recitamos poemas. Gostaria que você tivesse estado lá e me ouvido dizer "Lady MacBeth". Coloquei toda a minha alma nisso... Então, quando fomos para casa, Ruby Gillis me disse que quando eu recitei os versos: "Agora, para o braço do meu pai — ela disse — adeus de meu coração de mulher" — fez seu sangue gelar.

— Você pode recitar para mim um dia lá fora no celeiro — pensou Matthew.

— Claro que vou — disse Anne pensativamente — mas não vou conseguir fazer isso tão bem, eu sei. Não será tão emocionante como quando você tem uma escola inteira sem fôlego com suas palavras. Eu sei que não vou conseguir fazer seu sangue gelar.

— Sra. Lynde diz que *seu* sangue gelou ao ver os meninos subindo até o topo daquelas grandes árvores na colina de Bell atrás dos ninhos de corvos na última sexta-feira — disse Marilla. — Eu admiro a Srta. Stacy por ela encorajar isso.

— Precisávamos de um ninho de corvo na aula de ciências — Anne explicou. — Foi naquela tarde no campo e passamos uma hora no meio da natureza. O aprendizado é tão bom, e a Srta. Stacy explica tudo com muita clareza. Então, escrevemos materiais sobre nosso passeio e eu escrevi as melhores.

— Parece muito arrogante dizer isso de si mesma. Você pode deixar sua professora dizer isso.

— Ela *disse* isso, Marilla. E eu realmente não me gabo disso. Como não poderia, quando sou uma estúpida em geometria? Mas agora estou começando a entender geometria também. Miss Stacy torna a matéria muito mais compreensível para mim. Mesmo assim, nunca serei boa nisso e garanto que é um pensamento humilhante. Mas adoro escrever redações. Principalmente porque Miss Stacy nos deixa escolher nossos próprios assuntos; mas na próxima semana vamos escrever uma redação sobre alguma pessoa notável. É difícil escolher entre tantas pessoas notáveis que já viveram. Não deve ser esplêndido ser notável e ter composições escritas sobre você depois de morta? Oh, eu adoraria ser notável. Acho que quando crescer serei uma enfermeira treinada e irei com a Cruz Vermelha para o campo de batalha como uma mensageira da misericórdia. Isso é, se eu não sair como uma missionária estrangeira. Isso seria muito romântico, mas é preciso ser muito boa para ser uma missionária, e isso seria um obstáculo. Também fazemos exercícios de cultura física todos os dias. Eles tornam o corpo gracioso e promovem a digestão.

— Promovem nada! — disse Marilla numa repreensão desprezível.

Mas todas as tardes de campo e recitações às sextas-feiras e contorções da cultura física perderam o brilho diante de um projeto que Miss Stacy apresentou em novembro. Os alunos da escola de Avonlea deveriam fazer um concerto e realizá-lo no auditório na Noite de Natal, com o propósito louvável de ajudar a pagar a bandeira para a escola. Com todos os alunos atendendo graciosamente a esse plano, os preparativos para um programa começaram imediatamente. E de todos os artistas eleitos, nenhum estava tão entusiasmado quanto Anne Shirley, que se atirou de corpo e alma ao empreendimento, apesar da desaprovação de Marilla. Marilla achava tudo uma grande tolice.

— De que adianta encher a cabeça de desocupação e tirar tanto tempo do dever de casa? Não aceito que crianças devam ter permissão para se apresentar em público. Isso apenas as torna vaidosas, atrevidas e adeptas da ociosidade.

— Mas pense no propósito! — disse Anne. — A bandeira vai avivar cada vez mais o nosso amor pela pátria, Marilla.

— Acho que patriotismo é a última coisa que você tem em mente. Você apenas pensa em se divertir.

— Bem, quando você pode combinar patriotismo e diversão não há problema nenhum, não está certo? É claro que é muito bom montar um espetáculo. Teremos seis músicas e Diana fará um solo. Estou em dois diálogos — "A Sociedade para a Supressão de Fofocas" e "A Rainha das Fadas". Os meninos vão ter um diálogo também. E vou recitar dois poemas, Marilla. Eu tremo quando penso nisso, mas é um tipo de tremor agradável e emocionante. E vamos ter um quadro no final: "Fé, Esperança e Caridade". Diana, Ruby e eu estaremos nele, todas de vestidos brancos com cabelos esvoaçantes. Eu serei a Esperança, com minhas mãos entrelaçadas, então, e meus olhos erguidos. Vou praticar minhas recitações no sótão. Não se assuste se me ouvir gemendo. Eu tenho uns gemidos em minha participação, e é muito difícil conseguir um bom gemido artístico, Marilla. Josie Pye está mal-humorada porque não conseguiu a parte que queria no diálogo. Ela queria ser a rainha das fadas. Isso teria sido ridículo... quem já ouviu falar de uma rainha das fadas gorda como Josie? As rainhas das fadas são magras. Jane Andrews será a rainha e eu uma de suas damas de honra. Josie diz que acha uma fada ruiva tão ridícula quanto uma gorda, mas não me importo com o que Josie diz. Vou colocar uma coroa de rosas brancas no cabelo e Ruby Gillis vai me emprestar suas sapatilhas, porque não tenho nenhuma. É necessário que as fadas tenham sapatilhas, sabe. Você não poderia imaginar uma fada usando botas, você poderia? Vamos decorar o auditório com ramos de abetos e pinheiros rastejantes com rosas de papel de seda coladas neles. E devemos entrar dois a dois depois que o público estiver sentado, enquanto Emma White faz uma marcha no órgão. Oh, Marilla, eu sei que você não está tão entusiasmada quanto eu, mas você não espera que sua pequena Anne se destaque?

— Espero que você se comporte decente e apropriadamente. Estarei, do fundo do coração, feliz, depois que toda essa agitação acabar e você puder se acalmar. Você não está prestando para nada, uma cabeça cheia de coisas, representações e gemidos! E quanto à sua língua, é um milagre que ela não se desgaste.

Anne suspirou e saiu para o quintal, onde a lua nova brilhou no céu intercalado com galhos de choupo sem folhas. Matthew estava cortando lenha. Anne empoleirou-se em um toco e conversou sobre o concerto com ele, certa de ter um ouvinte atento e solidário.

— Bem, agora eu acho que vai ser um concerto muito bom. E espero que você faça bem sua parte — ele disse, sorrindo para seu rostinho ansioso e vivaz. Anne sorriu de volta para ele. Aqueles dois eram melhores amigos e Matthew agradecia aos céus muitas vezes por não ter nada a ver com a educação dela. Esse era o dever exclusivo de Marilla; caso fosse o dever dele, ele teria se preocupado com os frequentes conflitos entre sua inclinação e seu dever. Desse jeito ele estava livre para "estragar Anne", frase de Marilla, tanto quanto quisesse. Mas, afinal, não era um arranjo tão ruim; um pouco de "carinho" às vezes funciona tão bem quanto um longo sermão moral.

## XXV
## MATTHEW E AS MANGAS BUFANTES

Matthew estava mergulhado em seus pensamentos havia uns dez minutos. Ele entrou na cozinha ao anoitecer em uma tarde fria de dezembro e se sentou em um canto próximo a uma caixa de madeira para tirar suas botas, sem saber que Anne e algumas de suas companheiras estavam treinando a "A Rainha das Fadas" na sala.

Logo elas vieram marchando pelo corredor e saíram para a cozinha, rindo e conversando alegremente. Não viram Matthew, que se encolheu timidamente nas sombras além da caixa de madeira com uma bota em uma mão e uma meia na outra, e ele as observou timidamente pelos mencionados dez minutos enquanto elas colocavam seus gorros e jaquetas e falavam sobre o diálogo e concerto. Anne estava entre elas, com os olhos brilhantes e animados; mas Matthew repentinamente percebeu que havia algo nela diferente das outras. E o que preocupava Matthew era que a diferença que o impressionava era algo que não deveria existir. Anne tinha um rosto mais brilhante, olhos mais sonhadores e feições mais delicadas que as outras; até o tímido e desatento Matthew aprendera a prestar atenção nessas coisas; mas a diferença era o que o perturbava.

Matthew ficou obcecado por essa pergunta muito depois de as meninas terem saído, de braços dados, pela longa e congelada alameda e Anne se dedicar aos livros. Ele não poderia comentar isso com Marilla, que o trataria com desdém e comentaria que a única diferença entre elas e Anne é que as outras garotas mantinham a boca fechada. E isso, achava Matthew, não seria de grande ajuda.

Ele recorreu ao cachimbo naquela noite para ajudá-lo a pensar, para desgosto de Marilla. Depois de duas horas fumando e refletindo profundamente, Matthew chegou a uma solução para seu problema. Anne não estava vestida como as outras meninas!

Quanto mais Matthew pensava no assunto, mais se convencia de que Anne nunca se vestira como as outras garotas, desde que viera para Green Gables. Marilla a mantinha vestida com roupas simples e escuras, todas feitas no mesmo padrão invariável. Matthew não sabia que existia moda em roupas; mas ele tinha certeza de que as mangas de Anne não se pareciam em nada com as mangas que as outras garotas usavam. Ele se lembrou do grupo de garotinhas que vira naquela noite, todas alegres com vestidos vermelhos, azuis, rosas e brancos, e se perguntou por que Marilla sempre a mantinha vestida de maneira tão simples e sóbria.

Claro, não deveria ter problema algum. Marilla sabia a melhor maneira de educá-la. Provavelmente havia algum motivo sábio e indecifrável para ser assim. Mas certamente não faria mal deixar a criança ter um vestido bonito, algo como os vestidos que Diana Barry sempre usava. Matthew decidiu que daria um a ela; isso certamente não poderia ser visto como uma intromissão. Faltavam apenas quinze dias para o Natal. Um belo vestido novo seria um presente perfeito. Matthew, com um suspiro de satisfação, guardou o cachimbo e foi para a cama, enquanto Marilla abria todas as portas e arejava a casa.

Na manhã seguinte, Matthew se dirigiu a Carmody para comprar o vestido, determinado a superar logo o incômodo. Ele tinha certeza de que seria uma grande provação. Havia algumas coisas que Matthew podia comprar e provar que não era um negociador mesquinho; mas ele sabia que estaria à mercê dos lojistas quando se tratava de comprar o vestido de uma menina.

Depois de muito cogitar, Matthew decidiu ir à loja de Samuel Lawson em vez de William Blair. Os Cuthbert sempre compraram na loja de William Blair. Mas as duas filhas de William Blair frequentemente atendiam os clientes e isso mantinha Matthew em pavor absoluto. Ele poderia planejar como lidar com elas se soubesse exatamente o que queria e pudesse apontar; mas em um assunto como este, que requer explicação e consulta, Matthew achava que tinha que ter um homem atrás do balcão. Então ele iria para a loja de Lawson, onde Samuel ou seu filho o atenderia.

Ai dele! Matthew não sabia que Samuel, na recente expansão de seu negócio, colocara a sobrinha da sua mulher como atendente. Era, na verdade, uma jovem muito vistosa, olhos castanhos grandes e um sorriso muito amplo e desconcertante. Ela estava vestida com extrema elegância e usava várias pulseiras que brilhavam, chacoalhavam e tilintavam a cada movimento de suas mãos. Matthew ficou confuso ao encontrá-la ali; e aquelas pulseiras destruíram completamente seu juízo de uma só vez.

— O que posso fazer pelo Sr. esta noite, Sr. Cuthbert? — A senhorita Lucilla Harris indagou, rápida e insinuante, batendo no balcão com as duas mãos.

— Você tem algum... algum... bem, digamos, algum ancinho de jardim? — gaguejou Matthew.

A senhorita Harris pareceu um tanto surpresa, ao ouvir um homem pedindo ancinhos em meados de dezembro.

— Acredito que ainda temos um ou dois — disse ela — mas eles estão lá em cima, na despensa. Eu vou ver.

Durante a ausência dela, Matthew recobrou seus sentidos para fazer outra tentativa.

Quando a Srta. Harris voltou com o ancinho e perguntou animadamente:

— Mais alguma coisa esta noite, Sr. Cuthbert?

Matthew segurou a coragem com as duas mãos e respondeu:

— Bem, já que você está sugerindo, eu também poderia... pegar... isto é... olhar... comprar... um pouco de feno.

A senhorita Harris tinha ouvido que Matthew Cuthbert era estranho. Ela agora concluiu que ele era totalmente louco.

— Nós só mantemos sementes de feno na primavera — ela explicou altivamente. — Não temos nenhum disponível agora.

— Oh, certamente... certamente... — gaguejou o infeliz Matthew, agarrando o ancinho e indo para a porta. No limiar, ele se lembrou de que não havia pagado por isso, voltou miseravelmente para trás. Enquanto a Srta. Harris contava o troco, ele reuniu seus poderes para uma tentativa final desesperada.

— Bem, agora, se não for muito problema... eu poderia também... isto é... eu gostaria de dar uma olhada em... em... um pouco de açúcar.

— Branco ou mascavo? — perguntou a Srta. Harris pacientemente.

— Oh, bem agora, mascavo — disse Matthew debilmente.

— Tem um barril ali — disse a Srta. Harris, sacudindo as pulseiras para ele. — É o único tipo que temos.

— Vou... vou levar dez quilos disso — disse Matthew, com gotas de suor na testa.

Matthew havia dirigido a meio caminho de casa antes de voltar a ser dono de si. Foi uma experiência horrível, mas foi bem feito, pensou ele, por cometer a heresia de ir a uma loja estranha. Quando chegou em casa, escondeu o ancinho na casa das ferramentas, mas o açúcar levou para Marilla.

— Açúcar mascavo! — exclamou Marilla. — O que deu em você para conseguir tanto? Você sabe que eu nunca uso este, exceto para o mingau do contratado ou o bolo de frutas vermelhas. Também não é um bom açúcar, é grosso e escuro. William Blair geralmente não guarda açúcar assim.

— Eu... eu pensei que poderia ser útil algum dia — disse Matthew, saindo rápido.

Quando Matthew começou a pensar sobre o assunto, decidiu que uma mulher era obrigada a lidar com a situação. Marilla estava fora de questão. Matthew tinha certeza de que ela jogaria água fria em seu projeto imediatamente. Restou apenas a Sra. Lynde; pois não se atreveria a pedir a outra mulher em Avonlea. Foi até a Sra. Lynde e aquela boa senhora prontamente tirou o assunto das mãos do homem atormentado.

— Escolher um vestido para você dar a Anne? Pode ter certeza que sim. Vou para a Carmody amanhã e tratarei disso. Você tem algo em particular em mente? Não? Bem, irei pelo meu próprio julgamento, então. Eu acredito que um belo marrom rico combinaria com Anne, e William Blair tem um tecido novo que é muito bonito. Talvez você queira que eu costure o vestido para ela. Bem, eu farei isso. Não, não é um problema. Eu gosto de costura. Vou fazer para caber em minha sobrinha, Jenny Gillis, porque ela e Anne têm o mesmo corpo.

— Bem, estou muito agradecido — disse Matthew — e... e... não sei... mas eu gostaria... que tivessem as mangas diferentes das que costumavam ter. Se não fosse pedir muito, eu... gostaria que fossem feitos do novo jeito.

— Bufantes? Claro. Você não precisa se preocupar mais com isso, Matthew. Vou fazer como na última moda — disse a Sra. Lynde.

"Será uma grande satisfação ver aquela pobre criança vestindo algo decente pela primeira vez. A maneira como Marilla a veste é absolutamente ridícula, é isso, e eu desejei dizer isso a ela claramente uma dúzia de vezes. Mas segurei minha língua, pois posso ver que Marilla não quer conselhos e acha que sabe mais sobre educação de filhos do que eu. Mas é sempre assim. Pessoas que criaram filhos sabem que não existe um método eficaz no mundo que seja adequado para todas as crianças. Mas, os que nunca tiveram uma acham que é tudo tão simples e fácil quanto a Regra de Três. Mas carne e sangue não vêm sob a cabeça da aritmética e é aí que Marilla Cuthbert comete seu erro. Suponho que ela esteja tentando cultivar um espírito de humildade em Anne, vestindo-a como ela faz; mas é mais provável que cultive a inveja e o descontentamento. Tenho certeza de que a criança deve sentir a diferença entre suas roupas e as das outras meninas. E pensar que Matthew tenha notado isso! Esse homem está acordando depois de ter dormido por mais de sessenta anos."

Durante as duas semanas que se seguiram, Marilla percebeu que seu irmão tinha algo especial em mente, mas ela não conseguiu descobrir o que era até a véspera de Natal, quando a Sra. Lynde apareceu para trazer o vestido novo. Marilla parece ter recebido bem a notícia, embora seja provável que ela tenha ouvido com algum ceticismo a explicação diplomática da Sra. Lynde de que ela havia costurado porque Matthew temia que Anne descobrisse a surpresa se a própria Marilla começasse a costurar.

— Então, é por isso que Matthew parecia tão misterioso e ria de si mesmo — disse ela com força, mas não hostil. — Sim, eu sabia que ele estava aprontando alguma... Sim, acho que Anne não precisaria de mais vestidos. Eu costurei para ela três peças quentes, duráveis e práticas neste outono, e mais que isso, é realmente desnecessário. Afinal, aquelas mangas gastam muito tecido... Só vai dar impulso à vaidade de Anne, e ela já é tão vaidosa quanto um pavão. Bem, agora acho que ela finalmente ficará feliz, eu sei que ela ansiava por essas mangas idiotas desde que veio para cá, embora nunca tenha falado sobre elas.

A manhã de Natal surgiu em um lindo mundo branco. Dezembro estava muito ameno e as pessoas ansiavam por um Natal sem neve, mas durante a noite a neve caiu suavemente para transfigurar Avonlea. Anne espiou pela janela com olhos encantados. Os abetos na Floresta Assombrada estavam todos emplumados e maravilhosos; as bétulas e cerejeiras selvagens estavam cobertas como pérolas; os campos arados pareciam covinhas na neve; e havia um cheiro forte no ar que era glorioso. Anne desceu correndo as escadas cantando até que sua voz ecoou em Green Gables.

— Feliz Natal, Marilla! Feliz Natal, Matthew! Finalmente teremos um Natal branco, e estou tão feliz, tão feliz! O Natal tem que ser branco, não verde! De qualquer forma, não é verde, é apenas marrom e cinza turvo e bagunçado... Por que as pessoas chamam de verde? Não... mas... Matthew. Oh!... isso é para mim?

Matthew desdobrou timidamente o vestido das faixas de papel e estendeu-o com um olhar depreciativo para Marilla, que fingiu estar enchendo o bule com desdém, mas mesmo assim observou a cena com o canto do olho com um ar bastante interessado.

Anne pegou o vestido e olhou para ele em silêncio reverente. Oh, como era bonito, um adorável marrom-claro com todo o brilho da seda; uma saia com babados delicados; uma cintura elaboradamente na última moda, com um pequeno babado de renda transparente no pescoço. Mas as mangas, elas eram a glória suprema! Longas até o cotovelo e, acima delas, duas belas mangas bufantes divididas por fileiras de franzidos e laços de fita de seda marrom.

— É um presente de Natal para você, Anne — disse Matthew timidamente. — Por que... por que... Anne, você não gostou? Bem agora...

Os olhos de Anne se encheram de lágrimas de repente.

— Se gostei? Oh, Matthew! — Anne colocou o vestido sobre uma cadeira e entrelaçou as mãos. — Matthew, é perfeitamente primoroso. Oh, nunca poderei agradecer o suficiente. Olhe essas mangas! Oh, parece-me que devo estar em um sonho.

— Bem,vamos tomar o café da manhã agora — interrompeu Marilla. — Acho que você nem precisava desse vestido, mas agora que Matthew fez isso para você, pode cuidar bem dele. Aqui está o laço que a Sra. Lynde pediu para entregar a você. É marrom de modo que combina com o vestido. Venham se sentar à mesa.

— Não entendo como posso tomar café da manhã — disse Anne, que irradia alegria. — O café da manhã é algo tão prosaico em um momento tão emocionante. Em vez disso, deixe-me nutrir meus olhos observando meu novo vestido. Estou tão feliz que mangas bufantes ainda estão na moda. Era como se eu tivesse a sensação de que nunca teria um. Nunca me senti tão satisfeita e feliz. E a Sra. Lynde fez a gentileza de me dar o laço. Eu sinto que devo aprender a ser uma garota muito gentil e boa.

Quando o prosaico café da manhã terminou, Diana apareceu, cruzando a ponte de madeira branca, uma pequena figura alegre em seu casaco carmesim. Anne desceu a encosta para encontrá-la.

— Feliz Natal, Diana! E oh, é um Natal maravilhoso. Tenho algo esplêndido para mostrar a você. Matthew me deu o vestido mais lindo, com *essas* mangas. Eu não poderia imaginar nada melhor.

— Tenho algo para você — disse Diana sem fôlego. — Aqui... esta caixa. Tia Josephine nos enviou uma grande caixa com muitas coisas dentro... e isto é para você. Eu teria trazido ontem à noite, mas escureceu, e eu nunca me sinto muito confortável vindo através da Floresta Assombrada no escuro agora.

Anne abriu a caixa e espiou dentro. Primeiro, um cartão com "Para a garota Anne e Feliz Natal" escrito nele; e, em seguida, um par de sapatilhas muito elegantes, com laços de cetim e fivelas brilhantes.

— Oh — disse Anne — Diana, isso é demais. Eu devo estar sonhando.

— Eu chamo isso de providencial — disse Diana. — Você não terá mais que pedir emprestadas as sapatilhas de Ruby agora, e isso é uma bênção, pois elas são dois tamanhos maiores do que os que você usa e seria horrível ouvir uma fada arrastando os pés. Josie Pye ficaria encantada. Não sei se você sabe, Rob Wright foi para casa com Gertie Pye depois do ensaio de anteontem. Você já ouviu algo que se compare a isso?

Todos os alunos de Avonlea estavam em uma excitação febril hoje, enquanto o salão de baile seria decorado e o último grande ensaio geral seria realizado.

O concerto foi apresentado à noite e foi um grande sucesso. O pequeno auditório estava lotado; todos os intérpretes se saíram muito bem, mas Anne foi a estrela especial da noite, como nem mesmo a inveja de Josie Pye, ousou negar.

— Oh, não foi uma noite brilhante? — suspirou Anne, quando tudo acabou e ela e Diana estavam voltando para casa juntas sob um céu escuro e estrelado.

— Tudo correu muito bem — disse Diana. — Acho que arrecadamos mais de dez dólares. Veja bem, o Sr. Allan vai enviar um relato sobre isso aos jornais de Charlottetown.

— Oh, Diana, realmente veremos nossos nomes impressos? Fico emocionada ao pensar nisso. Seu solo foi perfeitamente elegante, Diana. Eu me senti mais orgulhosa do que você quando pediram bis. Eu disse a mim mesma: É minha querida amiga do peito quem está recebendo essa honra.

— Bem, seus poemas acabaram de derrubar a casa, Anne. Aquele poema triste foi simplesmente esplêndido.

— Oh, eu estava com tanto medo, Diana! Quando o Sr. Allan chamou meu nome, realmente não posso dizer como cheguei naquela plataforma. Senti como se um milhão de olhos estivessem olhando para mim e, por um momento terrível, tive certeza de que não conseguiria começar. Então pensei em minhas lindas mangas bufantes e tomei coragem. Eu sabia que deveria fazer jus a essas mangas, Diana. Então comecei, e minha voz parecia vir de muito longe. Foi providencial eu ter ensaiado muito ou nunca teria conseguido passar. Eu gemi bem?

— Você gemeu muito bem — garantiu Diana.

— Eu vi a velha Sra. Sloane enxugando as lágrimas. Foi esplêndido comover o coração de alguém! É tão romântico participar de um show, não é? Oh, realmente foi uma ocasião memorável.

— O diálogo dos meninos não foi bom? — disse Diana. — Gilbert Blythe foi simplesmente esplêndido. Anne, eu acho horrível a maneira como você trata Gil. Espere até eu lhe contar. Quando você saiu correndo da plataforma após o diálogo das fadas, uma de suas rosas caiu do cabelo. Vi que Gil pegou a rosa e colocou no bolso da camisa. Você é tão romântica que tenho certeza de que gostará disso.

— Não me importa o que essa pessoa faça — Anne disse com altivez. — Nunca perco meu pensamento com relação a ele, Diana.

Naquela noite, Marilla e Matthew, que tinham ido a um concerto pela primeira vez em vinte anos, sentaram-se por um tempo perto do fogo da cozinha depois que Anne foi para a cama.

— Bem, acho que nossa Anne se saiu tão bem quanto qualquer um deles — disse Matthew com orgulho.

— Sim — admitiu Marilla. — Ela é uma criança brilhante, Matthew. E ela estava muito bonita também. Eu me opunha a esse tipo de concerto, mas acho que não há nenhum dano real nisso, afinal. De qualquer forma, eu fiquei orgulhosa de Anne esta noite, embora não vá dizer isso a ela.

— Eu também estava orgulhoso dela e disse isso para ela antes de ela subir — disse Matthew. — Precisamos ver o que podemos fazer por ela algum dia, Marilla. Acho que ela vai precisar de algo mais do que a escola Avonlea.

— Há tempo suficiente para pensar nisso — disse Marilla. — Ela terá apenas treze anos em março. Embora esta noite tenha me ocorrido que ela estava se tornando uma menina bastante crescida. A Sra. Lynde fez aquele vestido um pouco longo e isso faz Anne parecer tão alta. Ela aprende rápido e acho que a melhor coisa que podemos fazer por ela é mandá-la para a Queen's daqui um tempo. Mas nada precisa ser dito sobre isso por um ou dois anos.

— Bem, não vai fazer mal ficar pensando nisso de vez em quando — disse Matthew. — Coisas desse tipo têm que ser pensadas.

# XXVI
# O CLUBE DE CONTOS SE FORMA

Avonlea achou difícil voltar a ter uma existência monótona. Para Anne, em particular, as coisas pareciam terrivelmente iguais, sem graça e inúteis depois do cálice da excitação que ela bebera por semanas. Ela poderia voltar aos antigos prazeres tranquilos daqueles dias distantes antes do concerto? A princípio, como disse a Diana, ela realmente não achou que pudesse.

— Estou absolutamente certa, Diana, de que a vida nunca mais será a mesma de antigamente — disse ela tristemente, como se referindo a um período de pelo menos cinquenta anos atrás. — Talvez daqui a pouco eu me acostume, mas temo que os concertos estraguem as pessoas para a vida cotidiana. Suponho que seja por isso que Marilla os desaprova. Marilla é uma mulher tão sensata. Deve ser muito melhor ser sensata; mas, ainda assim, não acredito que realmente gostaria de ser uma pessoa sensata, porque elas são tão pouco românticas. A Sra. Lynde diz que não há perigo de eu ser uma, mas nunca se sabe. Sinto agora que ainda posso crescer e ser uma. Mas talvez seja só porque estou cansada. Simplesmente não consegui dormir ontem à noite por muito tempo. Eu simplesmente fiquei acordada e imaginei o concerto repetidamente. Isso é uma coisa esplêndida, é tão adorável relembrá-lo.

No entanto, a escola Avonlea voltou ao antigo ritmo e retomou seus antigos interesses. Com certeza, o concerto deixou vestígios. Ruby Gillis e Emma White, que haviam discutido sobre seus assentos, não se sentaram mais na mesma mesa, e uma amizade promissora de três anos foi rompida. Josie Pye e Julia Bell não "se falaram" por três meses, porque Josie Pye disse a Bessie Wright que Julia Bell quando se levantou para recitar a fez lembrar uma galinha sacudindo a cabeça, e Bessie contou a Julia. Nenhum dos Sloanes tinha mais qualquer relação com os Bells, porque os Bells declararam que os Sloanes tiveram mais participação no programa. Finalmente, Charlie Sloane brigou com Moody Spurgeon MacPherson, porque Moody Spurgeon disse que Anne Shirley foi muito exagerada em suas recitações, e Moody Spurgeon tomou um murro e sua irmã Ella May, não falou mais com Anne Shirley durante o resto do inverno. Com exceção desses atritos insignificantes, o trabalho no pequeno reino de Miss Stacy prosseguia com regularidade e suavidade.

O inverno foi tranquilo. A neve estava extraordinariamente amena e tão fraca que Anne e Diana podiam caminhar pelo corredor de bétulas para a escola quase todos os dias. No aniversário de Anne, elas caminharam em passos leves, mantendo os olhos e os ouvidos abertos, pois a Srta. Stacy havia dito que logo fariam uma redação sobre "O Inverno na floresta" e, portanto, naturalmente, tiveram que reunir impressões e fazer observações no local.

— Pense bem, Diana, que estou fazendo treze anos hoje — disse Anne, sua com voz um tom quase respeitoso. — Mal consigo me convencer de que estou na adolescência... Acordei de manhã e senti que tudo deveria ser como era de outra forma... Afinal, você já fez treze anos há um mês, então suponho que não pareça uma novidade para você como parece para mim. Faz a vida parecer muito mais interessante. Em mais dois anos, estarei realmente crescida. É um grande conforto pensar que poderei usar palavras grandes sem ser motivo de riso.

— Ruby Gillis diz que pretende ter um namorado assim que tiver quinze anos — disse Diana.

— Ruby Gillis só pensa em pretendentes — disse Anne com desdém.

— Em quatro anos podemos prender o cabelo — disse Diana. — Alice Bell tem apenas dezesseis anos e usa o cabelo para cima, mas acho isso ridículo. Vou esperar até fazer dezessete.

— Se eu tivesse o nariz torto de Alice Bell — disse Anne decididamente — não faria este penteado. Não vou dizer o que queria porque seria pouco caridoso. Além disso, eu estava comparando com meu próprio nariz e isso é vaidade. Receio que penso muito no meu nariz desde que ouvi um elogio sobre ele, há muito tempo. É realmente um grande conforto para mim. Oh, Diana, olhe, aqui está um coelho. Isso é algo para se lembrar de nossa redação. Eu realmente acho que a floresta é tão linda no inverno quanto no verão. Fica tão branca e parada, como se estivesse dormindo e sonhando lindos sonhos.

— Não me importarei de escrever essa redação quando chegar a hora — suspirou Diana. — Consigo escrever sobre o bosque, mas a que vamos entregar na segunda-feira é terrível. Que ideia da Miss Stacy nos pedir para escrever uma história com nossas próprias cabeças.

— Oh, é fácil como piscar os olhos — disse Anne.

— É fácil para você porque você tem imaginação — retrucou Diana —, mas o que você faria se tivesse nascido sem ela? Suponho que você já tenha sua redação pronta.

Anne assentiu, esforçando-se ansiosamente para não parecer muito pretensiosa. Mas seus esforços falharam completamente.

— Eu escrevi na noite de segunda-feira passada. É chamado de "O rival ciumento" ou "Separados pela morte". Eu li para Marilla e ela disse que era uma bobagem. Então eu li para Matthew e ele disse que estava muito boa. É desse tipo de crítica que gosto. É uma história triste e doce. Eu simplesmente chorei como uma criança enquanto a escrevia. É sobre duas lindas donzelas chamadas Cordélia Montmorency e Geraldine Seymour que viviam na mesma aldeia e eram devotadamente ligadas uma à outra. Cordélia era uma morena majestosa com uma tiara de cabelo escuro e olhos brilhantes como o crepúsculo. Geraldine era uma loira majestosa com cabelos dourados e olhos roxos aveludados.

— Nunca vi ninguém com olhos roxos — disse Diana em dúvida.

— Nem eu. Eu apenas os imaginei. Eu queria algo fora do comum. Geraldine também tinha sobrancelhas de alabastro. Eu descobri o que é uma sobrancelha de alabastro. Essa é uma das vantagens de ter treze anos. Você sabe muito mais do que quando tinha apenas 12 anos.

— Bem, o que aconteceu com Cordélia e Geraldine? — perguntou Diana, que estava começando a se interessar pelo destino delas.

— Elas cresceram em beleza lado a lado até os dezesseis anos. Então Bertram DeVere chegou na sua aldeia natal e se apaixonou pela bela Geraldine. Ele salvou sua vida quando seu cavalo fugiu em disparada numa carruagem, e ela desmaiou em seus braços e ele a carregou para casa por cinco quilômetros; porque, você entende, a carruagem estava toda destruída. Achei um tanto difícil imaginar a proposta de casamento porque não tinha experiência para isso. Perguntei a Ruby Gillis se ela sabia alguma coisa sobre como os homens pedem as mãos das moças em casamento porque achei que ela provavelmente seria uma autoridade no assunto, tendo tantas irmãs casadas. Ruby me disse que estava escondida na despensa do corredor quando Malcolm Andres pediu sua irmã Susan em casamento. Ela disse que Malcolm disse a Susan que seu pai havia lhe dado a fazenda em seu próprio nome e então disse: "O que você acha, querida... se casarmos neste outono?" E Susan disse: "Sim... não... não sei... deixe-me ver"... e, assim foi. Mas eu não achei esse tipo de proposta muito romântica, então, no final, eu tive que imaginar isso o melhor que pude. Eu fiz muito floreado e poético e Bertram caiu de joelhos, embora Ruby Gillis diga que não é feito assim, hoje em dia. Geraldine o aceitou em um discurso de uma página. Posso dizer que tive muitos problemas com aquele discurso. Reescrevi cinco vezes e considero-o minha obra-prima. Bertram deu a ela um anel de diamante e um colar de rubi e disse-lhe que eles iriam para a Europa para uma viagem de casamento, pois ele era imensamente rico. Mas então, infelizmente, as sombras começaram a escurecer em seu caminho. Cordélia estava secretamente apaixonada por Bertram e quando Geraldine lhe contou sobre o noivado ela ficou simplesmente furiosa, especialmente ao ver o colar e o anel de diamante. Todo o seu afeto por Geraldine se transformou em ódio amargo e jurou que nunca deixaria Geraldine se casar com Bertram. Mas ela fingiu ser amiga de Geraldine como sempre. Certa noite, elas estavam paradas na ponte sobre um riacho turbulento e impetuoso e Cordélia, pensando que estavam sozinhas, empurrou Geraldine da ponte com uma risada selvagem e zombeteira: "Ha, ha, ha". Mas Bertram viu tudo e imediatamente mergulhou na correnteza, exclamando: "Eu vou salvá-la, minha inigualável Geraldine." Mas, infelizmente, ele havia esquecido que não sabia nadar, e os dois morreram afogados, abraçados. Seus corpos foram levados para a praia logo depois. Eles foram enterrados em um túmulo e o funeral foi muito impressionante, Diana. É muito mais romântico terminar uma história com um funeral do que com um casamento. Quanto a Cordélia, enlouqueceu de remorso e foi internada em um manicômio. Achei que era uma retribuição poética pelo crime dela.

— Que adorável! — suspirou Diana, que pertencia à escola de críticos de Matthew. — Não vejo como você pode inventar coisas tão emocionantes na sua cabeça, Anne. Eu gostaria que minha imaginação fosse tão boa quanto a sua.

— Seria se você a cultivasse — disse Anne alegremente. — Acabei de pensar em um plano, Diana. Vamos criar um clube de história nosso só para escrever nossas histórias. Vou ajudá-la até que você possa fazer tudo sozinha. Você deve cultivar sua imaginação, você sabe. Miss Stacy diz isso. Só devemos seguir o caminho certo. Eu contei a ela sobre a Floresta Assombrada, mas ela disse que agimos errado neste caso.

Foi assim que o clube da história surgiu. Limitou-se a Diana e Anne no início, mas logo foi estendido para incluir Jane Andrews e Ruby Gillis e uma ou duas meninas que sentiram que suas imaginações precisavam ser cultivadas. Nenhum menino tinha permissão para participar, embora Ruby Gillis opinasse que a admissão deles o tornaria mais emocionante, e cada membro tinha que produzir uma história por semana.

— É muito engraçado, dá para acreditar, Marilla — disse Anne em casa na cozinha. — Cada menina pode ler sua história em voz alta, e então a discutimos... Vamos mantê-las todas como sagradas para lê-las para nossos descendentes. Usamos pseudônimos. O meu é Rosamond Montmorency. Todas as meninas se saem muito bem. Ruby Gillis é bastante sentimental. Ela coloca muito amor em suas histórias e você sabe que muito é pior do que pouco. Jane nunca coloca nenhum, porque ela diz que a faz se sentir boba quando tem que ler em voz alta. As histórias de Jane são extremamente sensatas. Então Diana inclui muitos assassinatos nas dela. Ela diz que na maioria das vezes não sabe o que fazer com as pessoas, então as mata para se livrar delas. Quase sempre preciso dizer a elas sobre o que escrever.

— Acho que esse negócio de escrever histórias é mesmo muita bobagem — zombou Marilla. — Colocam um monte de bobagens em suas cabeças e perdem o tempo que deveria ser colocado em seus estudos. Ler histórias já é ruim, mas escrevê-las é pior...

— Oh, isso é o que você pensa!— disse Anne, ferida. — Aliás, temos muito cuidado para que o relato seja sempre acompanhado de uma lição moral, eu acho. Todas as pessoas boas são recompensadas e todas as más são devidamente punidas. Tenho certeza de que isso deve ter um efeito benéfico. A moral é a grande coisa. O Sr. Allan diz isso. Eu li uma de minhas histórias para ele e a Sra. Allan e os dois concordaram que a moral era excelente. Apenas eles riram nos lugares errados. Eu gosto mais quando as pessoas choram. Jane e Ruby quase sempre choram quando chego às partes comoventes. Diana escreveu à sua tia Josephine sobre nosso clube e sua tia Josephine escreveu de volta dizendo que deveríamos enviar a ela algumas de nossas histórias. Então, copiamos quatro dos nossos melhores contos e os enviamos. A senhorita Josephine Barry respondeu que nunca havia lido nada tão divertido em sua vida. Isso meio que nos intrigou porque as histórias eram todas muito comoventes e quase todos morriam. Mas estou feliz que Miss Barry tenha gostado deles. Isso mostra que nosso clube está fazendo algo de bom no mundo. A Sra. Allan disse que esse deve ser nosso objetivo em tudo. Eu realmente tento fazer disso meu objetivo, mas sempre esqueço quando estou me divertindo. Espero ser um pouco como a Sra. Allan quando crescer. Você acha que há alguma perspectiva disso, Marilla?

— Eu não deveria dizer que há muita coisa — foi a resposta encorajadora de Marilla. — Tenho certeza de que a Sra. Allan nunca foi uma garotinha tão boba e esquecida quanto você.

— Não, mas ela nem sempre foi tão boa quanto é agora — disse Anne seriamente. — Ela mesma me disse isso... isto é, ela disse que era uma travessa terrível quando menina e estava sempre se metendo em encrencas. Eu me senti tão encorajada quando ouvi isso. É muito perverso da minha parte, Marilla, sentir-me encorajada quando ouço que outras pessoas foram más e travessas? A Sra. Lynde diz que sim. A Sra. Lynde diz que sempre fica chocada quando ouve falar de alguém que foi travesso, não importa o quão pequeno seja. A Sra. Lynde diz que certa vez ouviu um ministro confessar que quando era menino roubou uma torta de morango da despensa da tia e ela nunca mais teve respeito por aquele ministro. Agora, eu não teria me sentido assim. Eu teria pensado que era muito nobre da parte dele confessar, e eu teria pensado que coisa encorajadora seria para os meninos hoje em dia que fazem coisas impertinentes e lamentam, que eles saibam que talvez cresçam para ser ministros apesar disso. É assim que me sentiria, Marilla.

— O que sinto agora, Anne — disse Marilla — é que já é tempo de você lavar os pratos. Você demorou meia hora com toda a sua tagarelice. Aprenda a trabalhar primeiro e depois a falar.

## XXVII
## O CASTIGO DA VAIDADE

Certa noite, no final de abril, Marilla voltou para casa depois de uma reunião do clube de costura, e a sensação de que o inverno finalmente havia acabado deu-lhe um clima de prazer e esperança que a primavera sempre desperta tanto em velhos quanto em jovens. Marilla não era dada a análises subjetivas de seus pensamentos e sentimentos. Ela provavelmente imaginou que estava pensando sobre a caridade, sua causa missionária e o novo tapete para a sala da sacristia, mas sob esses reflexos havia uma consciência harmoniosa de campos vermelhos em névoas púrpuras pálidas no sol poente, de longas e nítidas sombras pontiagudas de pinheiros caindo sobre a campina além do riacho, de bordos parecidos com botões vermelhos em volta de um lago, de um despertar no mundo e uma agitação de pulsações ocultas sob o gramado cinza.

Seu olhar pousou ternamente em Green Gables, perscrutando através de sua rede de árvores e refletindo a luz do sol de suas janelas. Marilla, enquanto caminhava ao longo da estrada úmida, pensou que era realmente uma satisfação saber que estava voltando para casa, para um fogo que estalava vigorosamente e uma mesa bem preparada para o chá, em vez do frio das velhas salas de reuniões de caridade, nas noites anteriores à chegada de Anne a Green Gables.

Consequentemente, assim que Marilla entrou na cozinha e descobriu que o fogo estava apagado, sem nenhum sinal de Anne em lugar algum, ela se sentiu desapontada e irritada, com razão. Ela havia dito a Anne para ter o chá pronto às cinco horas, mas agora ela tinha que se apressar para tirar seu vestido e preparar sozinha a refeição, antes que Matthew voltasse do arado.

— Vou dar um jeito na Anne quando ela voltar para casa — disse Marilla severamente, enquanto ela raspava gravetos com uma faca de trinchar e com mais vigor do que o estritamente necessário. Matthew entrou e esperava pacientemente pelo chá em seu canto. — Ela deve estar vagando em algum lugar com Diana, escrevendo histórias ou ensaiando diálogos ou alguma bobagem desse tipo, e nunca pensa uma vez no tempo ou seus deveres. Ela tem que ser interrompida nesse tipo de coisa. Não me importo se a Sra. Allan diz que ela é a criança mais inteligente e doce que ela já conheceu. Ela pode ser inteligente e doce o suficiente, mas sua cabeça está cheia de tolices e nunca há como saber de que forma ela vai se manifestar a seguir. Assim que sai de uma fixação, começa outra. Mas lá! Aqui estou eu falando exatamente como Rachel Lynde na Associação da Caridade hoje e me deixou bastante irritada. Fiquei muito feliz quando a Sra. Allan defendeu Anne, pois se ela não tivesse feito, eu que teria dito algo muito áspero para Rachel antes de todo mundo. Anne tem muitos defeitos, só Deus sabe, e longe de mim negar. Mas estou educando ela e não Rachel Lynde, que escolheria falhas no próprio anjo Gabriel se ele vivesse em Avonlea. Mesmo assim, Anne não tem nada que sair de casa, quando eu disse que ela deveria ficar e cuidar das coisas. Devo dizer que, com todos os seus defeitos, nunca a achei desobediente ou indigna de confiança antes e sinto muito por estar agindo assim hoje.

— Bem, não sei — disse Matthew, que, sendo paciente e sábio e, acima de tudo, faminto, considerou melhor deixar Marilla falar sobre sua raiva sem impedimentos, tendo aprendido por experiência que ela terminaria com qualquer trabalho muito mais rápido se não fosse interrompida por uma discussão prematura. — Talvez você esteja sendo precipitada, Marilla. Não diga que ela não é de confiança até ter certeza de que ela a desobedeceu. Talvez tudo possa ser explicado... Anne é ótima em se explicar.

— Ela não está aqui, embora eu tenha dito a ela para ficar em casa — respondeu Marilla. — Dessa vez, provavelmente, será muito difícil para ela se explicar. Claro que eu sabia que você ficaria do lado dela, Matthew. Mas estou educando ela, não você.

Já estava escuro quando o jantar estava pronto, e ainda nenhum sinal de Anne, vindo apressadamente pela ponte de madeira ou no Caminho dos Amantes, sem fôlego e arrependida com um senso de deveres negligenciados. Marilla lavou e guardou os pratos com severidade. Então, querendo uma vela para iluminar seu caminho até o porão, ela subiu para a empena Leste para aquela que geralmente ficava na mesa de Anne. Acendendo-a, ela se virou e viu a própria Anne deitada na cama, com o rosto para baixo entre os travesseiros.

— Meus Deus! — disse Marilla espantada — Você dormiu, Anne?

— Não — foi a resposta abafada.

— Você está doente? — perguntou Marilla indo para a cama.

Anne se encolheu ainda mais em seus travesseiros, como se desejasse esconder-se para sempre dos olhos mortais.

— Não. Mas, por favor, Marilla, vá embora e não olhe para mim. Estou no fundo do desespero e não me importo mais com quem começa a estudar na aula ou escreve a melhor composição ou canta no coro da escola dominical. Coisas pequenas como essas não têm importância agora, porque acho que nunca mais poderei ir a lugar nenhum. Minha carreira está encerrada. Por favor, Marilla, vá embora e não olhe para mim.

— Alguém já ouviu algo parecido? — Marilla quis saber. — Anne Shirley, qual é o seu problema? O que é que você fez? Levante agora mesmo e me diga.

Anne escorregou para o chão em desesperada obediência.

— Olhe meu cabelo, Marilla — ela sussurrou.

Assim, Marilla ergueu a vela e olhou para o cabelo de Anne, que caía pesado pelas costas. Certamente tinha uma aparência muito estranha.

— Anne Shirley, o que você fez com seu cabelo? Ora, ele está *verde!*

Poderia ser chamado de verde, se tivesse qualquer cor deste mundo, um verde esquisito, opaco, bronzeado, com listras aqui e ali do vermelho original para intensificar o efeito horrível. Nunca em toda sua vida Marilla tinha visto algo tão grotesco como o cabelo de Anne naquele momento.

— Sim, é verde — Anne gemeu. — Achei que nada poderia ser tão ruim quanto cabelo ruivo. Mas agora eu sei que o cabelo verde é dez vezes pior... Oh, Marilla, você não tem ideia de como sou infinitamente infeliz.

— Não tenho ideia de como você entrou nessa, mas agora minha intenção é descobrir — disse Marilla. — Venha direto para a cozinha, está muito frio aqui, e me diga o que você fez. Há algum tempo que espero algo estranho. Você não teve nenhum problema por mais de dois meses, e eu tinha certeza de que outro estava para acontecer. Agora, então, o que você fez com seu cabelo?

— Eu tingi.

— Tingiu? Cabelo tingido? Mas Anne, você não percebeu que é uma coisa péssima de se fazer?

— Sim, eu sei que está uma coisa péssima — Anne admitiu. — Mas eu pensei que seria apenas ruim, contanto que eu pudesse mudar o meu cabelo ruivo... Além disso, eu pretendia ser extremamente boa em outras maneiras de compensar isso.

— Bem — disse Marilla sarcasticamente — se eu tivesse decidido que valia a pena pintar o cabelo, pelo menos o teria pintado de uma cor decente. Eu não teria tingido de verde.

— Não era minha intenção pintar de verde, Marilla — Anne assegurou-lhe com lágrimas. — Se eu me desse mal, queria pelo menos ter algum benefício com isso... Ele disse que isso deixaria meu cabelo em um lindo preto, ele positivamente me garantiu que faria. Como pude duvidar de sua palavra, Marilla? Eu sei o que é duvidar da sua palavra. E a Sra. Allan diz que nunca devemos suspeitar que alguém não nos diga a verdade, a menos que tenhamos provas de que não o é. Tenho provas agora, o cabelo verde é prova suficiente para qualquer pessoa. Mas eu não tinha feito isso e acreditei em cada palavra que ele disse, *implicitamente.*

— Quem é ele? De quem você está falando?

— Sobre o comerciante, claro, que esteve aqui esta tarde. Comprei na mão dele.

— Anne... Anne, quantas vezes eu já disse que você nunca deve deixar nenhum desses italianos errantes entrarem. Eles não têm nada a fazer aqui.

— Oh, eu não o deixei entrar. Lembrei-me do que você me disse e saí, fechei a porta com cuidado e olhei para as coisas no degrau. Além disso, ele não era italiano, era judeu alemão. Ele tinha uma grande caixa cheia de coisas muito interessantes e me disse que estava trabalhando muito para ganhar dinheiro suficiente para trazer sua esposa e filhos da Alemanha. Ele falou com tanta emoção sobre eles que tocou meu coração. Eu queria comprar algo dele para ajudá-lo em um objetivo tão valioso. Então, de repente, vi o frasco de tintura de cabelo. O mascate disse que era permitido tingir qualquer cabelo de um belo preto e não sairia depois de lavar. Em um instante, eu me vi com um lindo cabelo preto, como um corvo, e a tentação era irresistível. Mas o preço da garrafa era de setenta e cinco centavos e eu tinha apenas cinquenta centavos das minhas economias. Acho que o mascate tinha um coração muito bom, pois dizia que, como era para mim, ia vender por cinquenta centavos. Então eu comprei, e assim que ele saiu vim até aqui e apliquei com uma escova de cabelo velha, conforme as instruções diziam. Esgotei a garrafa inteira e, ah, Marilla, quando vi a cor horrível que virou meu cabelo me arrependi de ser desobediente, posso garantir. E estou arrependida desde então.

— Bem, espero que você se arrependa com bons propósitos — disse Marilla severamente — e que você mantenha os olhos abertos para onde sua vaidade a leva, Anne. Deus sabe o que deve ser feito. Suponho que a primeira coisa a fazer é lavar bem o cabelo e ver se isso adianta.

Assim, Anne lavou o cabelo, esfregando-o vigorosamente com água e sabão, mas fez pouca diferença, ela poderia muito bem estar tirando seu vermelho original. O mascate certamente havia falado a verdade quando declarou que a tinta não sairia.

— Oh, Marilla, o que devo fazer? — questionou Anne em lágrimas. — Eu nunca vou conseguir viver assim. As pessoas se esqueceram de meus outros erros: o bolo de elixir, deixar Diana bêbada e irritar-se com a Sra. Lynde. Mas eles nunca vão esquecer isso. Vão pensar que não sou respeitável. Oh, Marilla, "que teia emaranhada nós tecemos quando começamos a mentir". Isso é poesia, mas é verdade. E oh, como Josie Pye vai rir! Marilla, não *posso* enfrentar Josie Pye. Eu sou a garota mais infeliz da Ilha do Príncipe Eduardo.

A infelicidade de Anne continuou por mais uma semana. Durante esse tempo, ela não ia a lugar algum e lavava o cabelo todos os dias. Só Diana, dentre os estranhos, conhecia o segredo fatal, mas prometeu solenemente nunca contar, e pode-se afirmar aqui e agora que cumpriu sua palavra. No final da semana Marilla disse decididamente:

— Não adianta, Anne. Isso é tintura rápida, e pegou como nenhuma outra. Seu cabelo deve ser cortado. Não há outro caminho. Você não pode sair com essa aparência.

Os lábios de Anne tremeram, mas ela percebeu que Marilla estava certa. Suspirando dolorosamente, ela foi pegar a tesoura.

— Por favor, corte imediatamente, Marilla, e acabe com isso. Oh, eu sinto que meu coração está partido. Esta é uma aflição nada romântica. As garotas dos livros perdem os cabelos com febres ou os vendem para conseguir dinheiro por alguma boa ação, e tenho certeza de que não me importaria de perder meu cabelo dessa forma. Mas não há nada reconfortante em cortar o cabelo porque você o pintou de uma cor horrível, não é? Vou chorar o tempo todo que você estiver cortando, se não atrapalhar. Parece uma coisa tão trágica.

Anne chorou, mas mais tarde, quando subiu as escadas e se olhou no espelho, estava calma, porém, desalentada. Marilla havia feito seu trabalho meticulosamente e foi necessário cortar o cabelo o mais rente possível. O resultado não ficou atraente, para expor o caso da forma mais branda possível. Anne prontamente virou seu espelho para a parede.

— Eu nunca... nunca vou olhar para mim mesma novamente até que meu cabelo cresça — ela exclamou dramaticamente.

Então, de repente, ela endireitou o espelho.

— Aliás, eu vou me olhar sim. Essa será minha penitência por ser tão desobediente. Vou olhar para mim mesma toda vez que for ao meu quarto e para o quão sou feia. Nunca pensei que fosse tão vaidosa com o meu cabelo, mas agora sei que sim, apesar de ser ruivo, era muito comprido, espesso e encaracolado. Espero que nada aconteça com meu nariz.

O corte de cabelo curto de Anne atraiu muita atenção na escola na segunda-feira seguinte, mas, para seu alívio, ninguém adivinhou o verdadeiro motivo, nem mesmo Josie Pye, que, no entanto, não deixou de informar a Anne que ela parecia um espantalho.

— Eu não disse nada quando Josie me falou isso — Anne confidenciou naquela noite a Marilla, que estava deitada no sofá depois de uma de suas dores de cabeça — porque pensei que era parte da minha punição e deveria suportar pacientemente. É difícil ouvir que você parece um espantalho e eu queria responder algo. Mas eu não fiz. Eu apenas lancei um olhar de desprezo para ela e então a perdoei. Você se sente muito virtuosa quando perdoa as pessoas, não é? Pretendo dedicar todas as minhas energias para ser boa depois disso e nunca tentarei ser bonita novamente. Claro que é melhor ser boa. Eu sei que é, mas às vezes é tão difícil acreditar em algo, mesmo quando você sabe disso. Eu realmente quero ser boa, Marilla, como você, a Sra. Allan e a Srta. Stacy, e crescer para ser um orgulho para você. Diana diz que quando meu cabelo começar a crescer, devo prender uma fita de veludo preto em volta da minha cabeça com um laço de lado. Ela diz que acha que vai ficar muito bonito. Vou chamá-lo de "Laçarote", isso soa tão romântico. Mas estou falando demais, Marilla? Dói sua cabeça?

— Minha cabeça está melhor agora. Mas foi terrível esta tarde. Essas minhas dores de cabeça estão ficando cada vez piores. Vou ter que ir ao médico. Quanto à sua tagarelice, não sei se me importo, estou tão acostumada com isso.

Essa era a maneira de Marilla dizer que gostava de ouvi-la.

# XXVIII
## UMA AVENTURA ROMÂNTICA

— Você deve ser Elaine, é claro, Anne — disse Diana. — Eu nunca teria coragem de flutuar.

— Nem eu — Ruby Gillis disse tremendo. — Não me importo de flutuar quando há duas ou três de nós no bote e podemos sentar. É divertido. Mas deitar e fingir que estou morta, simplesmente não conseguiria. Eu morreria de medo, de verdade.

— Claro que seria romântico — reconheceu Jane Andrews — mas sei que não conseguiria ficar parada. Eu olharia a cada minuto para ver onde estava e se não estava me afastando muito. E isso estragaria o efeito.

— Sim, não tenho medo e adoraria ser Elaine — disse Anne. — Mas realmente deveria ser a Ruby, porque ela é loira e tem um cabelo amarelo dourado tão longo e lindo. Elaine tinha "todo o seu cabelo brilhante solto", você sabe. E Elaine era a donzela do lírio. Agora, uma pessoa ruiva não pode ser uma donzela do lírio.

— Sua pele é tão branca quanto a de Ruby — disse a benevolente Diana — e seu cabelo ficou muito mais escuro desde que foi cortado.

— Você acha mesmo? — disse Anne, e corou de alegria. — Eu pensei a mesma coisa, mas nunca ousei falar a ninguém, com medo de ouvir que me enganei. Você acha que ele poderia ser chamado de castanho agora, Diana?

— Sim, claro! E eu acho que está muito bonito — disse Diana, olhando com admiração para os cachos curtos e sedosos que se agrupavam sobre a cabeça de Anne e eram mantidos no lugar por uma fita e um laço de veludo preto muito vistoso.

Elas estavam paradas na margem do lago, abaixo da Orchard Slope, onde uma pequena elevação orlada de bétulas corria da margem; em sua ponta havia uma pequena plataforma de madeira construída na água para os pescadores e caçadores de patos. Ruby e Jane estavam passando a tarde de verão com Diana, e Anne viera brincar com elas.

Neste verão, Anne e Diana passaram quase todo o seu tempo livre no lago ou em suas margens. O Ócio Agreste tinha ido embora, o Sr. Bell havia derrubado impiedosamente o pequeno círculo de árvores em seu pasto na primavera. Anne sentou-se entre os tocos e chorou, não sem olhar para o caráter romântico daquilo; mas ela foi rapidamente consolada, pois, afinal, como ela e Diana disseram, garotas grandes de treze anos, quase quatorze, eram velhas demais para divertimentos infantis como casas de brinquedo, e havia entretenimentos mais fascinantes para serem encontrados no lago. Foi esplêndido pescar trutas na ponte e as duas meninas aprenderam a remar no pequeno bote de fundo chato que o Sr. Barry costumava usar quando caçava patos.

Foi ideia de Anne que dramatizassem Elaine. Elas haviam estudado o poema de Tennyson na escola no inverno anterior. Elas o haviam analisado até que a bela donzela do lírio e Lancelot e Guinevere e o Rei Arthur se tornaram pessoas muito reais, e Anne foi devorada por um arrependimento secreto de não ter nascido em Camelot. Aqueles dias, disse ela, eram muito mais românticos do que o presente.

O plano de Anne foi saudado com entusiasmo. As meninas descobriram que se o bote fosse empurrado, ele iria descer pela correnteza, passaria sob a ponte e, finalmente, encalharia em alguma elevação mais abaixo, que terminaria em uma curva no lago. Elas, muitas vezes, fizeram isso e nada poderia ser mais conveniente para interpretar Elaine.

— Sim, eu serei Elaine — disse Anne cedendo com relutância, pois, embora ela tivesse ficado encantada em interpretar a personagem principal, seu senso artístico exigia aptidão para isso. — Ruby, você deve ser o Rei Arthur, Jane será Guinevere e Diana deve ser Lancelot. Mas primeiro vocês devem ser os irmãos e o pai. Devemos revestir o bote em todo o seu comprimento com um pano negro. Aquele velho xale preto de sua mãe vai ser o certo, Diana.

Anne estendeu o xale preto sobre o bote e deitou-se no fundo, com os olhos fechados e as mãos cruzadas sobre o seio.

— Oh, ela de fato parece morta — sussurrou Ruby Gillis dolorosamente, olhando para o rostinho pálido e quieto sob as sombras agitadas das bétulas.— Estou com medo, meninas… Vocês acham que é certo agir assim? A Sra. Lynde diz que todo teatro é censurável...

— Ruby, você não deveria falar sobre a Sra. Lynde — Anne disse severamente. — Estraga o efeito, isso aconteceu há centenas de anos antes da Sra. Lynde nascer. Jane, cubra-me cubra. Quietas! Não posso falar depois de morta.

Jane mostrou-se à altura da ocasião. Não havia nenhum pano de ouro para cobrir a defunta, mas um velho lenço de piano de crepe japonês amarelo era um excelente substituto. Não foi possível obter um lírio branco naquele momento, mas o efeito de uma íris azul alta colocada em uma das mãos postas de Anne causou uma impressão perfeita.

— Ela está pronta agora — disse Jane. — Beijemos sua testa, e você Diana, você diz: "Irmã, adeus para sempre!" e você, Ruby, diga: "Adeus, ó irmã amada!", mais triste quanto puder. Anne, você tem que sorrir um pouco. Lembre-se de que Elaine "jazia como se sorrisse". Muito bem! Agora empurrem o bote!

O bote foi então empurrado para a água e raspou com força ao passar contra a velha estaca que se projetava da lama. Diana, Jane e Ruby só esperaram o tempo suficiente para vê-lo preso na correnteza e seguir para a ponte antes de disparar pela floresta, atravessar a estrada e descer para a elevação próxima onde, como Lancelot, Guinevere e o Rei, "eles" estariam prontos para receber a donzela do lírio.

Por alguns minutos, Anne, descendo lentamente, apreciou o romance de sua situação ao máximo. Então aconteceu algo nada romântico. O bote começou a encher de água. Em poucos instantes foi necessário que Elaine se levantasse, pegasse seu pano de manta de ouro e a mortalha e ficasse olhando fixamente para uma grande fenda no fundo de sua barcaça que, literalmente, afundava. Aquela estaca afiada no casco havia arrancado uma tira pregada no bote. Anne não sabia disso, mas não demorou muito para perceber que estava em uma situação perigosa. Nesse ritmo, o plano iria encher e afundar muito antes de poder derivar para a elevação. Onde estavam os remos? Ficaram para trás.

Soltou um pequeno grito sufocado que ninguém ouviu; ela estava pálida até os lábios, mas não perdeu o autodomínio. Havia uma chance, apenas uma.

— Fiquei com tanto medo — disse à Sra. Allan no dia seguinte — e parecia que se passaram anos enquanto o bote descia até a ponte e a água subia a cada momento. Rezei, Sra. Allan, muito sinceramente, mas não fechei os olhos para orar, pois sabia que a única maneira de me salvar seria deixando o bote flutuar perto o suficiente de uma das estacas da ponte para eu escalar nela. Você sabe que os pilares são apenas velhos troncos de árvores e há muitos nós e tocos de galhos velhos neles. Era apropriado orar, mas eu tinha que fazer minha parte ficando atenta e sabia muito bem disso. Eu apenas disse: "Querido Deus, por favor, coloque o bote perto de um pilar e eu farei o resto", repetidamente. Nessas circunstâncias, você não pensa muito em fazer uma oração floreada. Mas o meu pedido foi respondido, pois o bote bateu em um pilar por um minuto e eu joguei o lenço e o xale por cima do ombro e subi em um grande toco. E lá estava eu, Sra. Allan, agarrada àquela pilastra velha e escorregadia sem nenhuma maneira de subir ou descer. Era uma posição muito pouco romântica, mas não pensei nisso na hora. Não se pensa muito sobre romance quando acaba de escapar de uma sepultura aquosa. Eu fiz uma oração de agradecimento imediatamente e então segurei firme, pois eu sabia que provavelmente deveria depender da ajuda humana para voltar à terra firme.

O bote passou sob a ponte e então imediatamente afundou no meio do rio. Ruby, Jane e Diana, já esperando por ele na elevação, viram-no desaparecer diante de seus próprios olhos e não tiveram a menor dúvida de que Anne havia afundado com ele. Por um momento elas ficaram paradas, brancas como lençóis, congeladas de horror com a tragédia; então, gritando, começaram uma corrida frenética pela floresta, sem parar ao cruzar a estrada principal para ver o caminho da ponte. Anne, agarrada desesperadamente ao pilar, viu suas sombras e ouviu seus gritos. A ajuda chegaria em breve, mas enquanto isso sua posição era muito desconfortável.

Os minutos passaram parecendo horas para a infeliz donzela. Por que ninguém vinha? Para onde as meninas foram? Imaginou que elas tivessem desmaiado! Imaginou que ninguém viria! Imaginou que ficaria tão cansada que não poderia mais se segurar! Anne olhou para as profundezas verdes abaixo dela, ondulando com sombras compridas e oleosas, e estremeceu. Sua imaginação começou a sugerir todos os tipos de possibilidades horríveis para ela.

Então, quando ela pensou que realmente não poderia suportar a dor em seus braços e pulsos por mais um momento, Gilbert Blythe veio remando o barquinho de Harmon Andrews.

Gilbert olhou para cima e, para seu espanto, notou um pequeno rosto pálido e desafiador que olhou para ele com os maiores e mais medrosos, mas também desafiadores olhos cinzas.

— Anne Shirley! Como você chegou aí? — ele exclamou.

Sem esperar por uma resposta, ele remou ao lado do pilar de apoio da ponte e estendeu a mão. Não havia jeito para isso; Anne, agarrada à mão de Gilbert Blythe, desceu com dificuldade para o barco, onde se sentou, imunda e furiosa, com os braços cheios de panos molhados. Certamente era extremamente difícil ser decorosa naquelas circunstâncias!

— O que aconteceu, Anne? — Gilbert perguntou e agarrou os remos.

— Nós interpretamos Elaine — Anne respondeu friamente, sem olhar para seu salvador. — Eu deveria flutuar até Camelot na balsa, quero dizer, em um bote... Só que ele começou a encher, e eu subi até o pilar da ponte. As meninas correram em busca de ajuda. Você faria a gentileza de me levar até a ponte?

Gilbert remou até a ponte com o maior prazer, e Anne saltou com rapidez e agilidade, desprezando a ajuda de Gilbert.

— Muito obrigada — disse ela com arrogância e lhe deu as costas.

Mas Gilbert também saltou da barca e agora colocou a mão nos braços de Anne para segurá-la.

— Anne — ele disse apressado — ouça o que estou dizendo! Olhe aqui. Não podemos ser bons amigos? Lamento ter zombado do seu cabelo daquela vez. Eu não queria irritar você, só queria fazer uma piada. Além disso, já faz tanto tempo. Eu acho seu cabelo muito bonito, honestamente. Vamos ser amigos.

Anne hesitou por um momento. Ela tinha uma estranha consciência recentemente despertada sob toda a sua dignidade ultrajada de que a expressão meio tímida, meio ansiosa nos olhos castanhos de Gilbert era algo que era muito bom de se ver. Seu coração deu uma batida rápida e estranha. Mas a amargura de sua antiga queixa prontamente endureceu sua determinação vacilante. Aquela cena, de dois anos atrás, voltou à sua memória tão vividamente como se tivesse ocorrido ontem. Gilbert a chamava de "cenoura" e a envergonhou diante de toda a escola. Seu ressentimento não foi de forma alguma dissipado e suavizado pelo tempo, aparentemente. Ela odiava Gilbert Blythe! Ela nunca o perdoaria!

— Não — disse ela — nunca serei sua amiga, Gilbert Blythe, e não quero sê-la.

— Como quiser! — Gilbert saltou em seu barco, vermelho de raiva. — Nunca mais vou pedir, Anne Shirley, para que nos tornemos amigos. E para mim, isso realmente não importa.

Ele se afastou com golpes rápidos e desafiadores, e Anne subiu o pequeno caminho íngreme sob os bordos. Ela manteve a cabeça bem erguida, mas tinha consciência de um estranho sentimento de arrependimento. Ela quase desejou ter respondido a Gilbert de forma diferente. Claro, ele a insultou terrivelmente, mas... No geral, Anne pensou que seria um alívio sentar-se e dar uma boa chorada. Ela estava realmente muito nervosa, pois a reação de seu medo e aperto estava se fazendo sentir...

No meio da trilha, ela encontrou Jane e Diana, que voltaram correndo para o lago em um estado que estava à beira da insanidade. Elas não haviam encontrado ninguém em Orchard Slope, o Sr. e a Sra. Barry estavam ausentes. Ruby Gillis sucumbiu à histeria e foi deixada para se recuperar enquanto Jane e Diana voavam pela Floresta Assombrada e através do riacho para Green Gables. Lá eles também não encontraram ninguém, pois Marilla fora para Carmody e Matthew estava colhendo feno no campo.

— Oh, Anne — ofegou Diana, abraçando o pescoço da amiga e chorando de alívio. — Oh, Anne, nós pensamos... que você estava afogada... e nos sentimos como assassinas... porque tínhamos feito... você ser... Elaine. E Ruby está histérica. Oh, Anne, como você escapou?

— Eu escalei um dos pilares de suporte da ponte — Anne disse indiferente, — e então veio Gilbert Blythe remando no barco do Sr. Andrews e me levou para a terra firme.

— Oh, Anne, que esplêndido da parte dele! Ora, é tão romântico! — disse Jane, encontrando fôlego o suficiente para finalmente se pronunciar. — Claro que você vai voltar a falar com ele depois disso.

— Claro que não vou — disparou Anne, com um retorno momentâneo de seu antigo espírito. — E eu não quero ouvir a palavra “romântico” novamente, Jane Andrews. Lamento muito que vocês tenham ficado assustadas, meninas. Foi tudo minha culpa. Tenho certeza de que nasci sob uma estrela azarada. Tudo o que faço me deixa ou, aos meus amigos mais queridos, em apuros. Perdemos o bote de seu pai, Diana, e tenho o pressentimento de que não poderemos mais remar na lagoa.

O pressentimento de Anne provou ser mais confiável do que os pressentimentos comuns podem ser. Grande foi a consternação das famílias de Barry e Cuthbert quando os acontecimentos da tarde se tornaram conhecidos.

— Você algum dia terá juízo, Anne? — gemeu Marilla

— Claro, claro, tenho certeza, Marilla — respondeu Anne com otimismo. Um bom choro, na solidão de seu quarto, acalmou seus nervos e restaurou sua alegria habitual. — Acho que minhas chances de me tornar sensata são mais brilhantes agora do que nunca.

— Não vejo como — disse Marilla.

— Bem — explicou Anne — eu aprendi uma lição nova e valiosa hoje. Desde que vim para Green Gables, tenho cometido erros e cada erro ajudou a curar-me de algumas grandes deficiências. O caso do broche de ametista curou-me de me intrometer em coisas que não me pertenciam. O erro da Floresta Assombrada me curou de deixar minha imaginação correr comigo. O erro do bolo curou-me do descuido na cozinha. Tingir meu cabelo me curou da vaidade. Eu nunca penso sobre meu cabelo e nariz agora... ou pelo menos, muito raramente. E o erro de hoje vai me curar de ser muito romântica. Cheguei à conclusão de que não adianta tentar ser romântica em Avonlea. Provavelmente era fácil em Camelot centenas de anos atrás, mas o romance não é mais apreciado agora.

— Espero que sim — disse Marilla com ceticismo.

Mas Matthew, que estava sentado mudo em seu canto, pôs a mão no ombro de Anne quando Marilla saiu.

— Não desista de todo o seu romantismo, Anne — sussurrou timidamente — um pouco dele é uma coisa boa, mas não muito, é claro. Mas mantenha um pouco disso, Anne, mantenha um pouco.

## XXIX
## TIA JOSEPHINE COMO BENFEITORA

Anne estava no Caminho dos Amantes e trazendo as vacas do pasto para casa. Era uma tarde de setembro e o brilho vermelho-rubi do pôr do sol enchia todas as aberturas e clareiras da floresta. Aqui e ali, uma linha amarela pálida ondulava ao longo do caminho, mas na maior parte do tempo ficava na sombra sob uma abóbada de bordos e um crepúsculo roxo-acinzentado sob os pinheiros. O vento soprava em suas copas, e não há música mais maravilhosa no mundo do que aquela que soa nos abetos e pinheiros sibilantes no fim da tarde.

As vacas caminhavam placidamente pela estrada, e Anne as seguia sonhadora, repetindo em voz alta o canto da batalha de "Marmion", que também fizera parte das aulas de inglês no inverno anterior e que Miss Stacy as fizera decorar. Quando ela veio para as linhas...

*"Os lanceiros mantiveram-se obstinados*
*Seu círculo de madeira escura impenetrável,"*

...ela parou e fechou os olhos, parou em êxtase para que pudesse fantasiar melhor aquela cena heroica. Quando abriu os olhos novamente, foi para ver Diana atravessando o portão que levava ao campo de Barry, e trazia um ar tão importante que Anne imediatamente adivinhou que havia novidades a serem contadas. Mas ela não queria demonstrar a avidez de sua curiosidade e começou a conversa apontando o lindo pôr do sol.

— Sim, esta tarde está muito bonita — disse Diana. — Mas você sabe, eu tenho algo a dizer, Anne! Adivinhe! Você tem três chances.

— Charlotte Gillis vai se casar na igreja, e a Sra. Allan quer que a decoremos — exclamou Anne.

— Palpite errado! O noivo de Charlotte acha que, como ninguém nunca se casou naquela igreja, seu casamento pareceria muito um funeral, e ele não quer. Tente novamente!

— Jane Andrews tem permissão para nos convidar para seu aniversário? Ela temia que sua mãe não lhe desse permissão.

Diana balançou a cabeça negativamente e seus olhos negros brilharam de alegria.

— Não tenho ideia do que possa ser — disse Anne, bastante pensativa. — Talvez Joe MacPherson tenha levado você para casa ontem à tarde?

— Claro que não! — disse Diana. — Voltei para casa lindamente sozinha, eu... Não, eu sabia que você nunca adivinharia. Anne, querida, mamãe recebeu uma carta da tia Josephine hoje e ela nos convidou para ir à cidade na terça-feira para irmos a uma exposição com ela. O que você acha?

— Ah, Diana — Anne sussurrou — Você está falando a verdade? E tia Josephine nos convidou mesmo?... Mas e se Marilla não me deixar ir? Foi o que aconteceu recentemente, quando Jane me convidou para ir com eles em suas carruagens a um concerto no Hotel White Sands. Fiquei imensamente feliz pelo convite, mas Marilla disse que era melhor eu ficar em casa e fazer meu dever. Fiquei tão triste e desesperada, você sabe, Diana, que não quis ler minhas orações quando me deitei. Mas então me arrependi e levantei à meia-noite para fazê-las.

— Já sei — disse Diana — vamos pedir à mamãe para perguntar a Marilla. É mais provável que ela deixe você ir; e se ela deixar vamos nos divertir tanto, Anne. Nunca fui a uma Exposição e é tão irritante ouvir as outras garotas falando sobre suas viagens. Jane e Ruby foram duas vezes e vão este ano novamente.

— Eu não quero pensar sobre isso até saber se posso ir ou não — Anne disse com firmeza. — Se eu colocasse na minha cabeça e me alegrasse com isso, e então eu não fosse, seria mais do que eu poderia tolerar. Mas caso eu vá, fico muito feliz, pois meu novo casaco estará pronto. Marilla achou que eu não precisava de um casaco novo. Ela disse que meu velho daria muito bem para mais um inverno e que eu deveria ficar satisfeita em ter um vestido novo. O vestido é muito bonito, Diana, azul-marinho e na moda. Marilla sempre faz meus vestidos na moda agora, porque ela diz que não quer que Matthew vá até a Sra. Lynde para mandar fazê-los. Estou tão feliz. É muito mais fácil ser boa se suas roupas estão na moda. Pelo menos é mais fácil para mim. Suponho que não faça tanta diferença para pessoas naturalmente boas. Mas Matthew disse que preciso de um casaco novo, então Marilla comprou um lindo pedaço de tecido azul, e está sendo feito por uma costureira de verdade de Carmody. Deve ficar pronto no sábado à noite, e estou tentando não me imaginar caminhando pelo corredor da igreja no domingo com meu vestido e chapéu novos, porque temo que não seja certo imaginar essas coisas. Mas isso simplesmente aparece na minha mente. Meu chapéu é tão bonito. Matthew comprou para mim no dia em que fomos para Carmody. É um daqueles pequeninos de veludo azul que estão na moda, com cordão de ouro e borlas. O seu chapéu também é tão elegante, Diana, e tão atraente. Quando vi você entrar na igreja no domingo passado, meu coração se encheu de orgulho ao pensar que você é minha amiga mais querida. Você acha que é errado pensarmos tanto em nossas roupas? Marilla diz que é muito pecado. Mas é um assunto tão interessante, não é?

Marilla deu permissão a Anne para ir à cidade e ficou combinado que o Sr. Barry levaria as meninas lá no dia seguinte. Como Charlottetown ficava a cinquenta quilômetros de distância e o Sr. Barry desejava ir e voltar no mesmo dia, foi necessário partir muito cedo. Mas Anne achou tudo uma alegria e se levantou antes do nascer do sol na manhã de terça-feira. Um olhar de sua janela assegurou-lhe que o tempo estaria bom, pois o céu atrás dos abetos da Floresta Assombrada estava todo claro e sem nuvens. Através da abertura entre as árvores, uma luz brilhava no frontão Oeste de Orchard Slope, um sinal de que Diana também já estava de pé.

Anne estava vestida quando Matthew acendeu o fogo e preparou o desjejum antes de Marilla descer, mas a menina, por sua vez, estava excitada demais para comer. Depois do desjejum, o elegante chapéu e o paletó novos foram colocados, e Anne apressou-se a cruzar o riacho e subir pelos abetos até Orchard Slope. O Sr. Barry e Diana estavam esperando por ela e logo estavam na estrada.

Foi uma longa viagem, mas Anne e Diana aproveitaram cada minuto. Era delicioso andar sacolejando pelas estradas úmidas sob a luz vermelha do sol que se arrastava pelos campos de colheita tosados. O ar estava fresco, e pequenas névoas azul-cinzentas ondulavam pelos vales e flutuavam das colinas. Às vezes, a estrada passava por bosques onde bordos começavam a pendurar estandartes escarlates; às vezes cruzava rios em pontes que faziam a carne de Anne se encolher de medo; às vezes serpenteava ao longo da costa de um porto e passava por um pequeno aglomerado de cabanas de pesca acabadas pelo tempo; novamente subia para as colinas, de onde podia ser vista uma extensão de planícies curvas ou céu azul enevoado; mas onde quer que fosse, havia muito assunto para se discutir. Era quase meio-dia quando chegaram à cidade e encontraram o caminho para "Beechwood". Era uma bela mansão antiga, afastada da rua envolta em olmos verdes e faias ramificadas. A senhorita Barry os encontrou na porta com um brilho em seus olhos negros penetrantes.

— Então, você finalmente veio me visitar, Anne — disse ela. — Veja como você cresceu, criança! Você está mais alta do que eu. E você está cada vez mais bonita à medida que cresce. Mas deve saber disso.

— Na verdade, eu não sabia disso — disse Anne com o rosto radiante. — Sinto que minhas sardas estão diminuindo, e estou grata por isso, mas realmente não ousei esperar nenhuma outra melhora... Fico muito feliz que a senhorita Barry ache que tenho melhorado minha aparência.

A casa da Srta. Barry era decorada de maneira lindíssima; conforme Anne disse a Marilla mais tarde. As duas garotinhas do interior ficaram constrangidas quando foram deixadas sozinhas no belo salão e a Srta. Barry foi olhar os preparativos para o almoço.

— Não é como um palácio? — sussurrou Diana. — Eu nunca estive na casa da tia Josephine antes, e não fazia ideia de que era tão grande. Eu só queria que Julia Bell pudesse ver isso, ela se gaba muito do salão de visitas de sua mãe.

— Tapete de veludo — suspirou Anne encantada — e cortinas de seda! Costumo sonhar com coisas assim, Diana, mas... Mas não me sinto muito confortável com eles, afinal. Há tantas coisas nesta sala e todas tão esplêndidas que não sobra espaço para a imaginação. Isso é um consolo quando você é pobre; há muito mais coisas que você pode imaginar.

Essa visita à cidade tornou-se um marco na vida de Anne e Diana. Elas se lembraram disso por anos. Do início ao fim foi repleto de prazeres.

Na quarta-feira, a senhorita Barry os levou ao local das exposições e as manteve lá o dia todo.

— Foi esplêndido — Anne relatou a Marilla mais tarde. — Nunca imaginei nada tão interessante. Eu realmente não sei qual parte foi mais interessante. Acho que gostei mais dos cavalos, das flores e dos trabalhos extravagantes. Josie Pye ficou com o primeiro prêmio em renda de tricô. Eu fiquei muito feliz por ela. E fiquei feliz por me sentir feliz, pois isso mostra que estou melhorando, não acha, Marilla, porque sou capaz de me alegrar com o sucesso de Josie? O Sr. Harmon Andrews levou o segundo prêmio com suas maçãs Gravenstein e o Sr. Bell levou o primeiro prêmio por um porco. Diana disse que achava ridículo um superintendente de escola dominical ganhar um prêmio com porcos, mas não vejo por quê. E você? Ela disse que sempre se lembraria disso, quando estivesse orando. Clara Louise MacPherson ganhou um prêmio de pintura, e a Sra. Lynde ganhou o primeiro prêmio pela sua manteiga e queijo caseiros. Então Avonlea foi muito bem representada, não foi? A Sra. Lynde estava lá e eu nunca soube o quanto realmente gostava dela, até que vi seu rosto familiar entre todos aqueles estranhos. Havia milhares de pessoas lá, Marilla. Isso me fez sentir insignificante. E a Srta. Barry nos levou até a arquibancada para ver as corridas de cavalos. A Sra. Lynde não iria; ela disse que as corridas de cavalos eram uma abominação e, sendo membro da igreja, achava que era seu dever dar um bom exemplo, permanecendo longe. Mas havia tanta gente lá que não senti a ausência da Sra. Lynde. Eu não acho, porém, que eu deva ir muito frequentemente a corridas de cavalos, porque elas *são* terrivelmente fascinantes. Diana ficou tão animada que se ofereceu para apostar dez centavos que o cavalo vermelho venceria. Eu não acreditei que ele iria vencer, me recusei a apostar, porque eu queria contar a Sra. Allan tudo sobre tudo, e não teria coragem de contar esta parte a ela. É sempre errado fazer qualquer coisa que você não pode contar à esposa do pastor. E fiquei muito feliz por não ter apostado, porque o cavalo vermelho *de fato* não ganhou e teria perdido dez centavos. Então vi que a virtude era minha própria recompensa. Vimos um homem subir em um balão. Adoraria subir de balão, Marilla; seria simplesmente emocionante; e vimos um homem lendo a sorte. Você pagava dez centavos a ele e um passarinho escolhia um papel da sorte para você. A senhorita Barry deu a Diana e a mim dez centavos para que lêssemos nossa sorte. A minha era que me casaria com um homem de pele escura que era muito rico e atravessaria as águas para casar com ele. Observei cuidadosamente todos os homens morenos e não gostei de nenhum deles e, de qualquer forma, suponho que ainda seja muito cedo para estar preocupada com isso. Oh, foi um dia para nunca ser esquecido, Marilla. Fiquei tão cansada que não conseguia dormir à noite. Miss Barry nos colocou no quarto de hóspedes, de acordo com a promessa. Era um quarto elegante, Marilla, mas, de alguma forma, dormir em um quarto vago não é o que eu pensava que era. Isso é o pior de crescer e estou começando a perceber isso. As coisas que você queria tanto quando era criança não parecem tão maravilhosas quando as obtém.

Na quinta-feira, as meninas deram um passeio no parque e, à noite, a Srta. Barry as levou a um concerto na Academia de Música, onde uma notável primadona iria cantar. Para Anne, a noite foi uma visão brilhante de deleite.

— Oh, Marilla, estava além de qualquer descrição. Eu estava tão animada que não conseguia nem falar, você deve imaginar. Eu apenas me sentei em um silêncio extasiado. Madame Selitsky era perfeitamente linda e usava cetim branco e diamantes. Mas quando ela começou a cantar, não pensei em mais nada. Oh, eu não posso lhe dizer como me senti. Mas me pareceu que nunca mais seria difícil ser boa. Eu me senti como se eu olhasse para as estrelas. Lágrimas vieram aos meus olhos, mas, oh, eram lágrimas de felicidade. Fiquei triste quando tudo acabou e disse para a Srta. Barry que não sabia como poderia voltar à vida comum. Ela disse que achava que se fôssemos para o restaurante do outro lado da rua e tomássemos um sorvete, isso poderia me ajudar. Isso soou tão comum; mas, para minha surpresa, descobri que era verdade. O sorvete estava delicioso, Marilla, e foi tão gostoso e extravagante ficar sentada ali tomando sorvete às onze horas da noite. Diana disse que acreditava ter nascido para a vida na cidade. A senhorita Barry me perguntou qual era a minha opinião, mas eu disse que teria que pensar muito seriamente antes de dizer a ela o que realmente pensava. Então pensei sobre isso depois que fui para a cama. Essa é a melhor hora para pensar nas coisas. E cheguei à conclusão, Marilla, que não nasci para a vida na cidade e que estava feliz por isso. É bom tomar sorvete em restaurantes brilhantes às onze horas da noite, de vez em quando; mas, normalmente, prefiro estar no sótão às onze da noite, dormindo profundamente, sabendo que as estrelas estão brilhando lá fora e que o vento sopra nos abetos do outro lado do riacho. Eu disse isso à Srta. Barry no café da manhã, e ela riu. A senhorita Barry geralmente ri de tudo que eu digo, mesmo quando eu digo as coisas mais sérias. Por que ela riu disso?... Fora isso, ela foi tão gentil e terrivelmente educada conosco, nos ofereceu tudo o que era possível... Na sexta-feira, chegou a hora do retorno para casa e o Sr. Barry veio nos buscar.

— Bem, espero que vocês tenham se divertido — disse a Srta. Barry enquanto se despediam.

— Sim, muito — disse Diana.

— E você, Anne?

— Eu aproveitei cada minuto do tempo — disse Anne, jogando os braços impulsivamente sobre o pescoço da velha e beijando sua bochecha enrugada. Diana nunca teria ousado fazer uma coisa dessas e ficou bastante horrorizada com a liberdade de Anne. Mas a Srta. Barry ficou satisfeita e ficou na varanda olhando a carroça sumir de vista. Então ela voltou para sua casa grande com um suspiro. Parecia tudo muito solitário, sem aquelas vidas jovens e frescas. A senhorita Barry era uma velha senhora bastante egoísta, para dizer a verdade, e nunca se importou muito com ninguém além dela mesma. Ela valorizava as pessoas apenas quando lhe serviam ou a divertiam. Anne a divertia e, consequentemente, destacava-se nas boas graças da velha senhora.

— Julguei que Marilla Cuthbert fosse uma velha idiota quando soube que ela havia adotado uma garota órfã — a senhorita Barry disse a si mesmo — mas acho que ela não cometeu nenhum erro, afinal. Se eu tivesse uma filha como Anne em casa, seria uma mulher melhor e mais feliz.

Anne e Diana acharam a viagem de volta para casa tão agradável quanto à ida; agradável, de fato, já que tinham a consciência deliciosa de um lar esperando por elas. Era pôr do sol quando passaram por White Sands e entraram na estrada costeira. Ao longe, as colinas de Avonlea surgiam sombrias contra o céu cor de açafrão. Atrás delas, a lua estava surgindo do mar, radiante e transfigurada em sua luz. Cada pequena enseada ao longo da estrada curva era uma maravilha de ondulações dançantes. As ondas quebraram com um farfalhar suave nas rochas abaixo delas, e o cheiro forte do mar estava no ar forte e fresco.

— Oh, como é doce viver e ir para casa — sussurrou Anne muito baixinho para si mesma.

Quando ela cruzou a ponte de toras sobre o riacho, a luz da cozinha de Green Gables piscou para ela em uma resposta amigável de boas-vindas, e através da porta aberta brilhou o fogo da lareira, enviando seu brilho vermelho quente para a noite fria de outono. Anne correu alegremente colina acima e entrou na cozinha, onde um jantar quente estava à sua espera.

— Então você voltou? — disse Marilla, dobrando o tricô.

— Sim, e oh, é tão bom estar de volta — disse Anne alegremente. — Eu poderia beijar tudo, até o relógio. Marilla, uma galinha grelhada? Você não quer dizer que cozinhou isso para mim!

— Sim — disse Marilla. — Achei que você ficaria com fome depois de viajar tanto. Apresse-se e troque suas roupas e jantaremos assim que Matthew chegar. Fico feliz por você ter voltado. Tem sido muito solitário aqui sem você, e eu nunca passei quatro dias tão longos assim.

Depois do jantar, Anne sentou-se junto à lareira entre Marilla e Matthew e começou todo o relato.

— Tive momentos esplêndidos — concluiu ela, feliz — e sinto que isso marca uma época em minha vida. Mas o melhor de tudo foi voltar para casa.

## XXX
## OS CANDIDATOS À QUEEN'S

Marilla colocou o tricô no colo e recostou-se na cadeira. Seus olhos estavam cansados e ela pensou vagamente que deveria providenciar uma troca de óculos na próxima vez que fosse à cidade, pois seus olhos vinham se cansando com muita frequência nos últimos tempos.

Estava quase escuro, pois todo o crepúsculo de novembro caíra em torno de Green Gables, e a única luz na cozinha vinha das chamas vermelhas dançantes do fogão.

Anne estava assentada com as pernas cruzadas perto da lareira, olhando para aquele brilho alegre onde o sol de cem verões era destilado na madeira de bordo. Ela estava lendo, mas seu livro havia escorregado para o chão, e agora ela estava sonhando, com um sorriso nos lábios entreabertos. Castelos reluzentes na Espanha estavam se formando nas brumas e no arco-íris de sua fantasia viva; aventuras maravilhosas e fascinantes estavam acontecendo com ela na terra das nuvens, aventuras que sempre resultaram triunfantes e nunca a envolveram em dificuldades como as da vida real.

Marilla olhou para ela com uma espécie de afeto que ela nunca teria permitido revelar. A lição de um amor que deveria se manifestar facilmente na palavra falada e no olhar aberto foi algo que Marilla jamais aprenderia. Mas ela aprendera a amar aquela garota esguia de olhos cinzentos com um afeto ainda mais profundo e mais forte por sua falta de demonstração. Seu amor a deixava com medo de ser indulgente demais. Ela tinha uma sensação desagradável de que era bastante pecaminoso devotar um amor tão intenso a qualquer criatura humana como ela havia devotado o seu a Anne, e talvez tenha se dado uma espécie de penitência inconsciente por ser mais severa e crítica do que se gostasse menos da garota. Certamente a própria Anne não tinha ideia de como Marilla a amava. Às vezes ela pensava com tristeza que Marilla era muito difícil de agradar e claramente carente de simpatia e compreensão. Mas ela sempre controlava o pensamento com reprovação, lembrando-se do que devia a Marilla.

— Anne — disse Marilla de repente — Miss Stacy esteve aqui esta tarde quando você saiu com Diana.

Anne voltou de seu próprio mundo, um pouco trêmula e suspirando.

— Ela esteve aqui? Que triste eu não estar em casa! Por que você não me chamou, Marilla? Diana e eu estávamos apenas na Floresta Assombrada. É lindo na floresta agora. Todas as coisinhas de madeira, as samambaias, as folhas de cetim e as framboesas adormeceram, como se alguém as tivesse guardado até a primavera sob um cobertor de folhas. Acho que foi uma pequena fada cinza com um lenço de arco-íris que veio nas pontas dos pés ao longo da última noite de luar e fez isso. Diana não diria muito sobre isso, no entanto. Diana nunca se esqueceu da bronca que sua mãe lhe deu sobre imaginar fantasmas na Floresta Assombrada. Isso teve um efeito muito ruim na imaginação dela. Ela estragou tudo. A Sra. Lynde diz que Myrtle Bell é um ser arruinado. Eu perguntei a Ruby Gillis por que Myrtle estava arruinada, e Ruby disse que achava que era porque seu namorado a rejeitara. Ruby Gillis só pensa em rapazes, e quanto mais velha, pior fica. Os rapazes são ótimos nos seus devidos lugares, mas não adianta incluí-los em tudo, não é? Diana e eu estamos pensando seriamente em prometer uma à outra que nunca nos casaremos, mas seremos boas solteironas e viveremos juntas para sempre. Diana ainda não se decidiu, porque pensa que talvez fosse mais nobre casar-se com algum jovem selvagem, rebelde e mudá-lo. Diana e eu conversamos muito sobre assuntos sérios agora, você sabe. Sentimos que somos muito mais velhas do que antes, que não nos convém falar de assuntos infantis. É uma coisa tão solene ter quase quatorze anos, Marilla. A Srta. Stacy levou todas nós, garotas adolescentes, até o riacho na quarta-feira passada e falou conosco sobre isso. Ela disse que temos que ser muito cuidadosas com os hábitos e com os ideais que adquirimos na adolescência, porque aos vinte anos nosso caráter estaria desenvolvido e seria a base para toda a nossa vida futura. E ela disse que se a base fosse precária, nunca poderíamos construir nada que realmente valesse a pena. Diana e eu conversamos sobre o assunto ao voltar da escola. Sentimos-nos extremamente solenes, Marilla. E decidimos que tentaríamos ser muito cuidadosas e formar hábitos respeitáveis e aprender tudo o que pudéssemos e ser o mais sensatas possível, de modo que, aos vinte anos, nosso caráter estivesse devidamente desenvolvido. É perfeitamente terrível pensar ter 20 anos, Marilla. Isso soa tão terrivelmente velho e adulto. Mas por que a Srta. Stacy estava aqui esta tarde?

— Isso é o que eu quero dizer a você, Anne, se você me der a chance de falar. Ela veio falar sobre você.

— Sobre mim? — Anne parecia bastante assustada.

Então ela corou e exclamou:

— Oh, eu sei o que ela veio dizer. Eu queria lhe dizer, Marilla, sinceramente, sim, mas esqueci. Miss Stacy me pegou lendo "Ben Hur" na escola ontem à tarde, quando eu deveria estar estudando história canadense. Jane Andrews me emprestou. Eu estava lendo na hora do almoço e tinha acabado de chegar na parte da corrida de carruagem quando a aula recomeçou. Eu estava simplesmente louca para saber como isso acabou, embora tivesse certeza de que "Ben Hur" deveria ganhar, porque não seria justiça poética se não o fizesse, deixei a história aberta na minha mesa e, em seguida, coloquei "Ben Hur" entre a mesa e meu joelho. Eu apenas parecia estar estudando história, sabe, enquanto o tempo todo me divertia com "Ben Hur". Fiquei tão interessada que não notei Miss Stacy vindo pelo corredor até que, de repente, olhei para cima e lá estava ela olhando para mim, com um ar de reprovação. Não posso lhe dizer o quanto me senti envergonhada, Marilla, especialmente quando ouvi Josie Pye rindo. Miss Stacy levou o livro embora, mas ela não disse uma palavra. Ela me chamou no recreio. Ela disse que eu tinha agido muito mal em dois aspectos. Em primeiro lugar, estava perdendo o tempo que deveria ter colocado nos meus estudos; e em segundo lugar, eu a estava enganando ao tentar fazer parecer que eu estava estudando história quando, em vez disso, estava lendo "Ben Hur". Eu nunca tinha percebido até aquele momento, Marilla, que o que eu estava fazendo era errado. Fiquei chocada. Eu chorei amargamente, e pedi a Srta. Stacy que me perdoasse e que eu nunca mais faria uma coisa dessas; e me ofereci para fazer penitência, não olharia para "Ben Hur" por uma semana inteira, nem mesmo para ver como seria a corrida de bigas. Mas a Srta. Stacy disse que não exigiria isso de mim e me perdoou. Então, acho que não foi muito gentil da parte dela vir aqui até você para falar sobre.

— Miss Stacy não falou nada sobre isso comigo, Anne; o problema é apenas sua consciência pesada. Você não tem que levar livros para a escola. Você lê romances demais. Quando eu era menina, não tinha permissão nem para olhar um romance.

— Oh, como você pode chamar "Ben Hur" de romance quando é realmente um livro tão religioso? — Anne protestou. — É claro que é um pouco estimulante demais para ser uma leitura adequada para o domingo, e eu só leio nos dias de semana. E eu não leio mais *nenhum* livro, a menos que a Srta. Stacy ou a Sra. Allan digam que é um livro apropriado para uma menina de treze anos e nove meses. Miss Stacy me fez prometer isso. Certo dia, ela me encontrou lendo um livro chamado "O Horripilante Mistério do Salão Assombrado". Foi um que Ruby Gillis me emprestou e, oh, Marilla, era tão fascinante e assustador. Congelou o sangue em minhas veias. Mas a Srta. Stacy disse que era um livro muito bobo e doentio, e ela me pediu para não ler mais nada parecido. Não me importei em prometer não ler mais nada parecido, mas foi *angustiante* devolver aquele livro sem saber como ficou. Mas meu amor por Miss Stacy foi maior ao teste e eu resisti. É realmente maravilhoso, Marilla, o que você pode fazer quando está realmente ansiosa para agradar uma determinada pessoa.

— Sim, acho que vou acender a luz agora e ir trabalhar — disse Marilla. — Eu posso ver claramente que você não se interessa em ouvir o que Miss Stacy disse. Quando apenas sua boca pode falar, você está feliz.

— Oh, Marilla, eu realmente gostaria de ouvir — Anne exclamou horrorizada. — Não falo mais uma palavra... Eu sei que falo muito, mas estou realmente tentando superar isso, e embora eu fale demais, se você soubesse quantas coisas eu gostaria de falar e não falo, você me daria algum crédito por isso. Por favor, conte-me, Marilla.

— Bem, a Srta. Stacy quer organizar uma aula entre seus alunos mais avançados que pretendem estudar para o exame de admissão no Queen's. Ela pretende dar aulas extras por uma hora depois da escola. E ela veio perguntar a Matthew e a mim se gostaríamos que você participasse. O que você acha disso, Anne? Você gostaria de ir para o Queen's e se tornar uma professora?

— Oh, Marilla! — Anne se ajoelhou e postou as mãos. — É o sonho da minha vida, isto é, nos últimos seis meses, desde que Ruby e Jane começaram a falar em estudar para a prova. Mas não falei nada sobre isso porque achei que seria perfeitamente inútil. Eu adoraria ser professora. Mas não será terrivelmente caro? O Sr. Andrews diz que custou 150 dólares para que Prissy passasse, e Prissy não era ruim em geometria.

— Eu acho que você não precisa se preocupar com essa parte. Quando Matthew e eu decidimos ficar com você, resolvemos que faríamos o melhor que pudéssemos e lhe daríamos uma boa educação. Eu acredito que uma garota tem que ser preparada para ganhar a própria vida, quer ela precise ou não. Você sempre terá um lar em Green Gables enquanto Matthew e eu estivermos aqui, mas ninguém sabe o que vai acontecer neste mundo incerto, e é bom estar preparada. Então você pode entrar na turma extra para ingressar na Queen's, se quiser, Anne.

— Oh, obrigada, Marilla! — Anne passou os braços em volta da cintura de Marilla e olhou para o rosto dela com seriedade. — Sou imensamente grata a você e ao Mathew! Eu estudarei o mais aplicadamente que puder e tentarei fazer jus pelo que fazem por mim. Em geometria, é melhor você não esperar muito de mim, mas acho que posso me segurar em qualquer outra coisa se trabalhar duro.

— Atrevo-me a dizer que você se sairá muito bem. Miss Stacy diz que você é inteligente e, além disso, estuda muito duro. — Por nada Marilla teria contado a Anne exatamente o que Miss Stacy dissera sobre ela; isso teria sido para mimar a vaidade. — Você não precisa se matar por causa dos estudos. Não há pressa. Falta um ano e meio para fazer a prova. Mas é bom começar a tempo e criar uma boa base, como disse a Srta. Stacy.

— Vou ter mais interesse do que nunca em meus estudos — disse Anne feliz — porque tenho um propósito na vida. O Sr. Allan diz que todos devem ter um propósito na vida e buscá-lo fielmente. Ele diz que devemos primeiro ter certeza de que é um propósito digno. Eu chamaria de um propósito digno querer ser professora como a Srta. Stacy, não é, Marilla? Acho que é uma profissão muito nobre.

Uma pequena classe foi organizada no devido tempo. Gilbert Blythe, Anne Shirley, Ruby Gillis, Jane Andrews, Josie Pye, Charlie Sloane e Moody Spurgeon MacPherson faziam parte dela. Diana Barry não foi porque seus pais não pretendiam mandá-la para o Queen's. Isso parecia nada menos que uma calamidade para Anne. Nunca, desde a noite em que Minnie May teve crupe, ela e Diana se separaram. Na tardinha em que a classe da Queen´s permaneceu na escola para as aulas extras e Anne viu Diana sair lentamente com os outros, para voltar para casa sozinha, tudo o que a Anne pôde fazer foi permanecer em sua cadeira e evitar correr impulsivamente atrás de sua amiga. Um nó se formou em sua garganta, e ela se escondeu apressadamente atrás das páginas de sua gramática latina para esconder as lágrimas. Por nada nesse mundo Anne deixaria que Gilbert Blythe ou Josie Pye vissem aquelas lágrimas.

— Mas, oh, Marilla, eu realmente senti que havia experimentado a amargura da morte, como o Sr. Allan disse em seu sermão no domingo passado, quando vi Diana sair sozinha — disse Anne tristemente naquela noite. — Pensei em como seria esplêndido se Diana também tivesse ido estudar para entrar na Queen's. Mas não podemos ter todas as coisas perfeitas neste mundo imperfeito, como diz a Sra. Lynde. A Sra. Lynde às vezes não é exatamente uma pessoa reconfortante, mas não há dúvida de que ela diz muitas coisas verdadeiras. E eu acho que a aula para Queen's vai ser extremamente interessante. Jane e Ruby vão apenas estudar para se tornarem professoras. Esse é o auge de suas ambições. Ruby diz que só vai dar aulas por dois anos depois de terminar, e então pretende se casar. Jane diz que vai dedicar toda a sua vida ao ensino, e nunca vai se casar porque receberá um salário para ensinar, mas um marido não lhe pagará e, rosnará se você pedir dinheiro para o ovo e para a manteiga. Jane fala por experiência, pois a Sra. Lynde diz que seu pai é um velho mesquinho e avarento. Josie Pye diz que está indo para a faculdade apenas por uma questão de educação, porque ela não terá que trabalhar; ela diz que é diferente dos órfãos que vivem da caridade dos outros: *eles* têm *que* batalhar. Moody Spurgeon vai ser pastor. Espero que não seja mau da minha parte, Marilla, mas realmente o pensamento de Moody Spurgeon como pastor me faz rir. Ele é um menino de aparência tão engraçada, com aquele rosto grande e gordo, seus olhinhos azuis e orelhas de abano. Mas talvez ele tenha uma aparência mais intelectual quando crescer. Charlie Sloane diz que vai entrar para a política e ser membro do Parlamento, mas a Sra. Lynde diz que ele nunca terá sucesso nisso porque os Sloane são todos pessoas honestas, e só os patifes entram na política hoje em dia.

— E Gilbert Blythe o que ele quer ser? — perguntou Marilla, que percebeu que Anne havia aberto seu livro de francês.

— Eu realmente não sei o que pretende ser... se é que ele quer ser alguma coisa — Anne disse em uma voz zombeteira.

Havia uma rivalidade aberta entre Gilbert e Anne agora. Anteriormente, a rivalidade era bastante unilateral, mas não havia mais dúvidas de que Gilbert estava tão determinado a ser o primeiro da classe quanto Anne. Ele era um rival digno da determinação dela. Os outros membros da classe reconheceram tacitamente a superioridade deles e nunca sonharam em tentar competir com os dois.

Desde o dia na lagoa em que ela se recusou a ouvir seu pedido de perdão, Gilbert, exceto pela rivalidade determinada acima mencionada, não demonstrara nenhum reconhecimento da existência de Anne Shirley. Ele falava e brincava com as outras meninas, trocava livros e quebra-cabeças com elas, discutia lições e planos, às vezes voltava para casa com uma ou outra das reuniões de oração ou do Clube de Debates. Mas a Anne Shirley ele simplesmente ignorava, e Anne descobriu que não é muito agradável ser ignorada. Foi em vão que ela disse a si mesma com um aceno de cabeça que não se importava. No fundo de seu coraçãozinho feminino e rebelde, ela sabia que se importava e que, se tivesse a chance de voltar ao Lago das Águas Brilhantes, ela responderia de maneira muito diferente. De repente, ao que parecia, e para sua consternação secreta, ela descobriu que o antigo ressentimento que nutria contra ele havia desaparecido, acabado justamente quando ela mais precisava de seu poder de sustentação. Foi em vão que ela se lembrou de cada incidente e emoção daquela ocasião memorável e tentou sentir a velha raiva satisfatória. Naquele dia no lago havia testemunhado sua última centelha de ressentimento. Anne percebeu que havia perdoado e esquecido sem perceber. Mas era tarde demais.

E Gilbert, nem qualquer outra pessoa, nem mesmo Diana, deveriam suspeitar de como ela lamentava e de quanto desejava não ter sido tão orgulhosa e horrível! Ela decidiu "ocultar seus sentimentos no mais profundo esquecimento", e pode-se afirmar aqui e agora que ela o fez, com tanto sucesso que Gilbert, que possivelmente não era tão indiferente quanto parecia, tinha como único consolo, o fato dela esnobar, continuamente, Charlie Sloane, sem misericórdia e sem razão.

Fora isso, o inverno passou com uma rodada de deveres e estudos. Para Anne, os dias passavam como se fossem contas de ouro no colar do ano. Ela estava feliz, ansiosa, interessada; havia lições a serem aprendidas e honras a serem conquistadas; livros deliciosos para ler; novas peças a serem ensaiadas para o coral da escola dominical; agradáveis tardes de sábado na casa paroquial com a Sra. Allan; e então, quase antes que Anne percebesse, a primavera havia chegado novamente a Green Gables e todo o mundo estava em flor mais uma vez.

O ritmo dos estudos diminuiu um pouco; a turma da Queen's, que ficava na escola enquanto os outros se espalhavam por caminhos verdes e cortes de árvores frondosas e atalhos de prados, olhavam melancolicamente para fora das janelas e descobriam que verbos latinos e exercícios franceses de alguma forma perderam o sabor e entusiasmo que possuíam nos meses de inverno. Até Anne e Gilbert ficaram para trás nos estudos e ficaram mais indiferentes. Professora e alunos ficaram igualmente contentes quando o período letivo terminou e os dias de férias alegres se estendiam rosadamente diante deles.

— Vocês fizeram um bom trabalho este ano — Miss Stacy disse a eles no último dia de aula — e vocês merecem umas férias. Desfrutem ao máximo o tempo ao ar livre e mantenham a saúde, a vitalidade e a ambição para o próximo ano. Será uma batalha este último ano antes das provas para a Queen's, vocês sabem disso.

— Vai voltar no ano que vem, Srta. Stacy? — perguntou Josie Pye.

Josie Pye nunca hesitava em fazer perguntas; neste caso, o resto da classe se sentiu grato a ela; nenhum deles teria ousado perguntar isso a Srta. Stacy, mas todos queriam saber, pois havia rumores alarmantes circulando pela escola de que a Srta. Stacy não voltaria no ano seguinte, que ela havia recebido uma oferta da escola primária de seu próprio distrito natal e pretendia aceitar. A classe da Queen's ouviu em suspense sem fôlego a sua resposta.

— Sim, acho que vou — disse Miss Stacy. — Pensei em lecionar em outra escola, mas decidi ficar em Avonlea. Para falar a verdade, senti tanto interesse nos meus alunos daqui que descobri que não poderia deixá-los. Então eu vou ficar e ver.

— Viva! — disse Moody Spurgeon.

Moody Spurgeon nunca se deixou levar por suas emoções, e ficou corado por uma semana, toda vez que pensava nisso.

— Oh, como estou feliz — disse Anne com olhos brilhando. — Querida Srta. Stacy, como seria horrível se você não voltasse! Acho que teria perdido toda a vontade de estudar se tivéssemos outro professor.

Quando Anne voltou para casa naquela noite, ela enfiou todos os seus livros escolares no velho baú do sótão e guardou a chave.

— Não vou ler nenhum um livro nas férias escolares — disse ela a Marilla. — Estudei o máximo que pude e me dediquei nessa geometria até saber de cor todas as proposições do primeiro livro, mesmo quando as letras *mudam*. Simplesmente me sinto cansada de o tudo que é sensato e vou deixar minha imaginação correr solta pelo verão. Oh, você não precisa se alarmar, Marilla. Eu só vou deixar isso funcionar dentro dos limites razoáveis. Mas eu quero me divertir muito neste verão, porque talvez seja o último verão em que serei uma garotinha. A Sra. Lynde diz que se eu continuar crescendo assim, ano que vem terei de vestir saias mais compridas. Ela diz que sou apenas pernas e olhos. E quando eu vestir saias mais compridas terei que fazer jus a elas e ser mais comportada. Será o último verão em que acreditarei em fadas. Acho que vamos ter férias muito alegres. Ruby Gillis fará uma festa de aniversário em breve e haverá o piquenique da escola dominical e o concerto missionário no mês que vem. E o Sr. Barry disse que alguma noite ele levará a mim e a Diana ao White Sands Hotel para jantarmos. Jane Andrews jantou lá no verão passado e ela disse que foi uma visão deslumbrante ver as luzes elétricas e as flores e todas as convidadas em vestidos tão bonitos que nunca vai esquecer até o dia de sua morte.

A Sra. Lynde apareceu na tarde seguinte para descobrir por que Marilla não tinha comparecido à reunião da Associação da Caridade na quinta-feira. Quando Marilla faltava, as pessoas sabiam que havia algo errado em Green Gables.

— Matthew teve uma crise cardíaca na quinta-feira — explicou Marilla — e eu não tive como deixá-lo. Oh, sim, ele está bem de novo agora, mas se sentindo mal com mais frequência do que antes e estou preocupada por causa dele. O médico diz que ele tem que tomar cuidado para evitar emoções fortes. Isso é bastante fácil, pois Matthew não sai por aí procurando emoções de forma alguma e nunca o fez, mas deve, também, evitar trabalho muito pesado e, você sabe, é mais fácil Matthew não respirar do que não trabalhar. Venha e deixe suas coisas, Rachel. Você vai ficar para o chá?

— Bem, vendo que você é tão insistente, talvez eu deva ficar — disse a Sra. Rachel, que não tinha a menor intenção de fazer mais nada.

A Sra. Rachel e Marilla sentaram-se confortavelmente na sala de estar, enquanto Anne pegava o chá e fazia biscoitos quentes que eram leves e brancos o suficiente para desafiar até mesmo as críticas da Sra. Rachel.

— Devo dizer que Anne acabou se revelando uma garota muito esperta — admitiu a Sra. Rachel, enquanto Marilla a acompanhava até o fim do caminho ao pôr do sol. — Ela deve ser uma grande ajuda para você.

— Sim, ela é mesmo — disse Marilla — e ultimamente tornou-se tão séria e confiável. No começo eu temia que nunca se tornasse outra coisa senão uma impulsiva incorrigível, mas hoje já posso confiar qualquer coisa a ela.

— Eu nunca teria pensado que ela se sairia tão bem quando a vi, no primeiro dia em que estive aqui, três anos atrás — disse a Sra. Rachel. — Jamais me esquecerei daquele escândalo dela! Quando fui para casa naquela noite, disse a Thomas: "Guarde minhas palavras, Thomas, Marilla Cuthbert viverá para lamentar o passo que deu." Mas eu estava enganada e estou muito feliz por isso. Não sou esse tipo de pessoa, Marilla, que não admite que cometeu um erro. Cometi um erro ao julgar Anne, mas não era de se admirar, para uma criança tão estranha e inesperada, é isso. Não havia como decifrá-la segundo as regras que funcionavam com outras crianças. É maravilhoso como ela melhorou nesses três anos, mas, especialmente, na aparência. Ela está uma garota muito bonita, embora eu não possa dizer que gosto desse estilo pálido de olhos grandes. Gosto de mais vivacidade, como Diana Barry ou Ruby Gillis. A aparência de Ruby Gillis é bem vistosa. Mas de alguma forma, quando Anne e elas estão juntas, embora não seja tão bonita, ela as faz parecerem tão comuns e exageradas; algo como aqueles lírios de junho brancos que ela chama de narciso ao lado de grandes peônias vermelhas, é isso.

# XXXI
## VIDA CALMA

Anne teve o verão que queria e aproveitou ao máximo. Ela e Diana viviam ao ar livre e desfrutaram os excelentes prazeres oferecidos pelo Caminho dos Amantes, o Lago das Águas Brilhantes e a Bolha da Dríade.

Marilla não fez objeções à liberdade de Anne. O médico de Spencervale, que viera na noite em que Minnie May teve o crupe, encontrou Anne na casa de um paciente uma tarde no início das férias, examinou-a com atenção, franziu a boca, balançou a cabeça e enviou uma mensagem a Marilla Cuthbert por outra pessoa.

— Mantenha aquela sua garota ruiva ao ar livre durante todo o verão e não a deixe ler livros até que ela tenha mais vivacidade no andar.

Esta mensagem assustou Marilla profundamente. Ela interpretou como uma sentença de morte de Anne por tuberculose, a menos que fosse escrupulosamente obedecida. Como resultado, Anne teve o verão dourado de sua vida no que diz respeito à liberdade e diversão. Ela caminhou, remou, berrou e sonhou com a alegria de seu coração; e quando setembro chegou, ela estava com os olhos brilhantes e alerta, com um passo vivaz e um coração cheio de ambição e entusiasmo.

— Sinto vontade de estudar com mais força — declarou ela, enquanto tirava os livros do sótão. — Oh, bons e velhos amigos, estou feliz em ver seus rostos honestos mais uma vez; sim, até você, geometria. Tive um verão perfeitamente lindo, Marilla, e agora estou alegre como uma heroína a correr para a vitória, como disse o Sr. Allan no domingo passado. O Sr. Allan não faz sermões magníficos? A Sra. Lynde diz que ele está melhorando a cada dia e a primeira coisa que sabemos é que alguma igreja da cidade o engolirá e então seremos deixados e teremos que recorrer a outro pregador inexperiente. Mas não vejo utilidade se preocupar com problemas que ainda não existam, não é, Marilla? Acho que seria melhor apenas desfrutar do Sr. Allan enquanto o temos. Se eu fosse um homem, acho que seria pastor. Eles têm uma influência benéfica, se sua teologia é sólida; e deve ser emocionante pregar sermões esplêndidos e mexer com o coração de seus ouvintes. Por que as mulheres não podem ser pastoras, Marilla? Perguntei isso à Sra. Lynde e ela ficou chocada e disse que seria uma coisa escandalosa. Ela disse que pode haver pastoras nos Estados Unidos e ela acreditava que havia, mas, graças a Deus, ainda não havíamos chegado a esse estágio no Canadá e ela esperava que nunca chegasse. Mas não vejo por quê. Acho que as mulheres seriam ministras esplêndidas. Quando há um evento social para se levantar ou um chá da igreja ou qualquer outra coisa para arrecadar dinheiro, as mulheres têm que correr e fazer o trabalho. Tenho certeza de que a Sra. Lynde pode orar tão bem quanto o Diretor Bell e não tenho dúvidas de que ela também poderia fazer sermões se tivesse um pouco de prática

— Sim, eu acredito que ela poderia — disse Marilla secamente. — Ela já faz muitos sermões não oficiais. Ninguém tem muita chance de dar errado em Avonlea com Rachel a supervisioná-los.

— Marilla — disse Anne com uma explosão de confiança — eu quero lhe dizer uma coisa e perguntar o que você acha disso. Isso me preocupou terrivelmente, isto é, nas tardes de domingo, quando penso especialmente sobre esses assuntos. Eu realmente quero ser boa; e quando estou com você ou a Sra. Allan ou a Srta. Stacy, quero isso mais do que nunca e quero fazer exatamente o que vocês gostariam e o que aprovariam que eu fosse. Mas, quando estou com a Sra. Lynde, me sinto desesperadamente perversa e como se quisesse fazer exatamente o que ela me diz que não devo fazer. Sinto-me irresistivelmente tentada a fazer isso. Agora, qual você acha que é a razão de eu me sentir assim? Você acha que é porque eu sou muito má e incorrigível?

Marilla pareceu hesitante por um momento. Então ela riu.

— Se você é, acho que também sou, Anne, pois Rachel frequentemente provoca esse mesmo efeito em mim. Às vezes acho que ela teria mais influência boa sobre as pessoas, como você mesmo diz, se não insistisse para que as pessoas fizessem o certo. Eu não deveria falar assim. Rachel é uma boa mulher cristã e tem boas intenções. Não existe uma alma mais gentil em Avonlea e ela nunca se esquiva de dar sua cota de trabalho.

— Estou muito feliz que você sinta o mesmo — disse Anne decididamente. — É tão encorajador. Não vou me preocupar tanto mais depois disso. Mas ouso dizer que haverá outras coisas com que me preocupar. Elas continuam surgindo o tempo todo, coisas que nos deixam perplexas, você sabe. Você resolve uma questão e há outra logo em seguida. Há tantas coisas a serem pensadas e decididas quando você está começando a crescer. Isso me mantém ocupada o tempo todo pensando sobre eles e decidindo o que é certo. Crescer é coisa séria, não é, Marilla? Mas quando tenho amigos tão bons como você e Matthew e a Sra. Allan e a Srta. Stacy, tenho tudo para crescer como uma boa adulta e tenho certeza de que será minha própria culpa se não o fizer. Sinto que é uma grande responsabilidade porque só tenho uma chance. Se eu não crescer direito, não posso voltar e começar de novo. Cresci cinco centímetros neste verão, Marilla. O Sr. Gillis me mediu na festa de Ruby. Estou tão feliz que você tenha feito meus vestidos novos mais longos. Aquele verde-escuro é tão bonito e foi gentil de sua parte colocar o babado. Claro que eu sei que não era realmente necessário, mas os babados estão tão estilosos neste outono e Josie Pye tem babados em todos os vestidos. Eu sei que poderei estudar melhor por causa dos meus babados. Estou tão confortável no fundo da minha mente.

— Vale a pena ter isso — admitiu Marilla.

A Senhorita Stacy voltou para a escola Avonlea e encontrou todos os seus alunos ansiosos por estudar. Especialmente a classe da Queen's que estava preparada para a batalha da "admissão" no fim do ano, só de pensar todos sentiam seu corações afundando até os sapatos. E se não passassem? Esse pensamento estava fadado a assombrar Anne durante as horas de insônia daquele inverno, inclusive nas tardes de domingo, com exclusão quase total dos problemas morais e teológicos. Quando Anne tinha pesadelos, ela se pegava olhando miseravelmente para as listas de aprovação nos exames de admissão, onde o nome de Gilbert Blythe estava estampado no topo e em que o dela não aparecia.

Mas foi um inverno alegre, agitado e feliz. O trabalho escolar era tão interessante, a rivalidade de classe era tão absorvente quanto antes. Novos mundos de pensamento, sentimento e ambição, campos novos e fascinantes de conhecimento inexplorado pareciam se abrir diante dos olhos ansiosos de Anne.

"*As colinas surgiram sobre a colina e os Alpes surgiam sobre os Alpes*."

Tudo isso se deveu à orientação diplomática, cuidadosa e aberta de Miss Stacy. Ela levou sua classe a pensar, explorar e descobrir por si mesma e encorajou a se desviar dos velhos caminhos batidos a um grau que bastante chocou a Sra. Lynde e os administradores da escola, que viam todas as inovações nos métodos estabelecidos de forma bastante duvidosa.

Além de seus estudos, Anne expandiu socialmente, pois Marilla, atenta ao ditado do médico de Spencervale, não mais vetava passeios ocasionais. O Clube de Oratória floresceu e deu vários concertos; havia uma ou duas festas que pareciam as festas de adultos; havia passeios de trenó e brincadeiras de patinação em abundância.

Um dia, enquanto estavam lado a lado, Marilla percebeu, para sua surpresa, que Anne era mais alta do que ela.

— Ora, Anne, como você cresceu! — ela disse, quase sem acreditar.

Um suspiro acompanhou as palavras. Marilla sentiu um ressentimento estranho pelos centímetros de Anne. A criança que ela aprendera a amar havia desaparecido de alguma forma e aqui estava uma moça alta e séria de quinze anos, com as sobrancelhas pensativas e a cabecinha orgulhosamente equilibrada, em seu lugar. Marilla amava a menina tanto quanto amara a criança, mas tinha consciência de uma estranha e triste sensação de perda. E naquela noite, quando Anne foi para a reunião de oração com Diana, Marilla sentou-se sozinha no crepúsculo de inverno e se entregou à fraqueza de um choro. Matthew, entrando com um lampião, pegou-a e olhou para ela com tal consternação que Marilla teve que rir em meio às lágrimas.

— Estava pensando em Anne — ela disse. — Ela cresceu e cresceu muito, e provavelmente não vamos mantê-la aqui no próximo ano. Vou sentir muita falta.

— Ela pode vir para casa para nos ver com frequência — consolou Matthew, para quem Anne era e sempre seria a garotinha ansiosa e falante que pegara na estação numa noite de junho, quatro anos antes. — Até lá a trilha lateral de Carmody será concluída.

— Não será a mesma coisa que tê-la aqui o tempo todo — suspirou Marilla melancolicamente, decidindo ir fundo em sua dor. Mas o que os homens entendem disso?

Houve outras mudanças em Anne, não menos marcantes do que aquelas puramente externas. Primeiro, ela ficou muito mais quieta. Talvez ela pensasse ainda mais e sonhasse tanto como sempre, mas certamente falava menos. Marilla percebeu e comentou sobre isso também.

— Você não fala nem a metade do que falava antes, Anne, e também não usa tantas palavras complicadas. O que você tem?

Anne enrubesceu e riu, tirando o livro das mãos e olhando pela janela dos seus sonhos, onde os grandes e inchados botões vermelhos das vinhas já ousavam emergir ao calor dos raios do sol primaveril.

— Não sei... não quero falar muito — disse ela, roçando o queixo com o dedo indicador. — É melhor ter pensamentos bons e bonitos e guardá-los no coração, como tesouros. Eu não gosto que riam deles ou os questionem. E, de alguma forma, não quero mais usar palavras complicadas. É quase uma pena, não é, agora que estou realmente crescendo o suficiente para dizê-las se eu quiser. É divertido estar quase adulta em alguns aspectos, mas não é o tipo de diversão que eu esperava, Marilla. Há tanto para aprender e fazer e pensar que não há tempo para palavras complicadas. Além disso, Miss Stacy diz que as palavras fáceis são muito mais fortes e melhores. Ela nos faz escrever todas as nossas redações da forma mais simples possível. No começo foi difícil. Eu estava tão acostumada a juntar todas as belas palavras grandes que conseguia pensar, e usava um número enorme delas. Mas agora me acostumei e vejo que é muito melhor.

— Como está o seu clube dos contos? Não ouço falar sobre isso há muito tempo.

— O clube dos contos foi abolido. Não tínhamos mais tempo para isso, ou talvez estivéssemos realmente cansadas disso... Havia um desejo enorme de escrever apenas sobre amor e assassinato e segredos malignos e sombrios. Mas a Srta. Stacy não nos deixa escrever nada além do que podemos vivenciar em Avonlea, e ela é muito dura em suas críticas. Assim, a própria pessoa abre os olhos para ver onde precisa melhorar.

— Você só tem dois meses até a prova de admissão — disse Marilla. — Você acha que vai conseguir?

Anne estremeceu.

— Eu não sei. Às vezes acho que vou ficar bem, e então fico terrivelmente com medo. Estudamos muito e a Srta. Stacy nos treinou profundamente, mas talvez não consigamos superar tudo isso. Cada um de nós tem um obstáculo. O meu é geometria, claro, o de Jane é francês, o de Ruby e Charlie é álgebra e o de Josie é aritmética. Moody Spurgeon diz que sente nos ossos que vai falhar em história da Inglaterra. Miss Stacy vai nos aplicar exames em junho, com a mesma intensidade que faremos na admissão e nos avaliar com a mesma rigidez, então teremos uma ideia. Gostaria que tudo acabasse, Marilla. Isso me assombra. Às vezes acordo no meio da noite e me pergunto o que vou fazer se não passar.

— Você vai para a escola por mais um ano e tenta de novo — disse Marilla com bastante indiferença.

— Não, eu não teria coragem, não teria... Seria uma desgraça falhar, especialmente se Gil... se os outros passassem. E fico tão nervosa em exames que é provável que estrague tudo. Eu gostaria de ter nervos como Jane Andrews. Nada a abala.

Anne suspirou e, afastando os olhos dos feitiços do mundo primaveril de dias atraentes de brisa e de um azul lindo e das coisas verdes nascendo no jardim, enterrou-se resolutamente no livro. Haveria outras primaveras, mas se não conseguisse passar na admissão, Anne estava convencida de que nunca se recuperaria o suficiente para desfrutá-las.

## XXXII
## LISTA DE NOMES

Com o fim de junho, chegou o fim do semestre e o fim do reinado de Miss Stacy na escola de Avonlea. Anne e Diana voltaram para casa naquela noite sentindo-se muito sérias. Olhos vermelhos e lenços úmidos eram um testemunho convincente do fato de que as palavras de despedida da Srta. Stacy devem ter sido tão comoventes quanto as do Sr. Phillips, em circunstâncias semelhantes, três anos antes. Diana olhou de volta para a escola ao pé da colina de abetos e suspirou profundamente.

— Parece que foi o fim de tudo, não é? — ela disse tristemente.

— Você não sente metade da dor que eu sinto — disse Anne, procurando em vão por uma mancha seca em seu lenço. — Você estará de volta no próximo inverno, mas suponho que deixei a velha escola para sempre, se eu tiver sorte, claro.

— Não vai ser nem um pouco igual. Miss Stacy não estará lá, nem você, nem Jane, nem Ruby provavelmente. Terei de sentar-me sozinha, pois não suportaria ter outra colega de trabalho depois de você. Oh, nós nos divertimos muito, não é, Anne? É terrível pensar que tudo acabou...

Duas grandes lágrimas rolaram pelos olhos de Diana.

— Se você parar de chorar, eu também paro — disse Anne. — Cada vez que coloco o lenço no bolso, vejo como seus olhos estão inundados de lágrimas, e é aí que começo tudo de novo. Como diz a Sra. Lynde: "Se você não consegue ficar alegre, fique o mais alegre que conseguir". Afinal, atrevo-me a dizer que voltarei no próximo ano. Essa é uma das vezes que *sei* que não vou conseguir passar. Estes momentos estão ficando assustadoramente frequentes.

— Ora, você se saiu esplendidamente nos exames que Miss Stacy aplicou.

— Sim, mas aqueles exames não me deixaram nervosa. Quando penso na coisa real, você não consegue imaginar a sensação horrível de frio e medo que toma conta do meu coração. Além do mais, meu número é treze, e Josie Pye diz que é número de azar. *Não sou* supersticiosa e eu sei que isso não faz nenhuma diferença. Mesmo assim, gostaria que eu não fosse treze.

— Eu gostaria de ir com você — disse Diana. — Não teríamos um tempo perfeitamente elegante? Mas suponho que você terá que estudar à noite.

— Não, Miss Stacy fez-nos prometer não abrir nenhum livro. Ela diz que isso só vai nos cansar e nos confundir e que devemos sair para caminhar e não pensar nos exames e ir para a cama cedo. É um bom conselho, mas creio que seja difícil de seguir. Prissy Andrews me contou que ficava acordada todas as noites da semana que antecedeu seus exames. Foi tão gentil da sua parte pedir à tia Josephine para me acolher em Beechwood, enquanto estou na cidade.

— Você vai escrever para mim enquanto você estiver lá?

— Vou lhe escrever na terça à noite e contar como foi o primeiro dia — prometeu Anne.

— Vou esperar o correio abrir na quarta-feira, só para ler sua carta — garantiu Diana.

Anne viajou para a cidade na segunda-feira seguinte, e na quarta-feira Diana pôde pegar a carta prometida.

"*Amada Diana!*

*É terça-feira à noite agora, e estou sentada na biblioteca de tia Josephine escrevendo isto. Você pode acreditar como me senti solitária ontem à noite quando fui descansar e desejei que você estivesse comigo. Eu não li porque eu havia prometido à Srta. Stacy, mas foi tão difícil não abrir meu livro de geografia como antes era difícil não ler contos de fadas antes de terminar o dever de casa. Quando chegamos ao seminário, havia vinte outros aspirantes de toda a ilha. Esta manhã a Srta. Stacy veio me buscar e fomos para a Academia, buscamos Jane, Ruby e Josie no caminho. Ruby me pediu para sentir suas mãos e elas estavam frias como gelo. Josie disse que parecia que eu não tinha dormido nem um pouco e ela não achava que eu fosse forte o suficiente para suportar o curso de professora, mesmo que conseguisse passar. O primeiro que vimos foi Moody Spurgeon, que estava sentado na escada. Jane perguntou a ela o que diabos estava fazendo e ele disse que estava repetindo a tabuada para acalmar seus nervos e não deveríamos interrompê-lo de forma alguma, porque temia esquecer tudo o que sabia. Assim que ocupamos o nosso lugar nas várias salas, Miss Stacy teve de nos deixar e encontrar nosso destino. Jane e eu sentamos juntas, e Jane estava tão calma que eu realmente a invejei. Achei que as outras pessoas poderiam ouvir meu coração batendo do outro lado da sala. Então um homem entrou e começou a distribuir as folhas do exame de inglês. Minhas mãos ficaram frias e minha cabeça girou bastante quando o peguei. Lembrei-me de um momento horrível, Diana, eu me senti exatamente como há quatro anos quando perguntei a Marilla se eu poderia ficar em Green Gables, e então tudo clareou em minha mente e meu coração começou a bater novamente (esqueci de dizer que tinha parado totalmente); aí eu soube que seria capaz de fazer aquela prova. Ao meio-dia voltamos para casa para almoçar e voltamos à tarde para a prova de história. A prova de história era bem difícil e eu me confundi um pouco nas datas. Ainda assim, acho que me saí bem. Ruby estava histérica quando descobriu um erro terrível que cometera em sua prova de inglês. Quando ela se recuperou, fomos ao centro da cidade e tomamos um sorvete. Como gostaríamos que você estivesse conosco.*

*Oh, Diana, amanhã é o exame de geometria! Mas até lá, como diria a Sra. Lynde, o sol continuará nascendo e se pondo, quer eu passe ou não em geometria. Acho que preferia não ter nascido se eu for reprovada!*

*Da que te ama ternamente*
*Anne."*

Geometria e todos os outros assuntos foram rompidos um a um, e Anne voltou para casa na sexta-feira à noite, bastante cansada, mas com um ar de triunfo atenuado. Diana estava em Green Gables quando chegou e elas se abraçaram como se estivessem separadas há anos.

— Querida, é perfeitamente esplêndido vê-la de volta. Parece que já faz muito tempo que você foi para a cidade e, ah, Anne, como você se saiu?

— Muito bem, eu acho, em tudo, menos na geometria. Não sei se passei nela ou não, e tenho um pressentimento assustador de que não passei. Oh, como é bom estar de volta! Green Gables é o lugar mais querido e adorável do mundo.

— Como os outros se saíram?

— As meninas dizem que sabem que não foram aprovadas, mas acho que se saíram muito bem. Josie diz que a geometria era tão fácil que uma criança de dez anos conseguia! Moody Spurgeon ainda pensa que falhou em história e Charlie diz que não foi bem em álgebra. Mas realmente não sabemos nada e não saberemos até que a lista de aprovação seja lançada. Isso será daqui a duas semanas. Imagine viver quinze dias com tanto suspense! Eu gostaria de poder ir dormir e só acordar até que tudo acabe.

Diana sabia que seria inútil perguntar como Gilbert Blythe tinha se saído, então ela apenas disse:

— Oh, você vai passar. Não se preocupe.

— Prefiro não ser aprovada em nada a não estar no topo da lista — disparou Anne, e Diana sabia que ela queria dizer que o sucesso seria incompleto e amargo se ela não passasse na frente de Gilbert Blythe.

Com esse objetivo em vista, Anne trabalhara todos os nervos durante os exames. Gilbert também. Eles se encontraram e se cruzaram na rua uma dúzia de vezes sem qualquer sinal de reconhecimento e cada vez que Anne erguia a cabeça, desejava um pouco mais seriamente ter feito as pazes com Gilbert quando ele a pedira. Ela sabia que todos em Avonlea estavam se perguntando quem seria o primeiro; ela até sabia que Jimmy Glover e Ned Wright fizeram uma aposta e que Josie Pye havia dito que não havia dúvidas no mundo de que Gilbert ganharia; e Anne sentiu que sua humilhação seria insuportável se falhasse.

Mas ela tinha outro motivo mais nobre para desejar se sair bem. Ela queria se *sair bem* por Matthew e Marilla, especialmente Matthew. Matthew havia declarado a ela sua convicção de que ela "se sairia melhor do que todos na Ilha." Isso Anne sentiu que seria tolice esperar, mesmo nos seus melhores sonhos. Mas ela esperava fervorosamente estar entre os dez primeiros, pelo menos, para que pudesse ver os olhos castanhos bondosos de Matthew brilharem de orgulho por sua conquista. Isso seria uma doce recompensa por todo o seu trabalho árduo e paciente entre equações e conjugações nada inspiradoras.

No final da quinzena, Anne também começou a *rondar* os correios, na companhia distraída de Jane, Ruby e Josie, abrindo os diários de Charlottetown com mãos trêmulas e frias e com sentimentos tão ruins quanto os experimentados durante a semana das provas. Charlie e Gilbert também não se importaram em fazer isso, mas Moody Spurgeon permaneceu resolutamente afastado.

— Não tenho coragem de ir até lá e olhar um jornal a sangue frio — disse Moody a Anne. — Vou apenas esperar até que alguém chegue e me diga se fui aprovado ou não.

Depois que três semanas já haviam se passado sem que a lista de aprovação aparecesse, Anne começou a sentir que realmente não aguentaria aquela tensão por muito tempo. Seu apetite desapareceu e seu interesse nas atividades de Avonlea diminuiu muito. A Sra. Lynde queria saber o que mais esperar de um secretário de educação conservador na chefia de assuntos, e Matthew, notando a palidez e indiferença de Anne e os passos lentos que a levavam para casa até o correio todas as tardes, começou a se perguntar seriamente se não seria melhor votar no Partido Liberal nas próximas eleições.

Mas uma noite chegou a notícia. Anne estava sentada em sua janela aberta, por algum tempo esquecida das aflições dos exames e das preocupações do mundo, enquanto ela bebia da beleza do crepúsculo de verão, perfumada com sopros de flores do jardim abaixo e sibilantes e sussurrantes com a agitação dos choupos. O céu oriental acima dos abetos estava levemente rosado pelo reflexo do oeste, e Anne se perguntava sonhadora se o espírito da cor era assim, quando viu Diana voando pelos abetos, por cima da ponte de madeira e subindo o declive, com um jornal esvoaçante na mão.

Anne se levantou de um salto, sabendo imediatamente o que aquele papel continha. A lista de aprovação havia saído! Sua cabeça girou e seu coração bateu disparado. Ela não conseguia dar um passo. Pareceu-lhe que durou uma hora antes que Diana corresse pelo corredor e entrasse no quarto sem sequer bater, de tão grande era sua excitação.

— Anne, você passou! — ela gritou. — Passou em primeiro *lugar*! Você e Gilbert têm a mesma pontuação, mas seu nome vem primeiro. Oh, como estou orgulhosa de você!

Diana jogou o jornal sobre a cama de Anne, totalmente sem fôlego e incapaz de falar mais. Anne acendeu o lampião, com as mãos trêmulas. Então ela pegou o jornal. Sim, ela havia passado, seu nome estava no topo de uma lista de duzentos! Valeu a pena viver aquele momento.

— Você se saiu esplendidamente bem, Anne — bufou Diana, recuperando o fôlego suficiente para se sentar e falar, pois Anne, de olhos brilhantes e extasiados, não havia pronunciado uma palavra. — Meu pai trouxe o jornal de Bright River para casa há menos de dez minutos; saiu no trem da tarde e só estará amanhã no correio, e quando vi a lista de aprovados corri como uma doida. Todos vocês passaram, cada um de vocês, Moody Spurgeon e todos, embora ele esteja com dependência em história. Jane e Ruby se deram muito bem, e Charlie também. Josie passou raspando, mas você verá que ela assumirá ares de primeiro lugar. Miss Stacy não ficará encantada? Oh, Anne, qual é a sensação de ver seu nome no topo de uma lista de aprovação como essa? Se fosse eu, sei que ficaria louca de alegria. Já estou quase louca, mas você está tão calma e fresca como uma noite de primavera.

— Estou simplesmente extasiada por dentro — disse Anne. — Quero dizer uma centena de coisas e não consigo encontrar palavras para dizê-las. Jamais sonhei com isso, sim, sonhei sim, só uma vez! Permiti-me pensar *uma vez* : “E se eu passar em primeiro lugar?” mas parecia tão vão e presunçoso pensar que eu poderia ser a primeira da Ilha. Com licença, Diana. Devo correr para o campo para contar a Matthew. Então subiremos a estrada e contaremos as boas novas aos outros.

Elas correram para a campina atrás do celeiro onde Matthew revirava o feno e, por acaso, a Sra. Lynde estava conversando com Marilla por cima da cerca.

— Matthew! — gritou Anne. — Passei e em primeiro lugar. Não sou vaidosa, mas sou tão grata!

— Sim, eu sempre disse isso — disse Matthew, olhando para a lista de bom humor. — Eu sabia que você ia vencer a todos!

— Você se saiu muito bem, devo dizer, Anne — disse Marilla, tentando esconder seu extremo orgulho por Anne do olhar crítico da Sra. Rachel. — E estamos todos orgulhosos de você.

Naquela noite, Anne encerrou a noite deliciosa com uma conversinha séria com a Sra. Allan na casa paroquial, ajoelhou-se docemente diante de sua janela aberta em um grande brilho da lua e murmurou uma oração de gratidão e aspiração que veio direto de seu coração. Nela havia gratidão pelo passado e reverente súplica pelo futuro; e quando ela dormia em seu travesseiro branco, seus sonhos eram tão claros e belos quanto sua donzelice poderia desejar.

# XXXIII
# O CONCERTO NO HOTEL

— Vista o seu vestido de musselina branca, Anne — Diana pediu. Elas estavam no quarto do sótão. Lá fora estava o crepúsculo; um adorável crepúsculo esverdeado sob um céu azul-escuro sem nuvens. A grande Lua redonda, cujo esplendor pálido lentamente se transformou em um brilho prateado cintilante, estava acima da Floresta Assombrada, e o ar estava cheio dos doces sons do verão, o lirismo dos pássaros adormecidos, o barulho de uma brisa travessa, o riso distante e a fala. Mas, no quarto de Anne, as persianas foram baixadas e a lâmpada acesa.

O sótão era um lugar muito diferente do que tinha sido naquela primeira noite quatro anos atrás, quando Anne sentiu o medo penetrar até a medula de seu espírito como um frio inóspito. As mudanças lentamente vieram, Marilla as aceitava resignadamente, até que o quarto se tornou um ninho tão doce e delicado quanto uma menina poderia desejar.

O tapete de veludo com rosas cor-de-rosa e as cortinas de seda cor-de-rosa das primeiras visões de Anne certamente nunca se materializaram. O chão estava coberto com um belo tapete, e as cortinas que suavizavam a janela alta e tremulavam na brisa errante eram de musselina verde-clara. As paredes foram decoradas, não com tapeçaria de brocado de ouro e prata, mas com um papel de flor de maçã delicado, eram adornadas com alguns quadros dados a Anne pela Sra. Allan. A foto de Miss Stacy ocupava o lugar de honra, e Anne fez questão de manter flores frescas no suporte sob ela. Esta noite, um buquê de lírios brancos perfumava levemente o quarto com sua fragrância.

Anne estava se vestindo para um show no White Sands Hotel. Os hóspedes organizaram um espetáculo em benefício do hospital de Charlottetown e procuraram todos os talentos amadores disponíveis nos distritos vizinhos para ajudá-los. Bertha Sampson e Pearl Clay do coro batista de White Sands foram convidadas a cantar um dueto; Milton Clark, de Newbridge, faria um solo de violino; Winnie Adella Blair, do Carmody, iria cantar uma balada escocesa; e Laura Spencer, de Spencervale, e Anne Shirley, de Avonlea, deveriam recitar.

Como Anne gostava de dizer: aquilo marcou "uma época em sua vida", e ela estava deliciosamente arrepiada com a empolgação. Matthew estava no sétimo céu de orgulho gratificado pela honra conferida à sua Anne e Marilla não estava muito atrás, embora ela tivesse morrido antes de admitir, e disse que não achava que era muito apropriado jovens vagando pelo hotel, sem qualquer pessoa responsável com eles.

Anne e Diana iriam até lá em Jane Andrews e seu irmão, Billy, e vários outros jovens de Avonlea também iriam. Todos esperavam muitas pessoas de fora da cidade e, depois da noite, todos os assistentes jantariam juntos.

— Você realmente acha que este vestido branco é o melhor? — Anne perguntou inquieta. — Eu não acho que é tão bonito quanto meu traje de musselina com flor azul.

— Mas este fica muito melhor em você — disse Diana. — É tão macio e cai tão lindamente. E você parece tão arrumada com o branco.

Anne suspirou e desistiu. Diana começou a se tornar famosa por seu bom gosto em questões de moda, e seus conselhos sobre esses assuntos foram muito valiosos. Ela também estava muito bonita naquela noite em particular, com um vestido do adorável rosa selvagem, do qual Anne estava para sempre proibida; mas Diana não iria participar do concerto, então sua aparência era de menor importância. Todos os seus esforços foram direcionados a Anne, que deveria estar penteada, vestida e arrumada da melhor maneira possível para trazer glória à sociedade de Avonlea.

— Puxe aquele babado um pouco mais; aqui, deixe-me amarrar sua faixa; agora seus sapatos. Vou trançar seu cabelo em duas tranças grossas e amarrá-los com grandes laços brancos — não, não puxe um único cacho sobre a testa. Esta é a melhor maneira de você se pentear, Anne, e a Sra. Allan diz que você parece uma Madonna quando faz outro penteado. Vou prender esta rosa branca bem atrás da sua orelha.

— Posso colocar um colar de pérolas no pescoço? — Anne perguntou. — Matthew comprou um para mim quando estava na cidade, na semana passada, e sei que ele adoraria me ver usando.

Diana franziu os lábios, inclinou a cabeça negra e olhou para as pérolas criticamente. Finalmente, ela deu seu consentimento, e o colar de pérolas foi colocado no pescoço estreito e branco de Anne.

— Há algo tão estiloso em você, Anne — disse Diana, com admiração nada invejável. — Você ergue a cabeça com um ar tão majestoso. Suponho que seja a sua figura. Eu sou apenas um corpo roliço. E suponho que terei que me resignar a isso.

— Mas você tem covinhas — disse Anne, sorrindo afetuosamente para o rosto bonito e vivaz tão perto do seu. — Covinhas adoráveis, como pequenas marcas de chantilly. Desisti de ter covinhas. Meu sonho com covinhas nunca se tornará realidade; mas tantos sonhos se realizaram que não tenho do que reclamar. Estou pronta agora?

— Prontinha — disse Diana, e Marilla apareceu na soleira da porta, angulosa e magra, com o cabelo um tanto grisalho, mas um rosto muito mais gentil. — Entre, Marilla, e veja nossa declamadora! Ela não está bonita?

Marilla murmurou algo incompreensível, não considerou apropriado dar algum tipo de reconhecimento.

— Ela parece limpa e adequada. Gosto desse penteado. Mas aposto que ela vai estragar este vestido na poeira e orvalho, que parece muito fino para essas noites úmidas. De qualquer forma, este tecido é a coisa mais inútil do mundo, e eu disse isso a Matthew quando ele o comprou. Mas não adianta dizer nada a Matthew hoje em dia. Era a época em que ele seguia meu conselho, mas agora compra coisas para Anne de qualquer maneira, e os funcionários da Carmody sabem que podem enganá-lo com qualquer coisa. Basta deixá-los dizer a ele que a coisa é bonita e elegante, e Matthew gasta seu dinheiro por isso. Lembre-se de manter sua saia longe das rodas, Anne, e coloque seu casaco quente.

Então Marilla desceu as escadas de novo, pensando bem-humorada em como Anne era engraçada e que era uma pena que ela própria não pudesse estar presente para ouvir a apresentação da sua garota.

— Eu me pergunto se *está* muito úmido para o meu vestido — disse Anne ansiosamente.

— Claro que não — disse Diana, e abrindo a cortina — Está uma noite maravilhosa e com certeza não haverá orvalho. Olhe para o luar.

— Estou tão feliz que minha janela dá para o Leste, onde nasce o sol — disse Anne, indo até Diana. — É tão esplêndido ver a manhã surgindo sobre aquelas longas colinas e brilhando através daqueles topos de pinheiros afiados. É diferente a cada manhã, e sinto como se tivesse lavado minha própria alma em cada banho de sol. Oh, Diana, eu amo tanto este quartinho. Não sei como vou ficar sem ele quando for para a cidade no mês que vem.

— Podemos não falar sobre isso, pelo menos esta noite? — perguntou Diana. — Não quero pensar nisso, vou ser tão infeliz, e quero muito me divertir esta noite. — O que você vai recitar, Anne? Você está nervosa?

— Nem um pouco. Já recitei tantas vezes em público que não me importo mais agora. Eu decidi recitar "O voto da Donzela". É tão romântico. Laura Spencer fará uma peça cômica, mas prefiro fazer as pessoas chorarem do que rirem.

— O que você vai recitar se eles pedirem bis?

— Oh, eles certamente não farão isso — disse Anne. Mas ela estava secretamente desejosa de que fariam isso. — Billy e Jane chegaram. Eu ouço o barulho de carruagens.Vamos!

Billy Andrews insistiu que Anne fosse no banco da frente com ele, e ela subiu a contragosto. Ela teria preferido sentar-se com as meninas, onde poderia ter rido e tagarelado com a alegria de seu coração. Não havia muito riso ou conversa com Billy. Ele era um jovem grande, gordo e impassível de 20 anos, com um rosto redondo e sem expressão e uma dolorosa falta de dons de conversação. Mas ele admirava Anne imensamente e estava inflado de orgulho com a perspectiva de dirigir até White Sands com aquela figura esguia e ereta ao lado dele.

Mas Anne ainda podia virar para trás enquanto estava sentada e ficar conversando com as garotas, e de vez em quando ela dirigia algumas palavras educadas a Billy, que demonstrava grande satisfação, mas não tinha tempo de preparar uma resposta adequada. Mas ele se divertiu muito ao ir dirigindo. A estrada estava cheia de coches, indo para o hotel. Quando chegaram, ele estava bem iluminado. Elas foram recebidas pelas mulheres que eram membros do comitê, e uma delas levou Anne para o camarim, que estava cheio de membros da Sociedade de Canto de

Charlottetown. Entre eles, Anne se sentiu tímida, caipira e envergonhada. Seu traje, que no quarto do sótão parecera tão bonito, agora parecia simples e feito em casa, "na verdade, simples demais", pensou, entre todas as sedas e rendas que brilhavam e farfalhavam ao seu redor. O que suas pérolas significavam em comparação com os diamantes daquela mulher grande e bela sentada ao lado dela? E como deve ter parecido simples sua rosa branca ao lado daquelas estonteantes flores de estufa que todo mundo tinha! Anne tirou o chapéu e se encolheu num canto. Ela desejou estar de volta em seu pequeno quarto branco em Green Gables.

A sensação era ainda pior lá fora, no palco, no grande salão de baile, para onde, depois de um momento, todos os assistentes foram. Uma luz elétrica iluminou seus olhos, o cheiro do perfume e a agitação colocaram sua cabeça zonza. Ela desejou estar na plateia com Diana e Jane, que pareciam se divertir muito no fundo do auditório.

Ela estava entre uma mulher rechonchuda com um vestido de seda rosa e uma garota com um vestido de renda branca que parecia intrometida. A mulher virou a cabeça e a examinou através dos óculos. Anne começou a sentir aquele exame insuportável e teve vontade de correr em outra direção. E a garota, com um vestido de renda branca, ficou falando em voz alta com seu vizinho sobre "os caipiras" e "a beleza rústica"; e se perguntou, olhando para o programa, o que realmente poderia ser esperar de um lugar como este... Anne achava que odiaria aquela garota de renda branca até o fim de sua vida.

Infelizmente, para Anne, uma conhecida declamadora que estava hospedada no hotel concordou em apresentar alguns números. Ela era uma mulher esguia e flexível, de olhos escuros, usando um vestido cinza-claro maravilhoso, arejado e bruxuleante como o brilho do luar, com joias em volta do pescoço e cabelos escuros. Ela tinha uma voz excepcionalmente bonita e uma apresentação incrivelmente expressiva que encantou completamente o público. Anne esqueceu-se de si mesma e de suas preocupações por um momento e prestou atenção em tudo com olhos brilhantes.

Mas quando o show acabou, Anne, de repente, cobriu o rosto com as mãos. Como poderia dar um passo à frente e se apresentar depois disso? Ela alguma vez pensou que podia recitar?... Ah, se ao menos ela estivesse em Green Gables de novo!

Durante este momento difícil, ela ouviu seu nome ser chamado. Seja como for, Anne conseguiu se levantar e pisar no palco, ela não percebeu como a garota de renda branca estremeceu e parecia surpresa, como se estivesse um pouco envergonhada... Ela estava tão pálida que Diana e Jane, na plateia no andar de baixo, agarraram as mãos uma da outra em uma solidariedade muda e aterrorizada.

Anne foi vítima de um terrível ataque de pânico no palco. Frequentemente ela recitava em público, ela nunca havia enfrentado uma plateia como esta, e a visão paralisou suas energias completamente. Tudo era tão estranho, tão brilhante, tão desconcertante, as fileiras de damas em vestidos de noite, os rostos críticos, toda a atmosfera de riqueza e cultura ao seu redor. Tudo muito diferente dos bancos simples do Clube de Debates, cheios de rostos caseiros e simpáticos de amigos e vizinhos. Essas pessoas, ela pensou, seriam críticos implacáveis. Talvez, como a garota de renda branca, eles antecipassem a diversão de seus esforços "rústicos". Ela se sentia desesperançada, totalmente envergonhada e miserável. Seus joelhos tremeram, seu coração acelerou, um pavor horrível apoderou-se dela. Ela não conseguia falar uma palavra e, se pudesse, num piscar de olhos, teria saído correndo do palco; apesar da vergonha e do ridículo que teria produzindo para si mesma para sempre.

Mas, de repente, enquanto seus olhos dilatados e assustados observavam a plateia, ela viu Gilbert Blythe no fundo do auditório, curvando-se para frente com um sorriso no rosto, um sorriso que pareceu a Anne ao mesmo tempo triunfante e provocador. Na realidade, não era nada disso. Gilbert estava apenas sorrindo com a apreciação de todo o caso em geral e do efeito produzido pela forma esguia e branca de Anne. Josie Pye, a quem ele havia conduzido de coche para lá, sentou-se ao seu lado, e seu rosto certamente estava triunfante e provocador. Mas Anne não viu Josie e não teria se importado se ela tivesse visto. Ela respirou fundo e ergueu a cabeça com orgulho, coragem e determinação formigando sobre ela como um choque elétrico. Ela *não* falharia diante de Gilbert Blythe; ele nunca mais ia rir dela, nunca, nunca! Seu medo e nervosismo desapareceram; e ela começou sua recitação, sua voz clara e doce alcançando o canto mais distante da sala sem um tremor ou pausa. O autodomínio foi totalmente restaurado, e ela recitou como nunca havia feito antes. Quando ela terminou, houve uma explosão de aplausos sinceros. Anne voltou para o seu lugar, corando de timidez e alegria, e lá a mulher corpulenta com um vestido de seda leve estendeu-lhe a mão e apertou-a cordialmente.

— Querida, você foi esplêndida — disse ela. — Chorei como um bebê, na verdade. Eles estão querendo um bis... eles vão chamá-la de volta!

— Ah, não, não posso ir — disse Anne, envergonhada. — Mas acho que tenho que ir... senão Matthew ficaria chateado. Ele disse que isso aconteceria.

— Então, não decepcione Matthew — disse a mulher de rosa com uma risada.

Sorrindo, corando e com os olhos brilhantes, Anne subiu ao palco novamente e apresentou, extraordinariamente, um número de textos delicados e bem-humorados que agradou ao público. E o resto da noite foi um pequeno triunfo para ela.

Quando o show acabou, a robusta mulher de rosa, que era esposa de um milionário americano, a colocou sob sua proteção e apresentou Anne a todos, que foram muito simpáticos com ela. A atriz profissional, Sra. Evans, veio e conversou com Anne, dizendo que ela tinha uma voz encantadora e "recitara" suas seleções lindamente. Até a garota de renda branca fez um pequeno elogio lânguido. Jantaram na grande sala de jantar lindamente decorada; Diana e Jane foram convidadas a participar também, uma vez que tinham vindo com Anne, mas Billy não estava em lugar algum, tendo fugido com medo mortal de tal convite. Ele estava esperando por elas, no entanto, quando tudo acabou, e as três garotas saíram alegremente para a calma de um brilho de luar. Anne respirou fundo e olhou para o céu claro e para os ramos escuros dos abetos.

Oh, era bom voltar para a pureza e o silêncio da noite! Como tudo era grande, quieto e maravilhoso, com o murmúrio do mar ecoando por ele e os penhascos sombrios além, como gigantes sombrios guardando costas encantadas.

— Não foi encantador? — suspirou Jane quando a carruagem partiu. — Eu só queria ser uma americana rica e poder passar o verão em um hotel e usar joias e vestidos decotados e tomar sorvete e salada de frango todos os dias. Tenho certeza de que seria muito mais divertido do que ensinar na escola. Anne, sua recitação foi simplesmente ótima, embora eu tenha pensado que a princípio você nunca fosse começar. Você se saiu melhor do que a Sra. Evans.

— Não fale assim, Jane — disse rapidamente Anne — Afinal, a Sra. Evan é uma atriz, e eu sou apenas uma colegial, uma iniciante sobre o assunto... Estou satisfeita que o público tenha gostado da minha apresentação.

— Tenho um elogio a transmitir para você, Anne — disse Diana. — Pelo menos acho que era para ser um elogio pelo tom que foi dito. Havia um senhor dos Estados Unidos que se sentou atrás de Jane e de mim. Josie Pye diz que é um pintor ilustre. E nós o ouvimos dizer: "Quem é aquela garota no palco que tem um cabelo à la Ticiano, tão lindo? Ela tem um rosto que eu gostaria de pintar." — Mas o que o cabelo de Ticiano realmente significa?

— Na linguagem cotidiana, acho que é simplesmente o mesmo que cabelo ruivo — riu Anne. — Ticiano era um pintor muito famoso que gostava de pintar mulheres ruivas.

— Você *viu* todos aqueles diamantes que aquelas mulheres usavam? — suspirou Jane. — Oh, como eles cintilaram! Vocês não adorariam ser ricas, meninas?

— Nós *somos* ricas — disse Anne com muita confiança. — Temos dezesseis anos e temos uma vida pela frente, somos felizes como rainhas, temos imaginação... Olhem para o mar, meninas... todo prata e sombras e visão de coisas não vistas. Não poderíamos mais desfrutar de sua beleza se tivéssemos milhões de dólares e cordas de diamantes. Vocês gostariam de ser aquela garota de renda branca e ter uma aparência azeda por toda a vida, como se tivesse nascido virando o nariz para o mundo? Ou a senhora de rosa, gentil e simpática como ela é, tão robusta e baixa que quase não tem silhueta? Ou mesmo a Sra. Evans, com aquele olhar triste em seus olhos? Ela deve ter sofrido uma grande infelicidade para ter tal aparência. Você ia querer ser uma delas, Jane Andrews?

— Não tenho tanta certeza disso — disse Jane, nada convencida. — Eu acho que diamantes seriam muito reconfortantes.

— Bem, eu não quero ser ninguém além de mim mesma, mesmo que eu fique sem diamantes por toda a minha vida — declarou Anne. — Estou bastante contente em ser Anne de Green Gables, com meu colar de contas de pérolas. Eu sei que Matthew me deu com tanto amor que vale mais que as joias da Dama de Rosa.

# XXXIV
## UMA ALUNA DA QUEEN'S

Nas três semanas seguintes, Green Gables agitou-se muito, pois Anne estava se preparando para ir à Queen's e havia muita costura a ser feita e muitas coisas a serem discutidas e arranjadas. O enxoval de Anne era amplo e bonito, pois Matthew cuidou disso, e Marilla, pela primeira vez, não fez objeções a nada que ele comprasse ou sugerisse. Mas uma noite ela subiu para o quarto no sótão com os braços cheios de um delicado tecido verde-claro.

— Anne, aqui está algo para um belo e leve vestido para você. Eu não acho que você realmente precise; você tem muitos vestidos bonitos; mas achei que você gostaria de usar algo realmente vistoso se fosse convidada para sair em qualquer lugar da cidade, para uma festa ou qualquer coisa assim. Ouvi dizer que Jane, Ruby e Josie têm "vestidos de noite", como os chamam, e não quero que você fique para trás. Pedi à Sra. Allan para me ajudar a escolher na cidade, na semana passada, e vamos pedir a Emily Gillis para fazer para você. Emily tem muito bom gosto, e seus trabalhos não podem ser igualados aos de ninguém na Ilha.

— Oh, Marilla, é simplesmente adorável! — gritou Anne. — Obrigada! Você não deveria ser tão gentil comigo... dia a dia minha partida fica mais difícil.

O vestido verde foi feito com tantas pregas, babados e franjas quanto o gosto de Emily permitia. Anne vestiu-o uma noite para mostrar a Matthew e Marilla e, recitou "O voto da donzela" para eles na cozinha. Enquanto Marilla observava o rosto brilhante e animado e os movimentos graciosos, seus pensamentos voltaram para a noite em que Anne chegara a Green Gables, e a memória lembrou uma imagem vívida da criança estranha e assustada em seu vestido ridículo marrom-amarelado, o coração partido aparecendo em seus olhos lacrimejantes. Algo na memória trouxe lágrimas aos olhos de Marilla.

— Minha declamação a fez chorar, Marilla — disse Anne alegremente, inclinando-se sobre a cadeira de Marilla para dar um beijo na bochecha daquela senhora. — Isso que eu chamo de um triunfo definitivo.

— Não, eu não chorei por causa do seu poema — disse Marilla, que nunca poderia demonstrar emoção por causa do que disse ser uma tolice... ou mera tolice... — Não pude deixar de pensar na garotinha que você era antes, Anne. E eu desejei que você continuasse a ser aquela garotinha, com modos tão diferentes em muitos aspectos... Agora você cresceu, e está seguindo seu caminho, e você parece tão alta e madura e tão... e eu simplesmente me senti solitária pensando nisso.

— Marilla! — Anne sentou-se no colo de Marilla, segurou aquele rosto enrugado entre suas mãos e olhou com seriedade e ternura nos seus olhos. — Eu não estou nem um pouco mudada, não mesmo. Estou apenas podada e ramificada. O verdadeiro *eu no meu âmago* é exatamente o mesmo. Não fará a menor diferença para onde for ou o quanto eu mude externamente; no fundo, serei sempre sua pequena Anne, que amará você, Matthew e a querida Green Gables dia após dia mais e mais.

Anne encostou sua jovem bochecha na bochecha desbotada de Marilla e estendeu a mão para dar um tapinha no ombro de Matthew. Marilla teria dado tudo naquele momento para possuir o poder de Anne de expressar seus sentimentos em palavras; mas a natureza e o hábito a educaram de outra forma, e ela colocou os braços em volta da menina e a abraçou ternamente contra o coração, desejando que nunca precisasse deixá-la ir.

Matthew, com os olhos úmidos, levantou-se e saiu. Sob as estrelas azuladas da noite de verão, ele começou a vagar sob a fileira de choupos.

— Bem, acho que ela não tem sido muito mimada — ele murmurou, orgulhoso. — Eu acho que minhas intromissões ocasionais nunca fizeram mal, afinal. Ela é inteligente, bonita e amorosa também, o que é melhor do que todo o resto. Ela tem sido uma bênção para nós, e nunca houve um mal-entendido mais feliz do que esse da Sra. Spencer, *foi uma sorte mesmo*. Foi a Providência, porque o Todo-Poderoso viu que precisávamos dela, eu acho.

Finalmente chegou o dia em que Anne iria para o centro da cidade.

Ela e Matthew dirigiram a charrete em uma bela manhã de setembro, depois de uma despedida chorosa de Diana e uma separação mais prática, pelo menos da parte de Marilla. Mas quando Anne se foi, Diana enxugou as lágrimas e foi a um piquenique na praia em White Sands com alguns de seus primos de Carmody, onde conseguiu se divertir razoavelmente bem; enquanto Marilla mergulhava ferozmente no trabalho desnecessário e se mantinha nisso o dia todo com o tipo mais amargo de dor de cabeça, a dor que arde e corrói e não consegue se dissipar em lágrimas. Mas naquela noite, quando foi para a cama, agudamente e miseravelmente consciente de que o pequeno quarto do sótão estava desocupado por qualquer alma jovem, ela afundou o rosto no travesseiro e chorou até que se acalmou por se deixar levar por um sentimento tão condenável.

Anne e os outros alunos de Avonlea chegaram à cidade bem a tempo de partir para a Academia. Aquele primeiro dia transcorreu agradavelmente em um turbilhão de emoção, conhecendo todos os novos alunos, aprendendo a conhecer os professores de vista e conhecendo suas classes. Anne pretendia começar o trabalho do segundo ano como aconselhada a fazê-lo por Miss Stacy; Gilbert Blythe decidiu fazer o mesmo. Isso significava obter uma licença de professor da Primeira Classe em um ano em vez de dois, se tivessem sucesso; mas também significava muito mais e mais trabalho. Jane, Ruby, Josie, Charlie e Moody Spurgeon, não sendo incomodados com os sinais de ambição, contentaram-se em assumir o trabalho da Segunda Classe. Anne sentiu uma pontada de solidão quando se viu em uma sala com cinquenta outros alunos, nenhum dos quais ela conhecia, exceto o garoto alto de cabelos castanhos do outro lado da sala; e conhecê-lo como ela conhecia não a ajudou muito, como refletiu com pessimismo. No entanto, ela estava inegavelmente feliz por eles estarem na mesma classe; a velha rivalidade ainda podia ser mantida, e Anne dificilmente saberia o que fazer se isso não existisse.

— Não me sentiria confortável sem ele — pensou ela. — Gilbert parece terrivelmente determinado. Suponho que esteja decidido a ganhar a medalha. Que queixo esplêndido ele tem! Eu nunca reparei nisso antes. Eu gostaria que Jane e Ruby tivessem vindo para a primeira classe também. Desconfio que não vá me sentir assim depois que conhecer os outros alunos. Eu me pergunto quais das garotas aqui vão ser minhas amigas. É realmente uma especulação interessante. É claro que prometi a Diana que nenhuma garota, por mais que eu gostasse dela, seria tão querida por mim quanto ela; mas tenho outras afeições para oferecer. Gosto da aparência daquela garota de olhos castanhos e vestido carmesim, também tem aquela pálida e loura olhando pela janela. Ela tem um cabelo adorável e parece que sabe uma ou duas coisas sobre sonhos. Eu gostaria de conhecer as duas, conhecê-las bem o suficiente para andar com meu braço em volta de suas cinturas e chamá-las pelos apelidos. Mas agora eu não as conheço e elas não me conhecem, e provavelmente não querem me conhecer particularmente. Oh, como é solitário!

Foi ainda mais triste quando Anne se sentou sozinha no crepúsculo na mesma noite em seu novo quarto. Ela não moraria com outras garotas de Avonlea, todas com parentes que cuidavam delas com benevolência. A senhorita Josephine Barry teria hospedado Anne com prazer, mas sua casa ficava tão longe da Academia que a distância criava obstáculos. Tia Josephine já havia arranjado uma boa hospedaria e garantiu a Marilla e Matthew que seria um lugar perfeito para Anne.

— A dona da pensão é uma pessoa muito decente que já viu dias melhores — disse tia Josephine. — Seu marido era um oficial britânico, e ela escolhe os residentes de sua casa com muito cuidado. Anne não vai fazer nenhum conhecimento impróprio sob seu teto. A comida é boa e o local fica bem próximo ao colégio, em uma área tranquila e sossegada.

Tudo isso pode ser bem verdade, e acabou sendo mesmo, mas foi de pouca ajuda para Anne quando a primeira dor severa de saudade de Green Gables a dominou. Ela olhou ao redor com tristeza em um quartinho apertado, cujas paredes estavam cobertas com papel de parede cinza sujo sem uma única tábua, sua pobre cama de ferro e uma estante vazia, e o choro travou sua garganta ao pensar em seu quartinho branco abaixo de sua janela, um luar acima do pomar, um riacho abaixo e abetos acima dele que sussurravam no vento noturno, um grande espaço cheio de estrelas e a luz de Diana brilhando através dos troncos das árvores.

Não havia nada parecido aqui. Anne sabia que agora havia uma rua de paralelepípedos do lado de fora de sua janela; postes e fios telefônicos e cabos de energia escureceram o céu, pés de estranhos pisaram nas calçadas e milhares de luzes piscaram em rostos indiferentes. Ela queria chorar, mas lutou bravamente contra isso.

— Eu *não* vou chorar. É tão infantil e estúpido... e lá se vai a terceira lágrima correndo no meu nariz... E haverá mais! Preciso pensar em algo divertido para evitá-las. Mas não há nada mais divertido do que as coisas de Avonlea, e... Quatro... cinco! Na sexta-feira, vou para casa, mas parece que já se passaram cem anos. Ah, agora Matthew deve estar chegando em casa e Marilla está parada no portão e olhando para o atalho esperando por ele... seis... sete...oito... oh, agora não é inútil contá-las! É muito mais divertido chorar com certeza.

A torrente de lágrimas não teria acabado se Josie Pye não tivesse aparecido neste piscar de olhos. Feliz por ver um rosto familiar, Anne esqueceu que a amizade entre elas nunca foi realmente calorosa. Mas como parte de Avonlea, qualquer um da família Pye era bem-vindo.

— Que bom ver você — disse Anne com sinceridade.

— Você estava chorando — comentou Josie, com uma piedade agravante. — Suponho que você esteja com saudades de casa... algumas pessoas têm tão pouco autocontrole em relação a isso. Não tenho intenção de ficar com saudades de casa, posso lhe dizer. A cidade parece alegre demais comparada à velha Avonlea. Eu me pergunto como permaneci lá por tanto tempo. Você não deve chorar, Anne; não lhe cai bem porque seu nariz e olhos ficam vermelhos, e, em seguida, você parece *toda* vermelha. Eu me diverti perfeitamente na Academia hoje. Nosso professor de francês é simplesmente bonito. Seu bigode lhe daria palpitações. Tem alguma coisa para comer por perto, Anne? Estou literalmente morrendo de fome. Ah, imaginei que provavelmente Marilla iria enchê-la de bolo. É por isso que vim. Do contrário, teria ido ao parque ouvir a banda tocar com Frank Stockley. Ele está na mesma hospedaria que eu, e é um bom rapaz. Ele notou você na aula hoje e me perguntou quem era a garota ruiva. Eu disse a ele que você era uma órfã que os Cuthbert haviam adotado e ninguém sabia muito sobre o que você era antes disso.

Anne estava se perguntando se, afinal, a solidão e as lágrimas não eram mais satisfatórias do que a companhia de Josie Pye, quando Jane e Ruby apareceram, cada uma com a fita colorida da Queen's, roxa e escarlate... presa orgulhosamente ao casaco. Como Josie não estava "falando" com Jane naquele momento, ela teve que se calar.

— Bem — disse Jane com um suspiro — sinto como se tivesse vivido muitas luas desde a manhã. Eu deveria estar em casa estudando Virgílio... aquele velho professor horrível nos deu vinte linhas para começar amanhã. Mas simplesmente não consegui me acomodar para estudar esta noite. Anne, acho que vejo vestígios de lágrimas. Se você esteve chorando, confesse. Isso vai restaurar meu amor-próprio, pois eu estava chorando livremente antes de Ruby aparecer. Não me importo tanto em ser uma boba se outra pessoa também está sendo boba... Bolo? Você vai me dar um pedacinho, não é? Obrigada. Tem o verdadeiro sabor de Avonlea.

Ruby, percebendo o calendário da Queen's sobre a mesa, quis saber se Anne pretendia tentar a medalha de ouro.

Anne corou e admitiu que estava pensando nisso.

— Oh, isso me lembra — disse Josie — "Queen's vai oferecer uma das bolsas de estudos Avery afinal. A notícia veio hoje. Frank Stockley me disse... seu tio é um membro do conselho de governadores. Será anunciado na Academia amanhã.

Uma Bolsa de estudos Avery! Anne ouviu seu coração bater mais rápido e seus horizontes de ambição rapidamente se expandiram e ganharam outro contorno. Antes de Josie anunciar a novidade, o ápice das aspirações de Anne era uma licença provincial de professora, Primeira Classe, no final do ano, e talvez a medalha! Mas agora, em um momento, Anne se viu ganhando a bolsa Avery, fazendo um curso no Redmond College e se formando com uma beca, isso tudo antes que o eco das palavras de Josie morresse. Pois a bolsa de estudos de Avery era em inglês, e Anne sentiu que ali seu pé estava em solo nativo.

Um rico fabricante de New Brunswick havia morrido e deixado parte de sua fortuna para doar um número de bolsas a serem distribuídas entre as várias escolas secundárias e academias das províncias marítimas, de acordo com suas respectivas classificações. Havia muita dúvida se uma seria atribuído à Queen's, mas a questão foi finalmente definida e, no final do ano, o graduado que obtivesse a nota mais alta em Literatura Inglesa ganharia a bolsa... duzentos e cinquenta dólares por ano durante quatro anos no Redmond College. Não era de admirar que Anne tenha ido para a cama naquela noite com as bochechas formigando!

— Vou ganhar essa bolsa de estudos se eu trabalhar duro para isso — ela decidiu. — Matthew não ficaria orgulhoso se eu me formasse na universidade? Oh, é maravilhoso ter ambições. Estou tão feliz por ter tantas ambições. E nunca parece haver um fim para elas, isso é o melhor. Assim que você atinge uma ambição, vê outra brilhando ainda mais alto. É isso que torna a vida tão maravilhosa de se viver!

# XXXV
# LONGO INVERNO NA QUEEN'S

A saudade de Green Gables logo diminuiu e as visitas regulares de Anne eram um ótimo remédio. Enquanto o clima ajudou, os jovens de Avonlea viajavam todas as sextas-feiras à noite ao longo do novo ramal ferroviário de Carmody para Avonlea. Diana e vários outros jovens de Avonlea geralmente estavam presentes para recebê-los e todos caminhavam até Avonlea em uma festa alegre. Anne pensou que aqueles momentos de caminhadas da noite de sexta-feira sobre as colinas outonais no ar fresco e dourado, com as luzes da casa de Avonlea brilhando além, eram as melhores e mais queridas horas de toda a semana.

Gilbert Blythe quase sempre ia com Ruby Gillis e carregava sua mala. Ruby era agora uma jovem bastante bonita, mantendo com total consciência sua dignidade de... quase... adulta; ele usava saias tão longas quanto sua mãe permitia que usasse e mantinha o cabelo preso na cidade, embora tivesse que soltá-lo quando viajava para casa. Ela tinha grandes olhos azuis brilhantes e pele rosada, ria muito, era hilária e alegre, e gostava das coisas boas da vida.

— Mas eu jamais teria pensado que ela era o tipo de garota que Gilbert gostaria — sussurrou Jane para Anne.

Anne também não acreditou, mas preferia morder a língua a dizer isso. Ela também não conseguia deixar de pensar que seria muito divertido ter um amigo como Gilbert com quem podia sair, brincar e trocar ideias sobre livros, estudos e objetivos de vida. Gilbert era ambicioso, ela sabia, e Ruby Gillis dificilmente era a pessoa certa para discutir essas coisas...

Não havia nenhum sentimento bobo nas ideias de Anne a respeito de Gilbert. Para ela, os meninos eram, quando pensava neles, apenas possíveis bons camaradas. Se ela e Gilbert fossem amigos, ela não teria se importado com quantos amigos tinha ou com quem andava. Ela gostava de fazer amizades; amigas ela tinha em abundância; mas ela tinha uma vaga consciência de que a amizade masculina também poderia ser uma coisa boa para aperfeiçoar nossas concepções de companheirismo e fornecer pontos de vista mais amplos de julgamento e comparação. Ela pensou que se Gilbert algum dia tivesse caminhado para casa com ela, pelos campos gelados e ao longo dos atalhos de samambaia, eles poderiam ter tido muitas conversas divertidas e interessantes sobre o novo mundo que estava se abrindo ao seu redor e sobre suas esperanças e ambições. Gilbert era um jovem inteligente, com seus próprios pensamentos sobre as coisas e uma determinação de tirar o melhor da vida e dar o melhor de si. Ruby Gillis disse a Jane Andrews que ela não entendia metade das coisas que Gilbert Blythe dizia; ele falava exatamente como Anne Shirley quando ela fica pensativa e, por sua vez, ela não achava divertido se preocupar com livros e esse tipo de coisa quando você não era obrigada a ler. Frank Stockley tinha muito mais ímpeto, mas ele não era tão bonito quanto Gilbert e ela realmente não conseguia decidir de qual gostava mais!

Na Academia, Anne gradualmente atraiu um pequeno círculo de amigos, alunos atenciosos, criativos e ambiciosos como ela. Com a garota "rosa vermelha": Stella Maynard, e a "garota dos sonhos": Priscilla Grant, ela logo se tornou íntima, descobrindo que a última donzela de aparência espiritual pálida gostava de travessuras e diversão, enquanto Stella, de olhos negros, tinha um coração cheio de sonhos e fantasias melancólicas, tão aérea e semelhante a Anne.

Depois das férias de Natal, os alunos da Avonlea desistiram de ir para casa às sextas-feiras e se estabeleceram no trabalho duro. A essa altura, todos os estudiosos da Queen's haviam se integrado em seus próprios lugares nas fileiras e nas várias classes. Certos fatos tornaram-se aceitos de modo geral. Admitia-se que os competidores da medalha se reduziram a três — Gilbert Blythe, Anne Shirley e Lewis Wilson; em relação à bolsa de estudos Avery havia mais dúvidas, eram seis alunos disputando a vaga. A medalha de bronze da matemática era praticamente de um garotinho gordo e engraçado do interior com uma testa protuberante e um casaco remendado.

Ruby Gillis era a garota mais bonita do ano na Academia; nas classes do segundo ano, Stella Maynard era a mais bonita, com uma pequena, mas crítica, minoria em favor de Anne Shirley. Ethel Marr foi admitida por todos os juízes competentes como tendo os estilos mais elegantes de penteados, e Jane Andrews, a Jane simples, laboriosa e meticulosa, levou as honras no curso de ciências domésticas. Até Josie Pye alcançou certa preeminência como a jovem de língua mais afiada a comparecer a Queen's. Portanto, pode-se afirmar com justiça que os antigos alunos de Miss Stacy se destacaram num cenário bem amplo do curso acadêmico.

Anne trabalhou duro e continuamente. Sua rivalidade com Gilbert era mais intensa do que nunca, embora não fosse conhecida na classe como um todo, mas de alguma forma a amargura havia passado. Anne não queria mais vencer para derrotar Gilbert; em vez disso, lutava pela consciência orgulhosa de uma vitória bem conquistada sobre um inimigo digno. Valeria a pena vencer, mas ela não pensava mais que a vida seria insuportável se não o fizesse.

Apesar das aulas, os alunos encontraram oportunidades de momentos agradáveis. Anne passava muitas de suas horas livres em Beechwood e geralmente fazia lá seus jantares de domingo e ia à igreja com a Srta. Barry. Esta última estava, como ela admitia, envelhecendo, mas seus olhos negros não estavam turvos, nem o vigor de sua língua diminuiu. Mas ela nunca criticou Anne, que continuou a ser a favorita da velha senhora.

— A garota Anne melhora o tempo todo — disse ela. — Eu me canso de outras garotas... há uma mesmice eterna e irritante nelas. Anne tem tantos tons quanto um arco-íris e cada tom é mais bonito que o outro. Não sei se ela é tão divertida quanto era quando criança, mas ela me faz amá-la e gosto de pessoas que me fazem amá-las.

Então, quase antes que alguém pudesse perceber, a primavera chegou; lá fora, em Avonlea, as anêmonas estavam surgindo rosadas na terra seca onde as coroas de neve permaneciam; e a "névoa verde" estava nas matas e nos vales. Mas em Charlottetown, os alunos atormentados da Queen's pensavam e falavam apenas em exames.

— Não parece possível que o período letivo esteja quase no fim — disse Anne. — Ora, o outono passado parecia longo demais para esperar por ele... um inverno inteiro de estudos e aulas. E aqui estamos, com os exames chegando na próxima semana. Meninas, às vezes eu sinto que aqueles exames significam tudo, mas quando eu olho para os grandes botões inchando naqueles castanheiros e o ar azul enevoado no final das ruas, eles não parecem tão importantes.

Jane, Ruby e Josie, que haviam aparecido, não tinham essa opinião. Para elas, os exames que viriam eram constantemente muito importantes... muito mais importantes do que botões de castanha ou brumas da primavera. Estava tudo bem para Anne porque estava certa de que iria passar, por isso menosprezava os exames, mas quando todo o seu futuro dependia deles, como as meninas realmente pensavam que dependia, não se podia considerá-los filosoficamente.

— Perdi três quilos nas últimas duas semanas — suspirou Jane. — Não adianta dizer não se preocupe. Eu *vou* me preocupar. Preocupar-se ajuda um pouco, parece que você está fazendo algo quando está se preocupando. Seria terrível se eu não conseguisse tirar meu certificado, depois de ter passado todo o inverno na Queen's e de gastar tanto dinheiro para isso.

— Eu não me preocupo com isso — disse Josie Pye. — Se eu não puder passar, eu o repito ano que vem. Meu pai pode pagar por isso. Anne, Frank Stockley me disse que o professor Tremaine falou que Gilbert Blythe com certeza receberá a medalha de ouro e que Emily Clay provavelmente ganhará a bolsa.

— Isso talvez possa me fazer mal amanhã, Josie — riu Anne — mas agora eu honestamente sinto que, desde que eu saiba que as violetas estão saindo todas roxas nos vales de Green Gables e que pequenas samambaias estão despontando no Caminho dos Amantes, não faz muita diferença se eu ganhar ou não a Bolsa. Fiz o melhor que pude e começo a entender o que significa "alegria da luta". Tentar e vencer é tão bom quanto tentar e falhar. Meninas, não falem sobre exames! Olhem para aquele arco de céu verde-claro sobre aquelas casas e imaginem como ele seria sobre os bosques de faias púrpuras de Avonlea.

— O que você vai vestir na formatura, Jane? — Ruby perguntou, deixando a adoração da natureza para aqueles que quisessem se render a ela.

Jane e Josie responderam em uníssono, e a conversa tomou outro rumo... o da moda.

Mas Anne, com os braços no parapeito da janela, a bochecha macia apoiada nas mãos entrelaçadas e os olhos cheios de visões, olhou despreocupadamente através do telhado da cidade e da torre para aquela cúpula que era o pôr do sol e teceu seus sonhos de um futuro com o tecido dourado do próprio otimismo da juventude. Todo o que havia pela frente era dela, com suas possibilidades espreitando cor-de-rosa nos anos que se aproximavam a cada ano, uma rosa promissora era costurada em uma grinalda imortal.

## XXXVI
## A GLÓRIA E O SONHO

Naquela manhã, quando o resultado seria pregado para ser visto no quadro negro da Queen's, Anne e Jane vagaram pela rua juntas. Jane estava sorrindo e feliz; o curso havia acabado e ela tinha certeza de que havia passado de ano, nada mais a perturbava. Ela não tinha ambições crescentes e, consequentemente, não era afetada pela inquietação do futuro. Anne estava pálida e inquieta; dentro de dez minutos, ela descobriria quem havia ganhado a medalha e a bolsa Avery.

— Obviamente, você vai ganhar uma das duas — disse Jane, que não conseguia colocar na cabeça que o corpo docente pudesse cometer uma injustiça flagrante se o resultado fosse diferente disso.

— Não tenho esperanças de ganhar a bolsa — disse Anne. — Todo mundo diz que Emily Clay é quem vai ganhar. E eu não vou olhar o quadro de avisos na frente de todo mundo. Não tenho essa coragem moral. Eu irei para o vestiário feminino imediatamente. Você pode ler os anúncios e depois me contar tudo, Jane. E em nome de nossa velha amizade, eu imploro para que você faça isso o mais rápido possível. E caso eu tenha fracassado, diga diretamente, sem rodeios. E seja o que for, não tenha pena de mim! Prometa para mim, Jane!

Jane prometeu solenemente, mas logo descobriu-se que a promessa era desnecessária. Enquanto subiam as largas escadas externas do colégio, elas encontraram no corredor os meninos carregando Gilbert Blythe sobre os ombros e gritando com toda a força de seus pulmões:

— Viva Blythe, ele conquistou a medalha de ouro!

Por um momento, Anne sentiu uma pontada nauseante de derrota e decepção. Então ela falhou e Gilbert ganhou! Bem, Matthew lamentaria, ele tinha tanta certeza de que ela iria ganhar.

E então!

Alguém gritou:

— Três vivas para a Srta. Shirley, vencedora da bolsa Avery!

— Oh, Anne! — Jane engasgou enquanto elas fugiam para o vestiário das meninas em meio a muitos vivas. — Oh, Anne, como estou orgulhosa! Não é esplêndido?

E então todas as garotas entraram correndo, e Anne se tornou o centro de um grupo de risos e de congratulações. Ela recebeu diversos tapinhas nas costas. E foi abraçada, beijada e aplaudida, e mal teve a oportunidade de sussurrar para Jane:

— Oh, como o Matthew e a Marilla ficarão felizes! Preciso escrever para casa imediatamente e contar isso a eles.

A formatura foi o próximo acontecimento importante. A cerimônia foi realizada no grande salão de reuniões da Academia. Discursos foram proferidos, redações lidas, canções cantadas, entrega pública de diplomas, prêmios e medalhas realizadas.

Matthew e Marilla estavam lá, com olhos e ouvidos para apenas uma aluna na plataforma; uma garota alta em verde-claro, com bochechas levemente coradas e olhos estrelados, que leu o melhor discurso e foi apontada como a vencedora da bolsa Avery.

— Você está feliz por termos ficado com ela, Marilla? — sussurrou Matthew quando Anne terminou seu discurso.

— Esta não é a primeira vez que fico feliz com isso — respondeu Marilla. — Você gosta de esfregar as coisas na minha cara, Matthew Cuthbert.

Tia Josephine, que estava sentada atrás deles, inclinou-se para a frente e bateu nas costas de Marilla com a sombrinha.

— Você não está orgulhosa da garota Anne? Eu estou — ela disse.

Naquela noite, Anne foi para casa em Avonlea com Matthew e Marilla. Ela não tinha voltado para casa desde abril e sentiu que não podia esperar mais um dia... As flores da macieira tinham brotado e o mundo estava fresco e jovem. Diana a estava esperando em Green Gables. No andar de cima, em seu pequeno quarto branco, no qual Marilla colocara um buquê de flores no peitoril da janela, Anne olhou em volta e respirou fundo de felicidade.

— Oh, Diana, que bom estar em casa de novo. Como é atraente ver pinheiros escuros de pontas afiadas contra um céu rosa e um pomar branco e velha Rainha da Neve! O cheiro de hortelã não é doce? E como é bom ver você de novo, Diana!

— Achei que você gostasse de Stella Maynard mais do que de mim — disse Diana em tom de censura. — Josie Pye disse isso. Josie disse que você estava completamente *apaixonada* por ela.

Anne riu e bombardeou Diana com as flores de seu buquê.

— Stella Maynard é a garota mais querida do mundo, depois de outra... e essa é você, Diana — disse ela. — Amo você mais do que nunca e tenho muito a lhe contar. Mas agora eu sinto que é mais divertido apenas ficar sentada quieta aqui e olhando para você. Acho que estou um pouco cansada... Amanhã vou reclinar pelo menos duas horas na grama debaixo de uma macieira e não pensar em absolutamente nada.

— Como você se saiu esplendidamente bem, Anne! Agora, acho que você não vai lecionar, depois de ganhar uma bolsa de estudos, não é?

— Não, está certo. Vou para Redmond em setembro. Isso não é quase um conto de fadas?... Terei um novo estoque de ambição estabelecido durante esses três gloriosos meses de férias. Jane e Ruby vão lecionar. Não é esplêndido pensar que todos nós terminamos amigos, até de Moody Spurgeon e Josie Pye?

— O Conselho Escolar de Newbridge já ofereceu a Jane um cargo de professora — disse Diana. — Gilbert Blythe também vai se inscrever. Ele precisa. Seu pai não tem condições de mandá-lo para a faculdade. Ele provavelmente conseguirá um lugar aqui em Avonlea, caso a Senhorita Anne vá embora.

Anne teve uma estranha sensação de surpresa consternada. Ela não sabia disso; ela esperava que Gilbert também fosse para Redmond. O que ela faria sem sua rivalidade inspiradora? Como funcionaria, mesmo em uma faculdade mista com um diploma de verdade? Não teria graça, seria bastante monótono sem seu amigo-inimigo.

Na manhã seguinte, enquanto tomava o café da manhã, Anne de repente percebeu que Matthew não parecia animado. E como ele ficara grisalho neste último ano...

— Marilla — ela disse hesitante depois que Matthew saiu — Matthew está bem de saúde?

— Não, infelizmente, ele não está — disse Marilla preocupada. — Os batimentos cardíacos e a falta de ar se agravaram durante a primavera, e ainda assim ele não quer se poupar. Tive tanta pena dele, até que agora ele está um pouco melhor, e contratamos um ajudante decente, então espero que ele descanse mais. Talvez ele melhore agora que você voltou para casa. Você tem capacidade de animá-lo.

Anne se inclinou sobre a mesa e segurou o rosto de Marilla entre as mãos.

— Você não parece tão alegre quanto eu gostaria, Marilla. Parece cansada. Receio que tenha trabalhado muito duro. Você precisa descansar, enquanto eu estiver em casa. Vou apenas tirar este dia de folga para visitar todos os lugares antigos e queridos e caçar meus velhos sonhos, e depois será a sua vez de ser preguiçosa enquanto faço o trabalho.

Marilla sorriu ternamente para sua garota.

— Não é por causa do trabalho, é minha cabeça. Tenho uma sensação horrível hoje em dia, atrás dos olhos. O Dr. Spencer trocou meus óculos algumas vezes, mas não adiantou muito... Mas no último dia de junho, um famoso oftalmologista vem à Ilha, e o médico disse que eu preciso falar com ele. Eu acho que tenho mesmo que fazer isso. Já não leio ou costuro sem dificuldade. Bem, Anne, você se saiu muito bem na Queen's, devo dizer. Conseguiu tirar a licença de Primeira Classe em um ano e ganhou a bolsa Avery. Ora, ora,... a Sra. Lynde disse que o orgulho precede a queda e que não acredita no ensino superior para mulheres; disse que isso as torna inadequadas para a verdadeira tarefa da mulher. Eu não acredito em uma palavra disso. Por falar em Rachel, me lembrei: você ouviu alguma coisa sobre o Banco Abbey ultimamente, Anne?

— Ouvi dizer que estava instável — respondeu Anne. — Por quê?

— Rachel Lynde disse exatamente a mesma coisa no dia em que parou aqui por um momento, e isso preocupou Matthew. Todas as nossas economias estão neste banco: cada centavo. Queria que Matthew preferisse investi-los no Banco de Poupança, mas o velho Sr. Abbey era um bom velho amigo do meu pai e sempre mantivemos nosso dinheiro lá. Matthew disse que o banco do Sr. Abbey é à prova de intempéries.

— Eu acho que ele tem sido o chefe do banco apenas no nome — disse Anne. — Ele é um homem muito velho, seus sobrinhos que de fato estão à frente da instituição.

— Bem, quando Rachel nos contou isso, eu queria que Matthew sacasse nosso dinheiro imediatamente e ele disse que pensaria nisso. Mas o Sr. Russell disse a ele ontem que o banco estava bem.

Anne teve um dia maravilhoso que dedicou, exclusivamente, aos seus lugares preferidos. Ela nunca se esqueceria deste dia; era tão claro e sem nuvens, tão rico em sol e flores. Anne passou alguns dos momentos mais doces no pomar; então ela foi à Bolha da Dríade, no Lago das Águas Brilhantes e ao Vale das Violetas, fez uma visita à casa paroquial e passou um tempo agradável com a Sra. Allan e, finalmente, à noite, ela foi com Matthew buscar as vacas passando pelo Caminho dos Amantes. A floresta estava iluminada pelo brilho quente do pôr do sol, mas as sombras das cristas escureciam. Matthew caminhava devagar, de cabeça baixa, e Anne, longa e flexível, diminuiu os passos para acompanhá-lo.

— Você tem trabalhado muito, Matthew — disse ela em tom de censura. — Por que não diminui este ritmo?

— Bem, parece que não consigo — disse Matthew, enquanto abria o portão do quintal para deixar as vacas passarem. — É que estou envelhecendo, Anne, e estou me esquecendo disso. Bem, bem, sempre trabalhei muito e prefiro morrer trabalhando.

— Se eu fosse o menino que você mandou buscar no orfanato — disse Anne com tristeza — poderia ter aliviado seu trabalho de muitas maneiras. Queria ter sido aquele menino.

— Bem, eu prefiro você a uma dúzia de meninos, Anne — disse Matthew dando tapinhas em sua mão. — Apenas lembre-se disso. Bem, acho que não foi um menino que ganhou a bolsa de estudos Avery, foi? Foi uma menina... minha menina... minha menina da qual me orgulho.

Ele sorriu seu sorriso bom e modesto e foi aos estábulos ver seus animais. Entre outras coisas, Anne levou consigo a lembrança quando subiu para seu quarto naquela noite e sentando-se de frente para janela aberta por um bom tempo, pensou no passado e sonhou com o futuro. Foi a última noite antes que a tristeza tocasse sua vida; e nenhuma vida seria mais a mesma depois que aquele toque frio e santificador a tocasse.

## XXXVII
## A FOICE CHAMADA MORTE

— Matthew... Mathew... o que você tem? Matthew — você está doente? Foi Marilla quem falou com a voz alarmada e aflita. Anne veio pelo corredor, com as mãos cheias de narciso branco, bem a tempo de ouvir Marilla e ver Matthew parado na porta da varanda, um papel dobrado na mão e com o rosto estranhamente contraído e cinza. Anne largou as flores e saltou pela cozinha até ele no mesmo momento que Marilla. Ambas chegaram tarde; antes que pudessem alcançá-lo, Matthew havia caído na soleira.

— Ele desmaiou — Marilla ofegou. — Anne, corra para chamar o Martin — rápido... rápido! Ele está no estábulo.

Martin, o ajudante contratado, que acabara de voltar do correio para casa, partiu imediatamente para buscar o médico, parando em Orchard Slope durante o caminho para chamar os Barry. A Sra. Lynde, que estava lá na casa dos Barry, também, foi. Eles encontraram Anne e Marilla tentando reanimar Matthew.

A Sra. Lynde empurrou-as gentilmente para o lado, examinou o pulso e encostou o ouvido no coração dele. Ela olhou para seus rostos ansiosos com tristeza e as lágrimas surgiram em seus olhos.

— Oh, Marilla — disse ela. — Não acho que... possamos fazer nada por ele.

— Sra. Lynde, você não quer dizer... você não acha... que Matthew está... está... — Anne não conseguia pronunciar aquela palavra horrível, ela empalideceu e sentiu sua cabeça tonta.

— Sim, criança, creio que sim. Olhe o rosto dele! Tenho visto esta expressão com a frequência e entendo o que significa.

Anne olhou para o rosto imóvel e viu a marca da Morte impressa nele.

Quando o médico chegou, ele disse que a morte de Matthew ocorreu em um piscar de olhos e provavelmente sem dor. O motivo provavelmente foi um choque súbito. Logo se viu um pedaço de papel que Matthew segurava nas mãos trazido pelo criado do correio naquela manhã. Continha uma declaração de que o Banco Abbey havia falido.

Essa triste notícia se espalhou rapidamente em Avonlea, e durante todo o dia amigos e vizinhos iam de um lado para outro em Green Gables para mostrar compaixão pelo morto e pelos sobreviventes. Pela primeira vez, o tímido e recuado Matthew tornou-se uma figura importante; a majestade branca da morte desceu sobre ele e coroou sua testa calma.

Enquanto a noite silenciosa se espalhava por Green Gables, a velha casa descansava em silêncio e paz. No quarto de hóspedes, estava Matthew Cuthbert em seu caixão; longos cabelos grisalhos rodeavam seu rosto sereno, habitado por um sorriso desbotado, como se tivesse apenas dormido e sonhado sonhos felizes. Ele estava rodeado de flores... flores perfumadas e plantadas por sua mãe no jardim e pelas quais Matthew sempre sentiu um amor doce e sem palavras. Anne as pegou e entregou a ele... era a última coisa que ela poderia fazer por ele.

Os Barry e a Sra. Lynde passaram a noite com Marilla. Diana foi para o sótão, onde Anne estava sentada com os olhos tristonhos pela janela, e disse delicadamente:

— Anne, querida, você gostaria que eu passasse esta noite com você?

— Obrigada pela sua gentileza, Diana! — Anne olhou seriamente para o rosto da amiga. — Não me entenda mal quando digo que prefiro ficar sozinha. Não consegui ficar sozinha um único minuto desde que aconteceu... e preciso de solidão. Quero ficar calma e quieta e tentar compreender. Eu não consigo compreender. Há momentos em que me parece que Matthew não pode estar morto; e em outros parece que ele está morto há muito tempo e eu sinto uma dor terrível e maçante desde então.

Diana não entendeu muito bem. O luto de Marilla rompeu em uma violência desenfreada, quebrando todos os obstáculos de uma vida tímida, e ela entendia melhor que a dor sem lágrimas de Anne. Ela saiu gentilmente e deixou Anne sozinha pela primeira vez para cuidar de sua dor.

Anne esperava que as lágrimas viessem na solidão. Parecia-lhe uma coisa terrível não poder derramar uma lágrima por Matthew, a quem ela tanto amava e que fora tão gentil com ela, Matthew que havia caminhado com ela na noite anterior ao pôr do sol e agora estava deitado no quarto escuro com aquela terrível paz na testa. Mas nenhuma lágrima veio no início, mesmo quando ela se ajoelhou ao lado da janela na escuridão e orou, olhando para as estrelas além das colinas: sem lágrimas, apenas a mesma dor horrível e persistente da infelicidade que continuou doendo até ela adormecer, cansada com a dor e a emoção do dia.

À noite, ela acordou com a quietude e a escuridão ao seu redor, e a lembrança do dia veio sobre ela como uma onda de tristeza. Ela podia ver o rosto de Matthew sorrindo para ela como ele sorriu quando se separaram no portão na noite anterior... ela podia ouvir sua voz dizendo: "Minha menina, minha menina da qual tenho orgulho." Então as lágrimas vieram e Anne chorou de coração. Marilla a ouviu e se esgueirou para confortá-la.

— Pronto... pronto... não chore assim, querida. Não pode trazê-lo de volta. Não é certo chorar assim. Eu sabia disso, mas não pude evitar. Ele sempre foi um irmão tão bom e gentil para mim, mas Deus sabe o que é melhor.

— Ah, deixe-me chorar, Marilla — Anne soluçou. — As lágrimas não me machucam como essa dor. Fique aqui um pouco comigo e mantenha seu braço em volta de mim. Eu não poderia deixar Diana ficar, ela é boa, gentil e doce... mas não é dela essa tristeza... É a nossa tristeza; sua e minha. Oh, Marilla, o que faremos sem ele?

— Temos uma à outra, Anne. Eu não sei o que eu faria se você não estivesse aqui... se você não tivesse voltado. Ah, Anne, eu sei que muitas vezes fiquei irritada e rude com você... mas você não deve achar que não a amo tanto quanto Matthew amou. Eu quero lhe dizer isso agora que consigo. Nunca foi fácil para mim dizer coisas do coração, mas em momentos como este é mais fácil. Eu a amo tanto, querida, como se você fosse minha filha de sangue, e você tem sido minha alegria e conforto desde que veio para Green Gables.

Dois dias depois, eles carregaram Matthew Cuthbert pela soleira de sua casa e para longe dos campos que ele arava, dos pomares que amava e das árvores que plantara; e então Avonlea voltou à sua placidez usual e até mesmo em Green Gables os assuntos voltaram ao seu velho ritmo e o trabalho foi feito e os deveres cumpridos com regularidade como antes, embora sempre com a dolorosa sensação de "perda em todas as coisas familiares". Anne, que nunca tinha ficado de luto, achou triste que pudesse agir assim... que eles *conseguissem* continuar na rotina antiga sem Matthew. Ela sentiu algo parecido com vergonha e remorso quando descobriu que o nascer do sol atrás dos abetos e os botões rosa-claros que se abriam no jardim deram-lhe a velha onda de alegria ao vê-los... que as visitas de Diana eram agradáveis para ela e que as palavras alegres dela a levaram a risos e sorrisos, que, em resumo, o belo mundo de florescer e amor e amizade não tinha perdido nada de seu poder de agradar sua fantasia e emocionar seu coração, que a vida ainda a chamava com muitas vozes insistentes.

— Mas é como se fosse infiel a Matthew, de alguma forma, encontrar prazer nessas coisas agora que ele se foi — disse ela melancolicamente para a Sra. Allan uma noite, quando estavam juntas no jardim da casa paroquial. — Eu sinto tanto a falta dele... o tempo todo... e ainda, Sra. Allan, o mundo e a vida parecem bonitos e interessantes para mim. Hoje, Diana disse algo engraçado e eu me peguei rindo. Quando aquilo aconteceu, achei que jamais pudesse rir. E de alguma forma parece que eu não deveria rir.

— Enquanto Matthew estava vivo, ele ficava feliz em ouvir você rir e ficava satisfeito em saber que você gostava de tudo que era lindo — disse a Sra. Allan gentilmente. — Agora ele se foi, mas ele ainda gosta de saber disso da mesma forma. Tenho certeza de que não devemos fechar nossos corações às influências curativas que a natureza nos oferece. Mas posso entender seu sentimento. Acho que todos experimentamos a mesma coisa. Ficamos ressentidos com o pensamento de que qualquer coisa pode nos agradar quando alguém que amamos não está mais aqui para compartilhar o prazer conosco, e quase nos sentimos como se fôssemos infiéis à nossa tristeza quando descobrimos que nosso interesse na vida estava voltando.

— Eu fui ao cemitério para plantar uma roseira no túmulo de Matthew esta tarde — disse Anne sonhadora. — Eu peguei um pedaço da roseira branca que sua mãe trouxe da Escócia há muito tempo; Matthew sempre gostou daquelas rosas. Fiquei feliz por poder plantá-las perto de seu túmulo, como se estivesse fazendo algo que iria agradá-lo. Espero que ele tenha rosas no céu. Talvez as almas de todas aquelas pequenas rosas brancas que ele amou tantos verões estivessem todas lá para recebê-lo. Devo ir para casa agora. Marilla está sozinha e fica solitária no crepúsculo.

— Ela vai ficar ainda mais solitária, receio, quando você for para Redmond — disse a Sra. Allan.

Anne não respondeu; ela disse boa noite e voltou lentamente para Green Gables. Marilla sentou-se em uma escada baixa de pedra e Anne se sentou ao lado dela. A porta do corredor estava aberta; uma grande concha rosa, com fios lisos e regulares variando nos tons mais finos, estava ao lado para evitar que fechasse.

— O Dr. Spencer esteve aqui na sua ausência — disse Marilla. — Veio me dizer que amanhã o oftalmologista estará disponível em Carmody e que devo ir lá fazer um exame. Ficarei grata se ele conseguir um par de óculos adequado para mim. Você provavelmente não se importaria de ficar aqui sozinha, não é? Martin vai me levar.

— Eu cuido de tudo. Diana virá para me fazer companhia. Eu cuidarei da casa de forma exemplar; você não precisa se preocupar com nada.

Marilla riu.

— Sim, pense em todas as travessuras que você já fez! Às vezes eu pensava que você era como um demônio... Você se lembra quando pintou o cabelo?

— Se eu me lembro? Nunca esquecerei isso — Anne sorriu e tocou sua trança pesada enrolada em torno de sua cabeça lindamente formada. — Eu rio um pouco quando penso em todas as preocupações que aquele cabelo me causou; mas não rio muito porque foi realmente minha grande dor no coração... Cabelo e sardas. Minhas sardas desapareceram e as pessoas têm a gentileza de dizer que meu cabelo ficou castanho. Todos, exceto Josie Pye. Ela me disse ontem que ele era mais vermelho do que nunca, por causa do meu vestido preto... Marilla, quase decidi deixar de tentar gostar de Josie Pye.

— Josie é da família Pye — disse Marilla — por isso é da natureza dela ser desagradável. Suponho que pessoas desse tipo sirvam a algum propósito útil na sociedade, mas devo dizer que não sei o que é. Josie vai lecionar?

— Não, ela vai voltar para a Queen's no ano que vem. Assim como Moody Spurgeon e Charlie Sloane. Jane e Ruby vão lecionar. Jane em Newbridge e Ruby em algum lugar no Oeste.

— Gilbert Blythe vai lecionar também, não é?

— Sim — disse secamente.

— Como ele está bonito e agradável — disse Marilla, olhando para o espaço em seus pensamentos. — Eu o vi no domingo passado na igreja, e ele parecia tão alto e másculo. Ele lembra muito o pai quando tinha essa idade. John Blythe era um menino simpático. Éramos bons amigos, ele e eu. Sim, diziam que éramos noivos.

Anne ergueu os olhos com vivo interesse.

— Oh, Marilla, e o que aconteceu? Por que você não...

— Nós tivemos uma briga. Eu me recusei a perdoá-lo, quando ele me pediu perdão. Eu queira fazer as pazes... mas eu estava enfezada e com raiva e queria puni-lo primeiro. Ele nunca mais voltou para mim... os Blythe são todos muito independentes. Mas eu sempre lamentei e me arrependi disso. Sempre desejei tê-lo perdoado quando tive a chance.

— Oh! Marilla, você teve um amor na sua juventude — Anne disse baixinho.

— Sim, querida, quem diria, né? Acho que posso chamar isso de romance... Agora todo mundo aqui em Avonlea já se esqueceu de mim e do John... eu mesma já tinha esquecido. Mas me lembrei no domingo passado, quando vi o lindo menino do John na igreja.

# XXXVIII
## A CURVA DA ESTRADA

Marilla foi à cidade no dia seguinte e voltou à noite. Anne acompanhou Diana a Orchard Slope e, ao voltar para casa, encontrou Marilla sentada à mesa da cozinha com a cabeça apoiada nas mãos. A sua postura testemunhou a depressão que ela sentia. Anne nunca vira Marilla sentar-se assim tão encurvada.

— Você está muito cansada, Marilla?

— Eu... eu... eu não sei... — disse Marilla melancólica e erguendo a cabeça. — Acho que estou cansada, mas não pensei nisso ainda... Não é o cansaço que me aflige.

— Você foi ao oftalmologista? O que ele disse? — perguntou Anne preocupada.

— Sim, eu fui. Ele examinou meus olhos. Ele disse para eu parar de ler e costurar, e desistir de qualquer tipo de trabalho que force a vista, e que é para eu evitar chorar, e se usar os óculos que me receitou meus olhos não vão piorar e minha dor de cabeça vai passar. Mas, se eu não fizer isso, disse que certamente estarei cega em seis meses. Cega! Anne, pense nisso!

Anne soltou uma exclamação alta e depois ficou quieta por um minuto.

Parecia que *não* conseguia falar. Finalmente, ela disse em uma voz incerta:

— Marilla, *não* se preocupe com isso! Ele lhe deu esperança. Se você for cuidadosa e cuidar de si mesma, não perderá a visão, e se os óculos dele curarem suas fortes dores de cabeça, isso vai ser ótimo.

— Não tenho muita esperança — disse Marilla com amargura. — Como vou viver se não consigo ler ou costurar? Melhor que fique cega... ou morra. E quando se trata de chorar, não consigo evitar quando me sinto solitária. Mas é melhor falar de outra coisa... Se você me trouxer uma xícara de chá, eu ficarei agradecida... Não conte a ninguém sobre isso, por enquanto. Eu não suporto as pessoas vindo aqui para fazer perguntas e com pena de mim...

Depois de Marilla ter tomado seu pequeno chá, Anne a levou para a cama, então ela própria foi para seu quarto no sótão e sentou-se perto da janela, sozinha com suas lágrimas e o coração pesado. Como tudo tinha mudado e ficado triste, depois que se sentou ali na noite em que retornou para casa! Naquele dia, ela estava cheia de esperança e alegria, e o futuro sugeria promessas maravilhosas... Anne se sentia como se tivesse vivido por anos desde aquele momento, mas antes de ir para a cama havia um sorriso em seus lábios e paz em seu coração. Ela tinha corajosamente encarado seu dever e encontrou um amigo nele: assim são os deveres quando os enfrentados com franqueza.

Certa tarde, alguns dias depois, Marilla voltou lentamente do quintal onde estivera conversando com um homem de Carmody que Anne conhecia de vista chamado Sr. Sadler.

— O que o Sr. Sadler queria, Marilla?

Marilla sentou-se perto da janela e olhou para Anne. Seus olhos estavam cheios de lágrimas, apesar da proibição do oftalmologista, e ela não conseguia controlar a voz trêmula ao responder:

— Ele ouviu dizer que vou vender Green Gables e agora quer comprá-lo.

— Comprar? Comprar Green Gables? — Anne não sabia se tinha ouvido direito. — Marilla, você pretende vender Green Gables?

— Anne, não sei como fazer. Eu pensei em tudo. Se meus olhos fossem bons, eu poderia ficar aqui para cuidar das coisas e administrar, tendo um bom contratado me ajudando. Mas do jeito que as coisas estão, eu não posso. Posso perder minha visão; e de qualquer maneira não sou apta a administrar os negócios. Oh, nunca pensei que viveria para ver o dia em que teria que vender minha casa. Mas as coisas podem ficar cada vez piores com o tempo, até que ninguém queria comprá-la. Cada centavo de nosso dinheiro foi para aquele banco; e há algumas notas promissórias que Matthew deu no outono passado para pagar. A Sra. Lynde me aconselha a vender a fazenda e me hospedar em algum lugar... com ela, suponho. A venda não vai render muito... Mas será o suficiente para eu me sustentar, eu acho. Fico tranquila por você ter essa bolsa de estudos, Anne.

A tristeza dominou Marilla e ela começou a chorar amargamente.

— Você não pode vender Green Gables — disse Anne resolutamente.

— Ah, Anne, eu queria mesmo não ter que fazer isso... Mas você está vendo a realidade. Eu não posso ficar aqui sozinha. Eu ficaria louca de preocupação e solidão. E perderia minha visão... tenho certeza disso.

— Você não tem que morar aqui sozinha, Marilla. Eu vou ficar com você. Eu não vou para Redmond.

— Você não vai para Redmond? — Marilla ergueu o rosto vermelho e inchado e olhou para Anne. — O que você quer dizer com isso?

— É exatamente isso. Não vou aceitar a bolsa. Decidi isso na noite depois que você voltou da cidade. Você não acha que eu iria deixá-la sozinha, Marilla, depois de tudo que você fez por mim. Tenho pensado e planejado. Deixe-me contar meus planos. O Sr. Barry quer alugar a fazenda para o próximo ano. Então você não terá nenhum problema com isso. E eu vou lecionar. Eu me inscrevi para dar aulas na escola daqui... mas não sei se conseguirei, pois os membros do conselho já prometeram a vaga para Gilbert Blythe. Mas posso ficar com a escola Carmody, o Sr. Blair me disse isso ontem à noite na loja. Claro que isso não será tão bom ou conveniente como se eu estivesse na escola de Avonlea. Mas posso ir e vir de Carmody de carroça, nos dias quentes. E no inverno posso voltar para casa às sextas-feiras. Manteremos um cavalo para isso. Oh, eu tenho tudo planejado, Marilla. E vou ler para você e deixá-la animada. Você não vai ficar enfadonha ou solitária. E seremos muito felizes aqui juntas, você e eu.

Marilla tinha ouvido, como se não pudesse acreditar no que estava ouvindo.

— Ah, Anne, tudo seria mais fácil para mim se você estivesse aqui, eu sei disso. Mas eu não posso deixar você fazer esse tipo de sacrifício por mim. Isso seria um absurdo.

— Absurdo! — Anne riu alegremente. — Não há sacrifício. Nada poderia ser pior do que desistir de Green Gables, nada poderia me machucar mais. Devemos manter conosco o querido lugar. Estou decidida, Marilla. Eu *não* vou para Redmond; e eu *vou* ficar aqui e lecionar. Não se preocupe nem um pouco comigo.

— Mas seus planos futuros? Sua ambição...

— Estou tão ambiciosa como sempre estive. Apenas mudei o objeto de minhas ambições. Vou ser uma boa professora, e vou salvar sua visão. Além disso, pretendo estudar em casa aqui e fazer um pequeno curso universitário sozinha. Oh, tenho dezenas de planos, Marilla. Eu estive pensando sobre eles por uma semana. Darei o melhor de minha vida aqui, e acredito que ela dará o melhor de si em troca. Quando saí da Queen's, meu futuro parecia se estender diante de mim como uma estrada reta. Achei que poderia ver ao longo dela muito de seus marcos. Agora, surgiu uma curva. Não sei o que fica depois da curva, mas vou acreditar que o melhor virá. Tem um fascínio próprio, essa curva, Marilla. Eu me pergunto como será a estrada; o que há de glória por vir...

— No entanto, sinto que não devo permitir que você desista — disse Marilla pensando na bolsa.

— Mas você não pode me impedir. Tenho dezesseis anos e meio, "obstinada como uma mula", como me disse a Sra. Lynde uma vez — riu Anne. — Oh, Marilla, não tenha pena de mim. Não gosto que sintam pena de mim e não há necessidade disso. Estou muito feliz com a ideia de ficar em Green Gables. Ninguém poderia amá-la como você e eu amamos, então devemos mantê-la.

— Minha menina abençoada! — disse Marilla, cedendo. — Eu sinto como se você tivesse me dado uma vida nova. Acho que devia fazer você ir para a faculdade, mas sei que não posso, então não vou tentar. Vou compensar você por isso, Anne.

Quando se espalhou o boato em Avonlea de que Anne Shirley havia desistido da ideia de ir para a faculdade e pretendia ficar em casa e lecionar, houve muita discussão a respeito. A maioria das pessoas, sem saber sobre os olhos de Marilla, achou que ela era uma tola. Mas a Sra. Allan não. Ela disse isso a Anne em palavras de aprovação que trouxeram lágrimas de prazer aos olhos da garota. Tampouco a boa Sra. Lynde. Certa noite, ela apareceu e encontrou Anne e Marilla sentadas na porta da frente no crepúsculo quente e perfumado do verão. Gostavam de ficar sentadas ali quando chegava o crepúsculo, as mariposas brancas voavam pelo jardim e o cheiro de menta enchia o ar orvalhado.

A Sra. Rachel depositou seu corpo substancioso no banco de pedra perto da porta, atrás do qual crescia uma fileira de altas malvas rosa e amarelas, entre longos suspiros de cansaço e alívio misturados.

— Eu declaro que estou feliz em me sentar. Fiquei de pé o dia todo e 90 quilos é um bom bocado para dois pés. É uma grande bênção não ser gorda, Marilla. Eu espero que você aprecie isso. Bem, Anne, ouvi dizer que você desistiu de ir para a faculdade. Fiquei muito feliz em saber disso. Você tem tanta educação agora quanto qualquer mulher para se sentir bem. Não acho certo garotas indo para a faculdade com os homens e enchendo a cabeça de latim e grego e todas essas bobagens.

— De qualquer forma, vou continuar meus estudos aqui em casa sozinha, Sra. Lynde — disse Anne feliz. — Pretendo estudar aqui como em uma universidade.

A Sra. Lynde bateu as duas mãos.

— Anne Shirley, você vai acabar se matando!

— Que nada! Pelo contrário, é perfeito para mim. Eu realmente não vou exagerar. Terei muito tempo nas longas noites de inverno, e afazeres domésticos não são exatamente do meu gosto... Estou indo para Carmody para lecionar.

— Não, eu realmente não ouvi isso. Ouvi dizer que você será professora aqui em Avonlea. Então, pelo menos foi que o conselho escolar decidiu.

— O que a Sra. está me dizendo? — gritou Anne e correu de tão surpresa que ficou. — Mas eles prometeram um lugar para Gilbert Blythe!

— Sim, eles prometeram. Mas assim que Gilbert soube que você tinha se inscrito, ele foi ao conselho escolar e disse a eles que retiraria sua inscrição e pediu que aceitassem você. Ele disse que pretendia lecionar em White Sands. Ele desistiu deste lugar, é claro, para lhe fazer um favor, porque sabia que você ficaria feliz em ficar com Marilla, ele foi muito gentil. E, de fato, com muito sacrifício também, pois ele tem que pagar pelo seu apartamento em White Sands, e qualquer um sabe que de agora em diante ele terá que cuidar de seu próprio sustento. É por isso que o conselho escolar decidiu aceitá-la, e é claro que eu não poderia ficar em casa depois que Thomas veio e me contou a novidade.

— Sinto que não deveria aceitar — disse Anne em voz baixa. — Quer dizer... não posso deixar Gilbert fazer esse sacrifício... por mim.

— Você não pode evitar isso. Ele já assinou um acordo com o Conselho Escolar de White Sands, então não há como ajudá-lo com sua recusa. Mas é claro que você vai aceitar esta vaga... O que significam essas estranhas luzes de farol piscando na janela principal dos Barry?

— Diana está sinalizando que tenho que ir pra lá — riu Anne. — Continuamos com o nosso jeito. Tenho que correr para ouvir o que ela tem a me dizer.

Anne correu pela clareira como um cervo e desapareceu na misteriosa orla de uma floresta assombrada. A Sra. Lynde olhou para ela com olhos bondosos.

— Ainda existe uma boa dose de menina dentro dela.

— Há muito mais de uma mulher feita dentro dela — retrucou Marilla, com um retorno momentâneo de sua antiga firmeza.

Mas a franqueza não era mais a característica marcante de Marilla. Como a Sra. Lynde disse a Thomas naquela noite.

— Marilla Cuthbert ficou *mole*. Isso é fato.

Na tarde seguinte, Anne foi ao pequeno cemitério para colocar flores frescas no túmulo de Matthew e regar a roseira escocesa. Ela permaneceu lá até o pôr do sol; ela gostava do silêncio e da paz do lugar, a agitação dos choupos era como um discurso baixo e amigável. Quando ela finalmente se levantou e subiu a colina suave que levava em direção à onda cintilante da noite, o sol havia se posto em terra e Avonlea descansou diante dele no brilho globular das consequências tardias.

Havia um frescor no ar como o de um vento que soprava sobre campos de trevo doces como o mel. As luzes das casas cintilavam aqui e ali entre as árvores. Mais além ficava o mar, enevoado e púrpura, com seu murmúrio inquietante e incessante. O Oeste era uma glória de tons suaves misturados, e o lago refletia todos eles em sombras ainda mais suaves. A beleza de tudo isso emocionou o coração de Anne, e ela, com gratidão, abriu as portas de sua alma para isso.

No meio da encosta, um jovem alto veio assobiando perto do portão da casa dos Barry. Era Gilbert, e um assobio morreu de seus lábios quando viu Anne. Ele educadamente ergueu o chapéu, mas teria passado silenciosamente se Anne não tivesse parado e estendido a mão.

— Gilbert — disse ela com o rosto corado — gostaria de lhe agradecer por me dar uma vaga na escola. Foi muita bondade de sua parte... e espero que compreenda o quanto sou grata.

Gilbert agarrou com entusiasmo a mão estendida.

— Não foi nenhuma bondade, Anne... Fiquei feliz por poder fazer isso por você. Podemos ser amigos agora?

Anne riu e tentou puxar sua mão.

— Ah, Gilbert, eu o perdoei de todo coração naquele dia no lago, embora tenha usado palavras tão hostis. Eu me comportei muito mal... Mas... posso muito bem confessar isso. Lamento muito por aquele dia.

— Agora seremos melhores amigos — exclamou Gilbert alegremente. — Nascemos para ser bons amigos, Anne,você criou obstáculos ao destino por tempo suficiente! Sei que podemos ajudar um ao outro de muitas maneiras. Você vai estudar por conta própria, não é? Eu também. Venha, vou levá-la para casa.

Marilla olhou com curiosidade para Anne quando esta entrou na cozinha.

— Quem era aquele que estava no atalho com você, Anne?

— Era Gilbert Blythe — Anne respondeu e ficou vermelha. — Eu o encontrei em frente aos Barry.

— Não achei que você e Gilbert Blythe fossem tão bons amigos a ponto de ficarem meia hora no portão conversando — disse Marilla, com um pequeno sorriso nos lábios.

— Não temos sido bons amigos... temos sido bons inimigos. Mas decidimos que agora é muito mais sensato sermos bons amigos no futuro. Estávamos realmente lá meia hora? Pareceram apenas alguns minutos. Mas, você vê, temos cinco anos de conversas perdidas para colocar em dia, Marilla!

Anne sentou-se à janela por muito tempo naquela noite, acompanhada por um sentimento feliz de satisfação. O vento sussurrava suavemente nos galhos das cerejeiras, e o doce aroma de madressilva flutuava até ele em ondas suaves. As estrelas cintilavam sobre os abetos escuros e flácidos, e a luz de Diana brilhou pela abertura nas cortinas da janela.

Os horizontes de Anne se fecharam desde a noite em que ela se sentou lá depois de voltar da Queen's; mas se o caminho colocado diante de seus pés fosse estreito, ela sabia que flores de silenciosa felicidade floresceriam ao longo dele. A alegria do trabalho sincero e da aspiração digna e da amizade agradável estavam aos pés dela; nada poderia privá-la de seu direito inato de fantasia ou de seu mundo ideal de sonhos. E sempre havia curvas na estrada!

— Deus está no céu, está tudo bem com o mundo — sussurrou Anne suavemente.

CONFIRA NOSSOS
LANÇAMENTOS AQUI!